Madame de Lafayette

La Princesse de Clèves (1678)

suivi de
La Princesse de Montpensier (1662)

Texte intégral suivi d'un dossier critique
pour la préparation du bac français

Collection dirigée par
Johan Faerber

Édition annotée et commentée par
Mathilde Bernard
agrégée de lettres modernes

La Princesse de Clèves

La Princesse de Montpensier

© Hatier Paris 2012 – ISBN 978-2-218-93947-1

La Princesse de Clèves

Tome premier

La magnificence[1] et la galanterie[2] n'ont jamais paru en France avec tant d'éclat que dans les dernières années du règne de Henri second[3]. Ce prince était galant, bien fait, et amoureux : quoique sa passion pour Diane de Poitiers[4], duchesse de Valentinois, eût commencé il y avait plus de vingt ans, elle n'en était pas moins violente, et il n'en donnait pas des témoignages moins éclatants.

Comme il réussissait admirablement dans tous les exercices du corps, il en faisait une de ses plus grandes occupations. C'était tous les jours des parties de chasse et de paume[5], des ballets, des courses de bague[6], ou de semblables divertissements ; les couleurs et les chiffres[7] de Mme de Valentinois paraissaient partout, et elle paraissait elle-même avec tous

---

1. **Magnificence** : luxe.
2. **Galanterie** : élégance des manières. Le terme, équivoque, annonce également toutes les intrigues amoureuses de la cour de Henri II.
3. **Henri second** (1519-1559) : fils de François Ier et de Claude de France, Henri II régna de 1547 à 1559.
4. **Diane de Poitiers** (1499-1566) : duchesse de Valentinois, maîtresse de Henri II.
5. **Paume** : ancêtre du jeu de tennis.
6. **Courses de bague** : ces affrontements consistent à passer une lance à travers des anneaux suspendus.
7. Les dames nobles ont des couleurs et des chiffres propres, qui sont comme leur blason.

les ajustements[1] que pouvait avoir Mlle de la Marck[2], sa
15   petite-fille, qui était alors à marier.

La présence de la reine[3] autorisait la sienne. Cette princesse
était belle, quoiqu'elle eût passé la première jeunesse ; elle
aimait la grandeur, la magnificence, et les plaisirs. Le roi
l'avait épousée lorsqu'il était encore duc d'Orléans, et qu'il
20   avait pour aîné le dauphin[4], qui mourut à Tournon ; prince
que sa naissance et ses grandes qualités destinaient à remplir
dignement la place du roi François I[er][5], son père.

L'humeur ambitieuse de la reine lui faisait trouver une
grande douceur à régner : il semblait qu'elle souffrît sans peine
25   l'attachement du roi pour la duchesse de Valentinois, et elle
n'en témoignait aucune jalousie, mais elle avait une si profonde
dissimulation, qu'il était difficile de juger de ses sentiments, et
la politique l'obligeait d'approcher cette duchesse de sa
personne, afin d'en approcher aussi le roi. Ce prince aimait le
30   commerce[6] des femmes, même de celles dont il n'était pas
amoureux : il demeurait tous les jours chez la reine à l'heure du
cercle[7], où tout ce qu'il y avait de plus beau et de mieux fait de
l'un et de l'autre sexe ne manquait pas de se trouver.

Jamais cour n'a eu tant de belles personnes et d'hommes
35   admirablement bien faits, et il semblait que la nature eût pris

---

1. Ajustements : parures.
2. Mlle de la Marck : Antoinette de la Marck (1542-1591) épousa le duc
d'Anville en 1558.
3. La reine : Catherine de Médicis (1519-1589), femme de Henri II.
4. Le dauphin : François, fils de François Ier et de Claude de France, qui mourut
en 1536.
5. François Ier (1494-1547) : père de Henri II. François Ier régna de 1515 à
1547.
6. Commerce : présence.
7. Heure du cercle : heure de rendez-vous chez la reine.

plaisir à placer ce qu'elle donne de plus beau dans les plus grandes princesses et dans les plus grands princes. Mme Élisabeth de France[1], qui fut depuis reine d'Espagne, commençait à faire paraître un esprit surprenant et cette
40 incomparable beauté qui lui a été si funeste. Marie Stuart[2], reine d'Écosse, qui venait d'épouser M. le dauphin[3], et qu'on appelait la reine dauphine, était une personne parfaite pour l'esprit et pour le corps ; elle avait été élevée à la cour de France, elle en avait pris toute la politesse, et elle était née avec
45 tant de dispositions[4] pour toutes les belles choses, que, malgré sa grande jeunesse, elle les aimait et s'y connaissait mieux que personne. La reine, sa belle-mère, et Madame[5], sœur du roi, aimaient aussi les vers, la comédie et la musique. Le goût que le roi François Ier avait eu pour la poésie et pour les lettres
50 régnait encore en France, et le roi son fils, aimant les exercices du corps, tous les plaisirs étaient à la cour, mais ce qui rendait cette cour belle et majestueuse, était le nombre infini de princes et de grands seigneurs d'un mérite extraordinaire.

---

1. Élisabeth de France (1545-1568) : fille de Henri II et de Catherine de Médicis, elle épousa Philippe II de Valois (1527-1598), roi d'Espagne depuis 1555, le 22 juin 1559.
2. Marie Stuart (1542-1587) : reine d'Écosse depuis la mort de son père Jacques V qui advint alors qu'elle avait sept jours, elle fut élevée en France – sa mère, Marie de Lorraine, était française – et se maria au dauphin François en 1558. À la mort de Henri II en 1559, alors que son mari accédait au trône, elle devenait reine de France. Mais la mort de François II une année plus tard précipita son retour en Écosse, qui eut lieu en 1561. Ses prétentions sur la Couronne d'Angleterre la menèrent à l'échafaud, en 1587 : elle fut officiellement condamnée pour avoir conspiré contre sa cousine, mais en réalité, elle fut éliminée parce que, par sa seule présence, elle constituait une menace pour Elisabeth I.
3. M. le dauphin : François, futur François II (1544-1560), régna de 1559 à 1560.
4. Dispositions : facultés.
5. Madame : c'est ainsi qu'on appelait la sœur du roi régnant. Il s'agit ici de Marguerite de France (1523-1574).

Ceux que je vais nommer étaient, en des manières différentes,
l'ornement et l'admiration de leur siècle.

Le roi de Navarre[1] attirait le respect de tout le monde par
la grandeur de son rang et par celle qui paraissait en sa
personne. Il excellait dans la guerre, et le duc de Guise[2] lui
donnait une émulation qui l'avait porté plusieurs fois à
quitter sa place de général pour aller combattre auprès de lui
comme un simple soldat, dans les lieux les plus périlleux. Il
est vrai aussi que ce duc avait donné des marques d'une valeur
si admirable et avait eu de si heureux succès qu'il n'y avait
point de grand capitaine qui ne dût le regarder avec envie. Sa
valeur était soutenue de toutes les autres grandes qualités : il
avait un esprit vaste et profond, une âme noble et élevée, et
une égale capacité pour la guerre et pour les affaires. Le
cardinal de Lorraine[3], son frère, était né avec une ambition
démesurée, avec un esprit vif et une éloquence admirable, et
il avait acquis une science profonde, dont il se servait pour se
rendre considérable[4] en défendant la religion catholique qui
commençait d'être attaquée. Le chevalier de Guise[5], que l'on
appela depuis le grand prieur, était un prince aimé de tout le
monde, bien fait, plein d'esprit, plein d'adresse, et d'une

---

1. **Le roi de Navarre** : Antoine de Bourbon-Navarre (1518-1562), père du
futur Henri IV.
2. **Le duc de Guise** (1519-1563) : François Iᵉʳ de Lorraine appartenait à la
famille des Guises, très opposée au protestantisme. Cette famille fut très liée
aux princes de sang – Marie Stuart est elle-même une Guise – et tenta d'obtenir
un pouvoir croissant tout au long du siècle, surtout après la mort de Henri II.
3. **Le cardinal de Lorraine** (1525-1574) : Charles de Lorraine est le frère du
duc de Guise. Il devint cardinal en 1547.
4. **Se rendre considérable** : se rendre digne d'attention.
5. **Le chevalier de Guise** (1534-1563) : autre frère du duc de Guise, qui fut
chevalier de Malte et grand prieur de France.

75 valeur célèbre par toute l'Europe. Le prince de Condé[1],
dans un petit corps peu favorisé de la nature, avait une âme
grande et hautaine[2], et un esprit qui le rendait aimable aux
yeux même des plus belles femmes. Le duc de Nevers[3],
dont la vie était glorieuse par la guerre et par les grands
80 emplois qu'il avait eus, quoique dans un âge un peu avancé,
faisait les délices de la cour. Il avait trois fils parfaitement
bien faits : le second, qu'on appelait le prince de Clèves[4],
était digne de soutenir la gloire de son nom, il était brave
et magnifique, et il avait une prudence qui ne se trouve
85 guère avec la jeunesse. Le vidame de Chartres[5], descendu
de cette ancienne maison de Vendôme, dont les princes du
sang[6] n'ont point dédaigné de porter le nom, était également distingué dans la guerre et dans la galanterie[7]. Il était
beau, de bonne mine, vaillant, hardi, libéral ; toutes ces
90 bonnes qualités étaient vives et éclatantes : enfin il était
seul digne d'être comparé au duc de Nemours[8], si
quelqu'un lui eût pu être comparable. Mais ce prince était

---

1. Le prince de Condé (1530-1569) : Louis de Bourbon, prince de Condé, était
le chef du parti protestant.

2. Hautaine : fière.

3. Le duc de Nevers (1516-1551) : François de Clèves devint duc de Nevers
en 1539.

4. Le prince de Clèves : l'existence de ce prince est partiellement fictive. En
réalité, le deuxième fils (troisième enfant) du duc de Nevers, Jacques de Nevers,
vécut de 1544 à 1564. Il ne correspond pas au personnage du roman.

5. Le vidame de Chartres (1522-1560 ou 1562) : François de Vendôme, prince
de Chabanais était le représentant temporal de l'évêque.

6. Les princes du sang sont les membres de lignages descendant de saint Louis,
donc des princes potentiellement appelés à devenir roi de France.

7. Galanterie : élégance des manières.

8. Le duc de Nemours : Jacques de Savoie-Nemours (1531-1585) devint duc
de Nemours à la mort de son père, en 1533. Le personnage du roman ne lui
correspond pas véritablement.

un chef-d'œuvre de la nature, ce qu'il avait de moins admirable, c'était d'être l'homme du monde le mieux fait et le
95 plus beau. Ce qui le mettait au-dessus des autres, était une valeur incomparable, et un agrément dans son esprit[1], dans son visage et dans ses actions que l'on n'a jamais vu qu'à lui seul ; il avait un enjouement qui plaisait également aux hommes et aux femmes, une adresse extraordinaire dans
100 tous ses exercices, une manière de s'habiller qui était toujours suivie de tout le monde, sans pouvoir être imitée, et enfin un air dans toute sa personne qui faisait qu'on ne pouvait regarder que lui dans tous les lieux où il paraissait. Il n'y avait aucune dame dans la cour dont la gloire n'eût
105 été flattée de le voir attaché à elle ; peu de celles à qui il s'était attaché se pouvaient vanter de lui avoir résisté, et même plusieurs à qui il n'avait point témoigné de passion n'avaient pas laissé[2] d'en avoir pour lui. Il avait tant de douceur et tant de disposition à la galanterie[3], qu'il ne
110 pouvait refuser quelques soins à celles qui tâchaient de lui plaire : ainsi il avait plusieurs maîtresses, mais il était difficile de deviner celle qu'il aimait véritablement. Il allait souvent chez la reine dauphine[4] : la beauté de cette princesse, sa douceur, le soin qu'elle avait de plaire à tout le
115 monde, et l'estime particulière qu'elle témoignait à ce prince avaient souvent donné lieu de croire qu'il levait les yeux jusqu'à elle. Messieurs de Guise, dont elle était nièce, avaient beaucoup augmenté leur crédit et leur considéra-

---

1. **Agrément dans son esprit** : vivacité de son esprit.
2. **N'avaient pas laissé** : n'avaient pas manqué.
3. **Galanterie** : élégance des manières.
4. **La reine dauphine** : Marie Stuart.

tion par son mariage ; leur ambition les faisait aspirer à
s'égaler aux princes du sang, et à partager le pouvoir du
connétable de Montmorency[1]. Le roi se reposait sur lui de la
plus grande partie du gouvernement des affaires et traitait le
duc de Guise et le maréchal de Saint-André[2] comme ses
favoris, mais ceux que la faveur ou les affaires approchaient de
sa personne, ne s'y pouvaient maintenir qu'en se soumettant
à la duchesse de Valentinois[3], et, quoiqu'elle n'eût plus de
jeunesse ni de beauté, elle le gouvernait avec un empire[4] si
absolu, que l'on peut dire qu'elle était maîtresse de sa
personne et de l'État.

Le roi avait toujours aimé le connétable, et sitôt qu'il avait
commencé à régner, il l'avait rappelé de l'exil où le roi
François Ier l'avait envoyé. La cour était partagée entre
messieurs de Guise et le connétable, qui était soutenu des
princes du sang. L'un et l'autre partis avaient toujours songé
à gagner la duchesse de Valentinois. Le duc d'Aumale[5], frère
du duc de Guise, avait épousé une de ses filles ; le connétable
aspirait à la même alliance. Il ne se contentait pas d'avoir
marié son fils aîné avec Mme Diane[6], fille du roi et d'une
dame de Piémont, qui se fit religieuse aussitôt qu'elle fut
accouchée. Ce mariage avait eu beaucoup d'obstacles par

---

1. Le connétable de Montmorency (1493-1567) : le duc Anne de
Montmorency devint connétable de France, soit commandant suprême des
armées, en 1538.

2. Le maréchal de Saint-André (1512-1562) : chef catholique des guerres de
Religion.

3. Duchesse de Valentinois : Diane de Poitiers.

4. Empire : pouvoir.

5. Duc d'Aumale (1526-1573) : Claude II d'Aumale devint duc en 1550.

6. Mme Diane (1538-1619) : Diane de France était la fille illégitime de
Henri II et de Filippa Ducci. Elle fut légitimée en 1548.

les promesses que M. de Montmorency[1] avait faites à Mlle de
Piennes, une des filles d'honneur de la reine, et, bien que le
roi les eût surmontés avec une patience et une bonté extrêmes,
ce connétable ne se trouvait pas encore assez appuyé, s'il ne
145 s'assurait de Mme de Valentinois, et s'il ne la séparait de
messieurs de Guise, dont la grandeur commençait à donner
de l'inquiétude à cette duchesse. Elle avait retardé, autant
qu'elle avait pu, le mariage du dauphin avec la reine
d'Écosse[2] ; la beauté et l'esprit capable[3] et avancé de cette
150 jeune reine, et l'élévation que ce mariage donnait à messieurs
de Guise, lui étaient insupportables. Elle haïssait particulièrement le cardinal de Lorraine ; il lui avait parlé avec
aigreur, et même avec mépris. Elle voyait qu'il prenait des
liaisons avec la reine, de sorte que le connétable la trouva
155 disposée à s'unir avec lui, et à entrer dans son alliance par le
mariage de Mlle de la Marck, sa petite-fille, avec M. d'Anville[4], son second fils, qui succéda depuis à sa charge sous le
règne de Charles IX[5]. Le connétable ne crut pas trouver
d'obstacles dans l'esprit de M. d'Anville pour un mariage,
160 comme il en avait trouvé dans l'esprit de M. de
Montmorency, mais, quoique les raisons lui en fussent
cachées, les difficultés n'en furent guère moindres. M. d'Anville était éperdument amoureux de la reine dauphine ;

---

1. M. de Montmorency (1530-1579) : fils du connétable, François de
Montmorency dut épouser Diane de France, la fille illégitime de Henri II, alors
qu'il s'était marié secrètement avec Jeanne de Piennes en 1553. Il dut renoncer
à cette dernière.
2. La reine d'Écosse : Marie Stuart.
3. Capable : plein de capacités.
4. M. d'Anville (1534-1614) : second fils du connétable de Montmorency.
5. Charles IX (1550-1574) : roi de France de 1560 à 1574. Il était le frère de
François II.

et, quelque peu d'espérance qu'il eût dans cette passion, il
ne pouvait se résoudre à prendre un engagement qui parta-
gerait ses soins. Le maréchal de Saint-André était le seul
dans la cour qui n'eût point pris de parti. Il était un des
favoris, et sa faveur ne tenait qu'à sa personne. Le roi l'avait
aimé dès le temps qu'il était dauphin, et depuis, il l'avait
fait maréchal de France, dans un âge où l'on n'a pas encore
accoutumé de prétendre aux moindres dignités. Sa faveur lui
donnait un éclat qu'il soutenait par son mérite et par l'agrément[1] de sa personne, par une grande délicatesse pour sa
table et pour ses meubles, et par la plus grande magnificence[2] qu'on eût jamais vue en un particulier. La libéralité[3]
du roi fournissait à cette dépense, ce prince allait jusqu'à la
prodigalité[4] pour ceux qu'il aimait, il n'avait pas toutes les
grandes qualités, mais il en avait plusieurs, et surtout celle
d'aimer la guerre et de l'entendre[5] ; aussi avait-il eu d'heureux succès, et, si on en excepte la bataille de Saint-
Quentin[6], son règne n'avait été qu'une suite de victoires. Il
avait gagné en personne la bataille de Renty[7], le Piémont
avait été conquis, les Anglais avaient été chassés de France, et
l'empereur Charles Quint[8] avait vu finir sa bonne fortune

---

1. Agrément : caractère agréable.
2. Magnificence : luxe.
3. Libéralité : générosité.
4. Prodigalité : dépenses excessives.
5. Entendre : comprendre.
6. Bataille de Saint-Quentin : 10 août 1557. La France y essuya une défaite contre les Espagnols.
7. Bataille de Renty : elle eut lieu le 13 août 1554. La France vainquit l'armée de l'empereur Charles Quint.
8. Charles Quint (1500-1558) : roi d'Espagne en 1516, il devint empereur en 1519. Il était le grand adversaire de François Ier.

devant la ville de Metz[1], qu'il avait assiégée inutilement avec
toutes les forces de l'Empire et de l'Espagne. Néanmoins,
comme le malheur de Saint-Quentin avait diminué l'espérance de nos conquêtes, et que depuis la fortune avait semblé
se partager entre les deux rois, ils se trouvèrent insensiblement disposés à la paix.

La duchesse douairière de Lorraine[2] avait commencé à en
faire des propositions dans le temps du mariage de M. le
dauphin; il y avait toujours eu depuis quelque négociation
secrète. Enfin, Cercamp, dans le pays d'Artois, fut choisi pour
le lieu où l'on devait s'assembler. Le cardinal de Lorraine, le
connétable de Montmorency et le maréchal de Saint-André s'y
trouvèrent pour le roi; le duc d'Albe[3] et le prince d'Orange[4],
pour Philippe II[5]; et le duc et la duchesse de Lorraine furent
les médiateurs. Les principaux articles étaient le mariage de
Mme Élisabeth de France avec Don Carlos[6], infant d'Espagne,
et celui de Madame, sœur du roi[7], avec M. de Savoie[8].

---

1. Le 13 octobre 1552, l'armée française remporta à Metz une victoire contre
Charles Quint.
2. La duchesse douairière de Lorraine : Chrétienne de Danemark (1521-
1590), nièce de l'Empereur Charles Quint, fille et petite-fille des rois de Suède
et de Danemark.
3. Le duc d'Albe : Ferdinand Alvare de Tolède (1507-1582), 3e duc d'Albe,
occupa la fonction de régent des Pays-Bas espagnols de 1567 à 1573.
4. Le prince d'Orange (1533-1584) : Guillaume de Nassau, prince d'Orange,
dit Guillaume le Taciturne, proche de Charles Quint, fut le commandant de la
révolte contre Philippe II, aux Pays-Bas espagnols.
5. Philippe II (1527-1598) succéda à son père en tant que roi d'Espagne en 1555.
6. Don Carlos (1545-1568) : c'est à l'origine l'infant, le fils de Philippe II qui
devait épouser Élisabeth de France, fille de Henri II et de Catherine de Médicis.
Mais Philippe II changea d'avis et épousa lui-même la princesse.
7. Madame, sœur du roi : Marguerite de France.
8. M. de Savoie (1528-1580) : Emmanuel-Philibert fut duc de Savoie et prince
de Piémont à partir de 1553.

Le roi demeura cependant sur la frontière et il y reçut la nouvelle de la mort de Marie, reine d'Angleterre[1]. Il envoya le comte de Randan[2] à Élisabeth[3], pour la complimenter sur son avènement à la couronne ; elle le reçut avec joie. Ses droits étaient si mal établis[4] qu'il lui était avantageux de se voir reconnue par le roi. Ce comte la trouva instruite des intérêts de la cour de France, et du mérite de ceux qui la composaient, mais surtout il la trouva si remplie de la réputation du duc de Nemours[5], elle lui parla tant de fois de ce prince, et avec tant d'empressement que, quand M. de Randan fut revenu, et qu'il rendit compte au roi de son voyage, il lui dit qu'il n'y avait rien que M. de Nemours ne pût prétendre auprès de cette princesse, et qu'il ne doutait point qu'elle ne fût capable de l'épouser. Le roi en parla à ce prince dès le soir même ; il lui fit conter par M. de Randan toutes ses conversations avec Élisabeth et lui conseilla de tenter cette grande fortune. M. de Nemours crut d'abord que le roi ne lui parlait pas sérieusement mais comme il vit le contraire :

« Au moins, Sire, lui dit-il, si je m'embarque dans une entreprise chimérique par le conseil et pour le service de Votre Majesté, je la supplie de me garder le secret jusqu'à ce que le succès me justifie vers le public, et de vouloir bien ne me pas

---

1. Marie, reine d'Angleterre : Marie Tudor (1516-1558), fille de Henri VIII et de Catherine d'Aragon, femme de Philippe II.

2. Le comte de Randan : Charles de La Rochefoucauld (1523-1562), célèbre guerrier.

3. Élisabeth (1533-1608) : fille de Henri VIII et d'Anne Boleyn, elle succéda à sa sœur Marie Tudor en 1558.

4. Ses droits étaient si mal établis : la succession de la couronne d'Angleterre donna lieu à de nombreux conflits.

5. Si remplie de la réputation du duc de Nemours : très intéressée dans la personne fameuse du duc de Nemours.

faire paraître rempli d'une assez grande vanité pour prétendre qu'une reine, qui ne m'a jamais vu, me veuille épouser par
225 amour. »

Le roi lui promit de ne parler qu'au connétable de ce dessein, et il jugea même le secret nécessaire pour le succès. M. de Randan conseillait à M. de Nemours d'aller en Angleterre sur le simple prétexte de voyager, mais ce prince
230 ne put s'y résoudre. Il envoya Lignerolles[1] qui était un jeune homme d'esprit, son favori, pour voir les sentiments de la reine, et pour tâcher de commencer quelque liaison. En attendant l'événement de ce voyage, il alla voir le duc de Savoie, qui était alors à Bruxelles avec le roi d'Espagne. La mort de
235 Marie d'Angleterre apporta de grands obstacles à la paix ; l'assemblée se rompit à la fin de novembre, et le roi revint à Paris.

Il parut alors une beauté à la cour, qui attira les yeux de tout le monde, et l'on doit croire que c'était une beauté
240 parfaite, puisqu'elle donna de l'admiration dans un lieu où l'on était si accoutumé à voir de belles personnes. Elle était de la même maison que le vidame de Chartres, et une des plus grandes héritières de France. Son père était mort jeune, et l'avait laissée sous la conduite de Mme de Chartres[2], sa
245 femme, dont le bien, la vertu et le mérite étaient extraordinaires. Après avoir perdu son mari, elle avait passé plusieurs années sans revenir à la cour. Pendant cette absence, elle avait donné ses soins à l'éducation de sa fille, mais elle ne travailla pas seulement à cultiver son esprit et sa beauté, elle songea

---

1. On sait peu de choses de Philibert de Lignerolles, qui mourut assassiné en 1571.
2. Mme de Chartres et sa fille sont des personnages fictifs.

250 aussi à lui donner de la vertu et à la lui rendre aimable[1]. La
plupart des mères s'imaginent qu'il suffit de ne parler jamais
de galanterie[2] devant les jeunes personnes pour les en éloigner. Mme de Chartres avait une opinion opposée, elle faisait
souvent à sa fille des peintures de l'amour, elle lui montrait ce
255 qu'il a d'agréable pour la persuader plus aisément sur ce
qu'elle lui en apprenait de dangereux, elle lui contait le peu
de sincérité des hommes, leurs tromperies et leur infidélité,
les malheurs domestiques[3] où plongent les engagements, et
elle lui faisait voir, d'un autre côté, quelle tranquillité suivait
260 la vie d'une honnête femme, et combien la vertu donnait
d'éclat et d'élévation à une personne qui avait de la beauté et
de la naissance, mais elle lui faisait voir aussi combien il était
difficile de conserver cette vertu, que par une extrême
défiance[4] de soi-même et par un grand soin de s'attacher à ce
265 qui seul peut faire le bonheur d'une femme, qui est d'aimer
son mari et d'en être aimée.

Cette héritière était alors un des grands partis qu'il y eût
en France et quoiqu'elle fût dans une extrême jeunesse, l'on
avait déjà proposé plusieurs mariages. Mme de Chartres, qui
270 était extrêmement glorieuse, ne trouvait presque rien digne
de sa fille. La voyant dans sa seizième année, elle voulut la
mener à la cour. Lorsqu'elle arriva, le vidame alla au-devant
d'elle ; il fut surpris de la grande beauté de Mlle de Chartres,
et il en fut surpris avec raison. La blancheur de son teint et ses
275 cheveux blonds lui donnaient un éclat que l'on n'a jamais vu

---

1. **Aimable** : propre à être aimée.
2. **Galanterie** : ici, relations amoureuses et libertinage.
3. **Domestiques** : conjugaux.
4. **Défiance** : méfiance.

qu'à elle ; tous ses traits étaient réguliers, et son visage et sa personne étaient pleins de grâce et de charmes.

Le lendemain qu'elle fut arrivée, elle alla pour assortir des pierreries chez un Italien qui en trafiquait[1] par tout le monde. Cet homme était venu de Florence avec la reine[2], et s'était tellement enrichi dans son trafic, que sa maison paraissait plutôt celle d'un grand seigneur que d'un marchand. Comme elle y était, le prince de Clèves y arriva. Il fut tellement surpris de sa beauté qu'il ne put cacher sa surprise, et Mlle de Chartres ne put s'empêcher de rougir en voyant l'étonnement[3] qu'elle lui avait donné. Elle se remit néanmoins, sans témoigner d'autre attention aux actions de ce prince que celle que la civilité lui devait donner pour un homme tel qu'il paraissait. M. de Clèves la regardait avec admiration, et il ne pouvait comprendre qui était cette belle personne qu'il ne connaissait point. Il voyait bien, par son air et par tout ce qui était à sa suite, qu'elle devait être d'une grande qualité[4]. Sa jeunesse lui faisait croire que c'était une fille[5], mais, ne lui voyant point de mère, et l'Italien, qui ne la connaissait point, l'appelant madame, il ne savait que penser, et il la regardait toujours avec étonnement. Il s'aperçut que ses regards l'embarrassaient, contre l'ordinaire des jeunes personnes qui voient toujours avec plaisir l'effet de leur beauté ; il lui parut même qu'il était cause qu'elle avait de l'impatience de s'en aller, et en effet elle sortit assez promptement. M. de Clèves

---

1. Trafiquait : faisait commerce.
2. Catherine de Médicis est florentine.
3. Étonnement : caractère de quelqu'un qui est comme frappé de foudre, stupéfaction.
4. Qualité : ici, origine sociale.
5. Fille : jeune fille, non mariée.

se consola de la perdre de vue dans l'espérance de savoir qui elle était, mais il fut bien surpris quand il sut qu'on ne la connaissait point. Il demeura si touché de sa beauté et de l'air modeste qu'il avait remarqué dans ses actions, qu'on peut dire
305 qu'il conçut pour elle, dès ce moment, une passion et une estime extraordinaires. Il alla le soir chez Madame, sœur du roi.

Cette princesse était dans une grande considération par le crédit[1] qu'elle avait sur le roi son frère, et ce crédit était si
310 grand, que le roi, en faisant la paix, consentait à rendre le Piémont pour lui faire épouser le duc de Savoie. Quoiqu'elle eût désiré toute sa vie de se marier, elle n'avait jamais voulu épouser qu'un souverain, et elle avait refusé pour cette raison le roi de Navarre lorsqu'il était duc de Vendôme[2], et avait
315 toujours souhaité M. de Savoie ; elle avait conservé de l'inclination pour lui depuis qu'elle l'avait vu à Nice à l'entrevue du roi François Ier et du pape Paul III[3]. Comme elle avait beaucoup d'esprit et un grand discernement pour les belles choses, elle attirait tous les honnêtes gens, et il y avait de certaines
320 heures où toute la cour était chez elle.

M. de Clèves y vint comme à l'ordinaire, il était si rempli de l'esprit et de la beauté de Mlle de Chartres qu'il ne pouvait parler d'autre chose. Il conta tout haut son aventure, et ne pouvait se lasser de donner des louanges à cette personne

---

1. Dans une grande considération par le crédit : très considérée, en raison du crédit.

2. Antoine de Bourbon, duc de Vendôme, ne devint roi de Navarre que par son mariage avec Jeanne d'Albret (1548) qui elle-même devint reine de Navarre en 1555.

3. Paul III : Alexandre Farnèse (1468-1549) fut élu pape en 1534. L'entrevue avec François Ier eut lieu en juin 1538.

325 qu'il avait vue, qu'il ne connaissait point. Madame lui dit qu'il n'y avait point de personne comme celle qu'il dépeignait et que, s'il y en avait quelqu'une, elle serait connue de tout le monde. Mme de Dampierre[1], qui était sa dame d'honneur et amie de Mme de Chartres, entendant cette conversation,

330 s'approcha de cette princesse, et lui dit tout bas que c'était sans doute Mlle de Chartres que M. de Clèves avait vue. Madame se retourna vers lui, et lui dit que, s'il voulait revenir chez elle le lendemain, elle lui ferait voir cette beauté dont il était si touché. Mlle de Chartres parut en effet le jour suivant ;

335 elle fut reçue des reines avec tous les agréments[2] qu'on peut s'imaginer, et avec une telle admiration de tout le monde, qu'elle n'entendait autour d'elle que des louanges. Elle les recevait avec une modestie si noble, qu'il ne semblait pas qu'elle les entendît, ou du moins qu'elle en fût touchée. Elle

340 alla ensuite chez Madame, sœur du roi. Cette princesse, après avoir loué sa beauté, lui conta l'étonnement qu'elle avait donné à M. de Clèves. Ce prince entra un moment après :

« Venez, lui dit-elle, voyez si je ne vous tiens pas ma parole et si, en vous montrant Mlle de Chartres, je ne vous fais pas

345 voir cette beauté que vous cherchiez, remerciez-moi au moins de lui avoir appris l'admiration que vous aviez déjà pour elle. »

M. de Clèves sentit de la joie de voir que cette personne qu'il avait trouvée si aimable[3] était d'une qualité[4] proportionnée à sa beauté : il s'approcha d'elle, et il la supplia de se

---

1. Mme de Dampierre : Jeanne de Vivonne (1525-1583) était mariée à Claude de Clermont, seigneur de Dampierre.

2. Agréments : égards.

3. Aimable : propre à être aimée.

4. Qualité : de rang élevé. Le prince de Clèves ne peut pas concevoir d'épouser une femme trop en-dessous de son rang.

350 souvenir qu'il avait été le premier à l'admirer, et que, sans la connaître, il avait eu pour elle tous les sentiments de respect et d'estime qui lui étaient dus.

Le chevalier de Guise et lui, qui étaient amis, sortirent ensemble de chez Madame. Ils louèrent d'abord Mlle de
355 Chartres sans se contraindre. Ils trouvèrent enfin qu'ils la louaient trop, et ils cessèrent l'un et l'autre de dire ce qu'ils en pensaient, mais ils furent contraints d'en parler les jours suivants partout où ils se rencontrèrent. Cette nouvelle beauté fut longtemps le sujet de toutes les conversations. La reine lui
360 donna de grandes louanges et eut pour elle une considération extraordinaire ; la reine dauphine en fit une de ses favorites et pria Mme de Chartres de la mener souvent chez elle. Mmes, filles du roi[1], l'envoyaient chercher pour être de tous leurs divertissements. Enfin, elle était aimée et admirée de toute la
365 cour, excepté de Mme de Valentinois. Ce n'est pas que cette beauté lui donnât de l'ombrage[2] ; une trop longue expérience lui avait appris qu'elle n'avait rien à craindre auprès du roi[3], mais elle avait tant de haine pour le vidame de Chartres, qu'elle avait souhaité d'attacher à elle par le mariage d'une de
370 ses filles, et qui s'était attaché à la reine, qu'elle ne pouvait regarder favorablement une personne qui portait son nom et pour qui il faisait paraître une grande amitié.

Le prince de Clèves devint passionnément amoureux de Mlle de Chartres et souhaitait ardemment de l'épouser, mais

---

1. Il s'agit d'Élisabeth et de Claude de France. Marguerite de France, née en 1552, est trop jeune pour assister à ces réunions mondaines.
2. Lui donnât de l'ombrage : lui fît de l'ombre.
3. Même si Diane de Poitiers était bien plus âgée que Henri II, il l'aimait d'un amour passionné, incompris de tous.

375 il craignait que l'orgueil de Mme de Chartres ne fût blessé de
donner sa fille à un homme qui n'était pas l'aîné[1] de sa
maison. Cependant cette maison était si grande, et le comte
d'Eu[2], qui en était l'aîné, venait d'épouser une personne si
proche de la maison royale que c'était plutôt la timidité que
380 donne l'amour que de véritables raisons, qui causaient les
craintes de M. de Clèves. Il avait un grand nombre de rivaux :
le chevalier de Guise lui paraissait le plus redoutable par sa
naissance, par son mérite, et par l'éclat que la faveur donnait
à sa maison. Ce prince était devenu amoureux de Mlle de
385 Chartres le premier jour qu'il l'avait vue : il s'était aperçu de
la passion de M. de Clèves, comme M. de Clèves s'était aperçu
de la sienne. Quoiqu'ils fussent amis, l'éloignement que
donnent les mêmes prétentions ne leur avait pas permis de
s'expliquer ensemble, et leur amitié s'était refroidie sans
390 qu'ils eussent eu la force de s'éclaircir. L'aventure qui était
arrivée à M. de Clèves, d'avoir vu le premier Mlle de Chartres,
lui paraissait un heureux présage, et semblait lui donner
quelque avantage sur ses rivaux, mais il prévoyait de grands
obstacles par le duc de Nevers, son père. Ce duc avait
395 d'étroites liaisons avec la duchesse de Valentinois, elle était
ennemie du vidame, et cette raison était suffisante pour empêcher le duc de Nevers de consentir que son fils pensât à sa
nièce.

Mme de Chartres, qui avait eu tant d'application pour
400 inspirer la vertu à sa fille, ne discontinua pas de prendre

---

1. Les honneurs vont en premier lieu à l'aîné de la famille.
2. Le comte d'Eu : François Ier de Clèves (1516-1561) devint comte d'Eu en
1521. Il épousa Marguerite de Bourbon-Vendôme, sœur d'Antoine de Bourbon,
en 1538.

les mêmes soins dans un lieu où ils étaient si nécessaires et où il y avait tant d'exemples si dangereux. L'ambition et la galanterie[1] étaient l'âme de cette cour, et occupaient également les hommes et les femmes. Il y avait tant d'intérêts et tant de cabales[2] différentes, et les dames y avaient tant de part que l'amour était toujours mêlé aux affaires et les affaires à l'amour. Personne n'était tranquille ni indifférent, on songeait à s'élever, à plaire, à servir ou à nuire, on ne connaissait ni l'ennui, ni l'oisiveté, et on était toujours occupé des plaisirs ou des intrigues. Les dames avaient des attachements particuliers pour la reine, pour la reine dauphine, pour la reine de Navarre, pour Madame, sœur du roi, ou pour la duchesse de Valentinois. Les inclinations, les raisons de bienséance[3] ou le rapport d'humeur faisaient ces différents attachements. Celles qui avaient passé la première jeunesse et qui faisaient profession d'une vertu plus austère, étaient attachées à la reine. Celles qui étaient plus jeunes, et qui cherchaient la joie et la galanterie, faisaient leur cour à la reine dauphine. La reine de Navarre[4] avait ses favorites : elle était jeune, et elle avait du pouvoir sur le roi son mari ; il était joint au connétable, et avait par là beaucoup de crédit. Madame, sœur du roi, conservait encore de la beauté, et attirait plusieurs dames auprès d'elle. La duchesse de Valentinois avait toutes celles qu'elle daignait regarder ; mais peu de femmes lui étaient agréables ; et, excepté quelques-unes qui avaient sa familiarité

1. Galanterie : goût des affaires sentimentales.
2. Cabales : conspirations.
3. Raisons de bienséance : égards que l'on doit témoigner à telle ou telle personne en raison de son rang. Les personnes de rang proche se regroupent.
4. La reine de Navarre : Jeanne d'Albret (1528-1572) devint reine de Navarre en 1555.

et sa confiance, et dont l'humeur avait du rapport avec la sienne, elle n'en recevait chez elle que les jours où elle prenait plaisir à avoir une cour comme celle de la reine.

Toutes ces différentes cabales avaient de l'émulation[1] et de l'envie[2] les unes contre les autres ; les dames qui les composaient avaient aussi de la jalousie entre elles, ou pour la faveur[3], ou pour les amants ; les intérêts de grandeur et d'élévation se trouvaient souvent joints à ces autres intérêts moins importants, mais qui n'étaient pas moins sensibles. Ainsi il y avait une sorte d'agitation sans désordre dans cette cour, qui la rendait très agréable, mais aussi très dangereuse pour une jeune personne. Mme de Chartres voyait ce péril et ne songeait qu'aux moyens d'en garantir sa fille. Elle la pria, non pas comme sa mère, mais comme son amie, de lui faire confidence de toutes les galanteries qu'on lui dirait, et elle lui promit de lui aider à se conduire dans des choses où l'on était souvent embarrassée quand on était jeune.

Le chevalier de Guise fit tellement paraître les sentiments et les desseins qu'il avait pour Mlle de Chartres qu'ils ne furent ignorés de personne. Il ne voyait néanmoins que de l'impossibilité dans ce qu'il désirait : il savait bien qu'il n'était point un parti qui convînt à Mlle de Chartres, par le peu de bien qu'il avait pour soutenir son rang, et il savait bien aussi que ses frères n'approuveraient pas qu'il se mariât, par la crainte de l'abaissement que les mariages des cadets apportent d'ordinaire dans les grandes maisons[4]. Le cardinal de

---

1. Comprendre : ces cabales s'entretenaient les unes les autres.
2. Envie : jalousie.
3. Pour la faveur : pour le traitement de faveur qu'elles avaient.
4. Les frères cadets étaient destinés à l'Église dans les grandes familles.

Lorraine lui fit bientôt voir qu'il ne se trompait pas, il condamna l'attachement qu'il témoignait pour Mlle de Chartres avec une chaleur extraordinaire, mais il ne lui en dit pas les véritables raisons. Ce cardinal avait une haine pour le vidame, qui était secrète alors et qui éclata depuis. Il eut plutôt consenti à voir son frère entrer dans toute autre alliance que dans celle de ce vidame, et il déclara si publiquement combien il en était éloigné que Mme de Chartres en fut sensiblement offensée. Elle prit de grands soins de faire voir que le cardinal de Lorraine n'avait rien à craindre, et qu'elle ne songeait pas à ce mariage. Le vidame prit la même conduite et sentit encore plus que Mme de Chartres celle du cardinal de Lorraine, parce qu'il en savait mieux la cause[1].

Le prince de Clèves n'avait pas donné des marques moins publiques de sa passion qu'avait fait[2] le chevalier de Guise. Le duc de Nevers apprit cet attachement avec chagrin ; il crut néanmoins qu'il n'avait qu'à parler à son fils pour le faire changer de conduite, mais il fut bien surpris de trouver en lui le dessein formé d'épouser Mlle de Chartres. Il blâma ce dessein, il s'emporta, et cacha si peu son emportement que le sujet s'en répandit bientôt à la cour, et alla jusqu'à Mme de Chartres. Elle n'avait pas mis en doute que M. de Nevers ne regardât le mariage de sa fille comme un avantage pour son fils ; elle fut bien étonnée que la maison de Clèves et celle de Guise craignissent son alliance, au lieu de la souhaiter.

---

1. Les vraies causes de la haine entre le cardinal et le vidame ne sont pas claires, mais elles sont liées à des questions de rivalité qui rendent impossible un rapprochement entre les deux familles. Pour ne pas laisser paraître la raison de cette incompatibilité ou pour surmonter une blessure d'orgueil, le vidame comme Mlle de Chartres font semblant d'ignorer la possibilité du mariage.

2. Qu'avait fait : que n'avait fait.

Le dépit qu'elle eut lui fit penser à trouver un parti pour sa fille, qui la mît au-dessus de ceux qui se croyaient au-dessus d'elle. Après avoir tout examiné, elle s'arrêta au prince dauphin, fils du duc de Montpensier[1]. Il était lors à marier, et c'était ce qu'il y avait de plus grand à la cour. Comme Mme de Chartres avait beaucoup d'esprit, qu'elle était aidée du vidame qui était dans une grande considération, et qu'en effet sa fille était un parti considérable, elle agit avec tant d'adresse et tant de succès, que M. de Montpensier parut souhaiter ce mariage, et il semblait qu'il ne s'y pouvait trouver de difficultés.

Le vidame, qui savait l'attachement de M. d'Anville pour la reine dauphine, crut néanmoins qu'il fallait employer le pouvoir que cette princesse avait sur lui, pour l'engager à servir Mlle de Chartres auprès du roi et auprès du prince de Montpensier, dont il était ami intime. Il en parla à cette reine, et elle entra avec joie dans une affaire où il s'agissait de l'élévation d'une personne qu'elle aimait beaucoup, elle le témoigna au vidame, et l'assura que, quoiqu'elle sût bien qu'elle ferait une chose désagréable au cardinal de Lorraine, son oncle, elle passerait avec joie par-dessus cette considération parce qu'elle avait sujet de se plaindre de lui et qu'il prenait tous les jours les intérêts de la reine contre les siens propres.

Les personnes galantes sont toujours bien aises qu'un prétexte leur donne lieu de parler à ceux qui les aiment. Sitôt que le vidame eut quitté Mme la dauphine, elle ordonna à

---

1. Prince dauphin, fils du duc de Montpensier : François de Bourbon (1542-1592) était détenteur du Dauphiné d'Auvergne, d'où son titre de « dauphin ». Il est au cœur de l'intrigue de *La Princesse de Montpensier*. Louis de Bourbon, son père (1513-1582), devint duc de Montpensier en 1538.

Chastelart[1], qui était favori de M. d'Anville, et qui savait la passion qu'il avait pour elle, de lui aller dire de sa part de se trouver le soir chez la reine. Chastelart reçut cette commission avec beaucoup de joie et de respect. Ce gentilhomme était d'une bonne maison de Dauphiné, mais son mérite et son esprit le mettaient au-dessus de sa naissance. Il était reçu et bien traité de tout ce qu'il y avait de grands seigneurs à la cour, et la faveur de la maison de Montmorency l'avait particulièrement attaché à M. d'Anville. Il était bien fait de sa personne, adroit à toutes sortes d'exercices ; il chantait agréablement, il faisait des vers, et avait un esprit galant et passionné qui plut si fort à M. d'Anville, qu'il le fit confident de l'amour qu'il avait pour la reine dauphine. Cette confidence l'approchait de cette princesse, et ce fut en la voyant souvent qu'il prit le commencement de cette malheureuse passion qui lui ôta la raison, et qui lui coûta enfin la vie.

M. d'Anville ne manqua pas d'être le soir chez la reine, il se trouva heureux que Mme la dauphine l'eût choisi pour travailler à une chose qu'elle désirait, et il lui promit d'obéir exactement à ses ordres, mais Mme de Valentinois, ayant été avertie du dessein de ce mariage, l'avait traversé[2] avec tant de soin, et avait tellement prévenu le roi que, lorsque M. d'Anville lui en parla, il lui fit paraître qu'il ne l'approuvait pas, et lui ordonna même de le dire au prince de Montpensier. L'on peut juger ce que sentit Mme de Chartres par la rupture d'une chose qu'elle avait tant désirée, dont le mauvais succès

---

1. Chastelart : Pierre de Boscosel de Chastelart (1540-1562), gentilhomme dauphinois, conçut une violente passion pour la reine dauphine. Il la suivit en Écosse et fut condamné à être décapité lorsqu'il fut surpris pour la seconde fois dans la chambre de cette reine.

2. L'avait traversé : était allée en travers de, s'était opposée.

donnait un si grand avantage à ses ennemis et faisait un si
grand tort à sa fille.

La reine dauphine témoigna à Mlle de Chartres, avec beaucoup d'amitié, le déplaisir qu'elle avait de lui avoir été
inutile :

« Vous voyez, lui dit-elle, que j'ai un médiocre pouvoir ; je
suis si haïe de la reine et de la duchesse de Valentinois, qu'il
est difficile que, par elles ou par ceux qui sont dans leur dépen-
dance, elles ne traversent toujours toutes les choses que je
désire. Cependant, ajouta-t-elle, je n'ai jamais pensé qu'à leur
plaire ; aussi elles ne me haïssent qu'à cause de la reine ma
mère[1], qui leur a donné autrefois de l'inquiétude et de la
jalousie. Le roi en avait été amoureux avant qu'il le fût de
Mme de Valentinois, et dans les premières années de son
mariage, qu'il n'avait point encore d'enfants, quoiqu'il aimât
cette duchesse, il parut quasi résolu de se démarier pour
épouser la reine ma mère. Mme de Valentinois, qui craignait
une femme qu'il avait déjà aimée, et dont la beauté et l'esprit
pouvaient diminuer sa faveur, s'unit au connétable, qui ne
souhaitait pas aussi que le roi épousât une sœur de messieurs
de Guise. Ils mirent le feu roi dans leurs sentiments, et,
quoiqu'il haït mortellement la duchesse de Valentinois,
comme il aimait la reine, il travailla avec eux pour empêcher
le roi de se démarier ; mais, pour lui ôter absolument la pensée
d'épouser la reine ma mère, ils firent son mariage avec le roi
d'Écosse[2], qui était veuf de Mme Magdeleine, sœur du roi[3],

---

1. La reine ma mère : Marie de Guise (1515-1640).
2. Marie de Guise épousa Jaques V d'Écosse (1512-1542) en 1538.
3. Jacques V avait épousé en janvier 1537, en premières noces, Magdeleine de France (1520-1537), la première fille de François Ier et Claude de France.

555 et ils le firent parce qu'il était le plus prêt à conclure, et manquèrent aux engagements qu'on avait avec le roi d'Angleterre[1], qui la souhaitait ardemment. Il s'en fallait peu même que ce manquement ne fît une rupture entre les deux rois. Henri VIII ne pouvait se consoler de n'avoir pas épousé la
560 reine ma mère, et, quelque autre princesse française qu'on lui proposât, il disait toujours qu'elle ne remplacerait jamais celle qu'on lui avait ôtée. Il est vrai aussi que la reine, ma mère, était une parfaite beauté, et que c'est une chose remarquable, que, veuve d'un duc de Longueville[2], trois rois aient souhaité
565 de l'épouser : son malheur l'a donnée au moindre et l'a mise dans un royaume où elle ne trouve que des peines. On dit que je lui ressemble, je crains de lui ressembler aussi par sa malheureuse destinée, et, quelque bonheur qui semble se préparer pour moi, je ne saurais croire que j'en jouisse. »

570 Mlle de Chartres dit à la reine que ces tristes pressentiments étaient si mal fondés[3] qu'elle ne les conserverait pas longtemps, et qu'elle ne devait point douter que son bonheur ne répondît aux apparences.

Personne n'osait plus penser à Mlle de Chartres par la
575 crainte de déplaire au roi ou par la pensée de ne pas réussir auprès d'une personne qui avait espéré un prince du sang. M. de Clèves ne fut retenu par aucune de ces considérations. La mort du duc de Nevers, son père, qui arriva alors, le mit dans une entière liberté de suivre son inclination, et, sitôt que

---

1. Le roi d'Angleterre, Henri VIII (1491-1547), régna à partir de 1509.
2. **Duc de Longueville :** Louis II d'Orléans-Longueville (1510-1536) eut un fils, François III, avec Marie de Guise.
3. Ces pressentiments sont en réalité très bien fondés puisque Marie Stuart sera décapitée en 1587.

580 le temps de la bienséance du deuil fut passé, il ne songea plus qu'aux moyens d'épouser Mlle de Chartres. Il se trouvait heureux d'en faire la proposition dans un temps où ce qui s'était passé avait éloigné les autres partis, et où il était quasi assuré qu'on ne la lui refuserait pas. Ce qui troublait sa joie
585 était la crainte de ne lui être pas agréable, et il eût préféré le bonheur de lui plaire à la certitude de l'épouser sans en être aimé.

Le chevalier de Guise lui avait donné quelque sorte de jalousie, mais comme elle était plutôt fondée sur le mérite de
590 ce prince que sur aucune des actions de Mlle de Chartres, il songea seulement à tâcher de découvrir s'il était assez heureux pour qu'elle approuvât la pensée qu'il avait pour elle. Il ne la voyait que chez les reines ou aux assemblées. Il était difficile d'avoir une conversation particulière ; il en trouva pourtant
595 les moyens et il lui parla de son dessein et de sa passion avec tout le respect imaginable ; il la pressa de lui faire connaître quels étaient les sentiments qu'elle avait pour lui, et il lui dit que ceux qu'il avait pour elle étaient d'une nature qui le rendrait éternellement malheureux si elle n'obéissait que par
600 devoir aux volontés de Mme sa mère.

Comme Mlle de Chartres avait le cœur très noble et très bien fait, elle fut véritablement touchée de reconnaissance du procédé du prince de Clèves. Cette reconnaissance donna à ses réponses et à ses paroles un certain air de douceur qui suffisait
605 pour donner de l'espérance à un homme aussi éperdument amoureux que l'était ce prince, de sorte qu'il se flatta d'une partie de ce qu'il souhaitait.

Elle rendit compte à sa mère de cette conversation, et Mme de Chartres lui dit qu'il y avait tant de grandeur et de

610 bonnes qualités dans M. de Clèves et qu'il faisait paraître tant de sagesse pour son âge, que, si elle sentait son inclination portée à l'épouser, elle y consentirait avec joie. Mlle de Chartres répondit qu'elle lui remarquait les mêmes bonnes qualités, qu'elle l'épouserait même avec moins de répugnance

615 qu'un autre, mais qu'elle n'avait aucune inclination particulière pour sa personne.

Dès le lendemain, ce prince fit parler à Mme de Chartres. Elle reçut la proposition qu'on lui faisait et elle ne craignit point de donner à sa fille un mari qu'elle ne pût aimer en lui

620 donnant le prince de Clèves. Les articles furent conclus, on parla au roi, et ce mariage fut su de tout le monde.

M. de Clèves se trouvait heureux sans être néanmoins entièrement content : il voyait avec beaucoup de peine que les sentiments de Mlle de Chartres ne passaient pas ceux de l'es-

625 time et de la reconnaissance, et il ne pouvait se flatter qu'elle en cachât de plus obligeants, puisque l'état où ils étaient lui permettait de les faire paraître sans choquer son extrême modestie. Il ne se passait guère de jours qu'il ne lui en fît ses plaintes :

630 « Est-il possible, lui disait-il, que je puisse n'être pas heureux en vous épousant ? Cependant il est vrai que je ne le suis pas. Vous n'avez pour moi qu'une sorte de bonté qui ne peut me satisfaire ; vous n'avez ni impatience[1], ni inquiétude, ni chagrin ; vous n'êtes pas plus touchée de ma passion que

635 vous le seriez d'un attachement qui ne serait fondé que sur les avantages de votre fortune, et non pas sur les charmes de votre personne.

---

1. **Impatience :** chagrin, inquiétude.

— Il y a de l'injustice à vous plaindre, lui répondit-elle, je ne sais ce que vous pouvez souhaiter au-delà de ce que je fais, et il me semble que la bienséance ne permet pas que j'en fasse davantage.

— Il est vrai, lui répliqua-t-il, que vous me donnez de certaines apparences dont je serais content s'il y avait quelque chose au-delà, mais, au lieu que la bienséance vous retienne, c'est elle seule qui vous fait faire ce que vous faites. Je ne touche ni votre inclination ni votre cœur, et ma présence ne vous donne ni de plaisir ni de trouble.

— Vous ne sauriez douter, reprit-elle, que je n'aie de la joie de vous voir, et je rougis si souvent en vous voyant que vous ne sauriez douter aussi que votre vue ne me donne du trouble.

— Je ne me trompe pas à votre rougeur, répondit-il, c'est un sentiment de modestie, et non pas un mouvement de votre cœur, et je n'en tire que l'avantage que j'en dois tirer. »

Mlle de Chartres ne savait que répondre, et ces distinctions étaient au-dessus de ses connaissances. M. de Clèves ne voyait que trop combien elle était éloignée d'avoir pour lui des sentiments qui le pouvaient satisfaire, puisqu'il lui paraissait même qu'elle ne les entendait pas.

Le chevalier de Guise revint d'un voyage peu de jours avant les noces. Il avait vu tant d'obstacles insurmontables au dessein qu'il avait eu d'épouser Mlle de Chartres, qu'il n'avait pu se flatter d'y réussir ; et néanmoins il fut sensiblement affligé de la voir devenir la femme d'un autre. Cette douleur n'éteignit pas sa passion et il ne demeura pas moins amoureux. Mlle de Chartres n'avait pas ignoré les sentiments que ce prince avait eus pour elle. Il lui fit connaître, à son

retour, qu'elle était cause de l'extrême tristesse qui paraissait sur son visage ; et il avait tant de mérite et tant d'agréments [1],
670 qu'il était difficile de le rendre malheureux sans en avoir quelque pitié. Aussi ne se pouvait-elle défendre d'en avoir ; mais cette pitié ne la conduisait pas à d'autres sentiments ; elle contait à sa mère la peine que lui donnait l'affection [2] de ce prince.

675 Mme de Chartres admirait la sincérité de sa fille, et elle l'admirait avec raison, car jamais personne n'en a eu une si grande et si naturelle, mais elle n'admirait pas moins que son cœur ne fût point touché, et d'autant plus, qu'elle voyait bien que le prince de Clèves ne l'avait pas touchée, non plus que
680 les autres. Cela fut cause qu'elle prit de grands soins de l'attacher à son mari et de lui faire comprendre ce qu'elle devait à l'inclination qu'il avait eue pour elle avant que de la connaître, et à la passion qu'il lui avait témoignée en la préférant à tous les autres partis, dans un temps où personne n'osait plus
685 penser à elle.

Ce mariage s'acheva : la cérémonie s'en fit au Louvre ; et le soir le roi et les reines vinrent souper chez Mme de Chartres avec toute la cour, où ils furent reçus avec une magnificence [3] admirable. Le chevalier de Guise n'osa se distinguer des
690 autres, et ne pas assister à cette cérémonie ; mais il y fut si peu maître de sa tristesse, qu'il était aisé de la remarquer.

M. de Clèves ne trouva pas que Mlle de Chartres eût changé de sentiment en changeant de nom. La qualité de mari lui donna de plus grands privilèges, mais elle ne lui donna pas

---

1. Agréments : charmes.
2. Affection : amour.
3. Magnificence : luxe.

695 une autre place dans le cœur de sa femme. Cela fit aussi que, pour être son mari, il ne laissa pas d'être son amant[1], parce qu'il avait toujours quelque chose à souhaiter au-delà de sa possession; et, quoiqu'elle vécût parfaitement bien avec lui, il n'était pas entièrement heureux. Il conservait pour elle une
700 passion violente et inquiète qui troublait sa joie; la jalousie n'avait point de part à ce trouble : jamais mari n'a été si loin d'en prendre, et jamais femme n'a été si loin d'en donner. Elle était néanmoins exposée au milieu de la cour; elle allait tous les jours chez les reines et chez Madame[2]. Tout ce qu'il y avait
705 d'hommes jeunes et galants la voyaient chez elle et chez le duc de Nevers, son beau-frère, dont la maison était ouverte à tout le monde, mais elle avait un air qui inspirait un si grand respect et qui paraissait si éloigné de la galanterie[3], que le maréchal de Saint-André, quoique audacieux et soutenu de la
710 faveur du roi, était touché de sa beauté, sans oser le lui faire paraître que par des soins et des devoirs. Plusieurs autres étaient dans le même état, et Mme de Chartres joignait à la sagesse de sa fille une conduite si exacte pour toutes les bienséances, qu'elle achevait de la faire paraître une personne où
715 l'on ne pouvait atteindre.

La duchesse de Lorraine[4], en travaillant à la paix, avait aussi travaillé pour le mariage du duc de Lorraine, son fils. Il avait été conclu avec Mme Claude de France, seconde fille du roi. Les noces en furent résolues pour le mois de février.

---

1. Pour être son mari il ne laissa pas d'être son amant : il ne cessa pas de l'aimer une fois qu'il l'avait épousée.

2. Madame : la sœur du roi, Marguerite de Navarre.

3. Galanterie : jeu de séduction.

4. La duchesse de Lorraine : Chrétienne de Danemark, dont le fils Charles III (1543-1608) a épousé Claude de France en 1559, est la fille de Henri II.

720   Cependant le duc de Nemours était demeuré à Bruxelles, entièrement rempli et occupé de ses desseins pour l'Angleterre[1]. Il en recevait ou y envoyait continuellement des courriers. Ses espérances augmentaient tous les jours, et enfin Lignerolles lui manda[2] qu'il était temps que sa présence vînt
725 achever ce qui était si bien commencé. Il reçut cette nouvelle avec toute la joie que peut avoir un jeune homme ambitieux, qui se voit porté au trône par sa seule réputation. Son esprit s'était insensiblement accoutumé à la grandeur de cette fortune, et, au lieu qu'il l'avait rejetée d'abord comme une
730 chose où il ne pouvait parvenir, les difficultés s'étaient effacées de son imagination et il ne voyait plus d'obstacles.

    Il envoya en diligence à Paris donner tous les ordres nécessaires pour faire un équipage[3] magnifique, afin de paraître en Angleterre avec un éclat proportionné au dessein qui l'y
735 conduisait, et il se hâta lui-même de venir à la cour pour assister au mariage de M. de Lorraine.

    Il arriva la veille des fiançailles, et dès le même soir qu'il fut arrivé, il alla rendre compte au roi de l'état de son dessein et recevoir ses ordres et ses conseils pour ce qui lui restait à
740 faire. Il alla ensuite chez les reines. Mme de Clèves n'y était pas, de sorte qu'elle ne le vit point et ne sut pas même qu'il fût arrivé. Elle avait ouï parler de ce prince à tout le monde[4] comme de ce qu'il y avait de mieux fait et de plus agréable à la cour ; et surtout Mme la dauphine le lui avait dépeint
745 d'une sorte, et lui en avait parlé tant de fois, qu'elle lui

---

1. Ses desseins pour l'Angleterre : ses projets de mariage avec Élisabeth I.
2. Manda : fit savoir.
3. Équipage : ensemble des personnes l'accompagnant.
4. À tout le monde : par tout le monde.

avait donné de la curiosité, et même de l'impatience de le voir.

Elle passa tout le jour des fiançailles chez elle à se parer, pour se trouver le soir au bal et au festin royal qui se faisaient au Louvre. Lorsqu'elle arriva, l'on admira sa beauté et sa parure. Le bal commença et, comme elle dansait avec M. de Guise, il se fit un assez grand bruit vers la porte de la salle, comme de quelqu'un qui entrait et à qui on faisait place. Mme de Clèves acheva de danser et, pendant qu'elle cherchait des yeux quelqu'un qu'elle avait dessein de prendre, le roi lui cria de prendre celui qui arrivait. Elle se tourna, et vit un homme qu'elle crut d'abord ne pouvoir être que M. de Nemours, qui passait par-dessus quelque siège pour arriver où l'on dansait. Ce prince était fait d'une sorte qu'il était difficile de n'être pas surprise de le voir, quand on ne l'avait jamais vu, surtout ce soir-là, où le soin qu'il avait pris de se parer augmentait encore l'air brillant qui était dans sa personne, mais il était difficile aussi de voir Mme de Clèves pour la première fois sans avoir un grand étonnement.

M. de Nemours fut tellement surpris de sa beauté, que, lorsqu'il fut proche d'elle et qu'elle lui fit la révérence, il ne put s'empêcher de donner des marques de son admiration. Quand ils commencèrent à danser, il s'éleva dans la salle un murmure de louanges. Le roi et les reines se souvinrent qu'ils ne s'étaient jamais vus, et trouvèrent quelque chose de singulier de les voir danser ensemble sans se connaître. Ils les appelèrent quand ils eurent fini sans leur donner le loisir[1] de parler

---

1. **Loisir** : possibilité.

à personne et leur demandèrent s'ils n'avaient pas bien envie
775 de savoir qui ils étaient et s'ils ne s'en doutaient point.

« Pour moi, Madame, dit M. de Nemours, je n'ai pas
d'incertitude, mais, comme Mme de Clèves n'a pas les mêmes
raisons pour deviner qui je suis que celles que j'ai pour la
reconnaître, je voudrais bien que Votre Majesté eût la bonté
780 de lui apprendre mon nom.

— Je crois, dit Mme la dauphine, qu'elle le sait aussi bien
que vous savez le sien.

— Je vous assure, Madame, reprit Mme de Clèves, qui
paraissait un peu embarrassée, que je ne devine pas si bien que
785 vous pensez.

— Vous devinez fort bien, répondit Mme la dauphine, et il
y a même quelque chose d'obligeant pour M. de Nemours à
ne vouloir pas avouer que vous le connaissez sans l'avoir
jamais vu. »

790 La reine les interrompit pour faire continuer le bal, M. de
Nemours prit la reine dauphine. Cette princesse était d'une
parfaite beauté et avait paru telle aux yeux de M. de Nemours
avant qu'il allât en Flandre, mais, de tout le soir, il ne put
admirer que Mme de Clèves.

795 Le chevalier de Guise, qui l'adorait toujours, était à ses
pieds, et ce qui se venait de passer lui avait donné une
douleur sensible. Il prit comme un présage que la fortune
destinait M. de Nemours à être amoureux de Mme de
Clèves, et, soit qu'en effet il eût paru quelque trouble sur
800 son visage, ou que la jalousie fît voir au chevalier de Guise
au delà de la vérité, il crut qu'elle avait été touchée de la vue
de ce prince, et il ne put s'empêcher de lui dire que M. de
Nemours était bien heureux de commencer à être connu

d'elle par une aventure qui avait quelque chose de galant et d'extraordinaire.

Mme de Clèves revint chez elle, l'esprit si rempli de tout ce qui s'était passé au bal, que, quoiqu'il fût fort tard, elle alla dans la chambre de sa mère pour lui en rendre compte ; et elle lui loua M. de Nemours avec un certain air qui donna à Mme de Chartres la même pensée qu'avait eue le chevalier de Guise.

Le lendemain, la cérémonie des noces se fit. Mme de Clèves y vit le duc de Nemours avec une mine et une grâce si admirables qu'elle en fut encore plus surprise.

Les jours suivants, elle le vit chez la reine dauphine, elle le vit jouer à la paume avec le roi, elle le vit courre[1] la bague, elle l'entendit parler, mais elle le vit toujours surpasser de si loin tous les autres, et se rendre tellement maître de la conversation dans tous les lieux où il était, par l'air de sa personne et par l'agrément de son esprit[2], qu'il fit en peu de temps une grande impression dans son cœur.

Il est vrai aussi que, comme M. de Nemours sentait pour elle une inclination violente, qui lui donnait cette douceur et cet enjouement qu'inspirent les premiers désirs de plaire, il était encore plus aimable[3] qu'il n'avait accoutumé de l'être. De sorte que, se voyant souvent, et se voyant l'un et l'autre ce qu'il y avait de plus parfait à la cour, il était difficile qu'ils ne se plussent infiniment.

La duchesse de Valentinois était de toutes les parties de plaisir, et le roi avait pour elle la même vivacité et les mêmes soins que dans les commencements de sa passion. Mme de

---

1. Courre : courir.

2. Agrément de son esprit : vivacité de son esprit.

3. Aimable : propre à être aimée.

Clèves, qui était dans cet âge où l'on ne croit pas qu'une femme puisse être aimée quand elle a passé vingt-cinq ans, regardait avec un extrême étonnement l'attachement que le roi avait pour cette duchesse, qui était grand-mère, et qui venait de marier sa petite-fille. Elle en parlait souvent à Mme de Chartres :

« Est-il possible, Madame, lui disait-elle, qu'il y ait si long-temps que le roi en soit amoureux ? Comment s'est-il pu attacher à une personne qui était beaucoup plus âgée que lui, qui avait été maîtresse de son père, et qui l'est encore de beau-coup d'autres, à ce que j'ai ouï dire ?

— Il est vrai, répondit-elle, que ce n'est ni le mérite, ni la fidélité de Mme de Valentinois qui a fait naître la passion du roi, ni qui l'a conservée, et c'est aussi en quoi il n'est pas excu-sable ; car si cette femme avait eu de la jeunesse et de la beauté jointes à sa naissance, qu'elle eût eu le mérite de n'avoir jamais rien aimé, qu'elle eût aimé le roi avec une fidélité exacte, qu'elle l'eût aimé par rapport à sa seule personne, sans intérêt de grandeur, ni de fortune, et sans se servir de son pouvoir que pour des choses honnêtes ou agréables au roi même, il faut avouer qu'on aurait eu de la peine à s'empêcher de louer ce prince du grand attachement qu'il a pour elle. Si je ne crai-gnais, continua Mme de Chartres, que vous disiez de moi ce que l'on dit de toutes les femmes de mon âge, qu'elles aiment à conter les histoires de leur temps, je vous apprendrais le commencement de la passion du roi pour cette duchesse, et plusieurs choses de la cour du feu roi qui ont même beaucoup de rapport avec celles qui se passent encore présentement.

— Bien loin de vous accuser, reprit Mme de Clèves, de redire les histoires passées, je me plains, Madame, que vous ne m'ayez pas instruite des présentes, et que vous ne m'ayez point appris les divers intérêts et les diverses liaisons de la cour. Je les ignore si entièrement que je croyais, il y a peu de jours, que M. le connétable était fort bien avec la reine.

— Vous aviez une opinion bien opposée à la vérité, répondit Mme de Chartres. La reine hait M. le connétable et, si elle a jamais quelque pouvoir, il ne s'en apercevra que trop. Elle sait qu'il a dit plusieurs fois au roi que, de tous ses enfants, il n'y avait que les naturels qui lui ressemblassent.

— Je n'eusse jamais soupçonné cette haine, interrompit Mme de Clèves, après avoir vu le soin que la reine avait d'écrire à M. le connétable pendant sa prison, la joie qu'elle a témoignée à son retour, et comme elle l'appelle toujours mon compère, aussi bien que le roi.

— Si vous jugez sur les apparences en ce lieu-ci, répondit Mme de Chartres, vous serez souvent trompée : ce qui paraît n'est presque jamais la vérité.

Mais pour revenir à Mme de Valentinois, vous savez qu'elle s'appelle Diane de Poitiers ; sa maison est très illustre, elle vient des anciens ducs d'Aquitaine, son aïeule était fille naturelle de Louis XI, et enfin il n'y a rien que de grand dans sa naissance. Saint-Vallier, son père, se trouva embarrassé dans l'affaire du connétable de Bourbon[1], dont vous avez ouï parler. Il fut condamné à avoir la tête tranchée et conduit sur l'échafaud. Sa fille, dont la beauté était admirable, et qui

---

1. Affaire du connétable de Bourbon : Jean de Poitiers, vicomte d'Estoile, seigneur de Saint-Vallier, fut accusé de complicité dans la trahison du connétable de Bourbon, le chef souverain des armées du roi, en 1523. Le connétable en effet avait entamé des négociations avec Charles Quint, le grand ennemi de François Ier.

avait déjà plu au feu roi, fit si bien (je ne sais par quels moyens) qu'elle obtint la vie de son père. On lui porta sa grâce comme il n'attendait que le coup de la mort, mais la
890 peur l'avait tellement saisi qu'il n'avait plus de connaissance, et il mourut peu de jours après. Sa fille parut à la cour comme la maîtresse du roi[1]. Le voyage d'Italie et la prison de ce prince[2] interrompirent cette passion. Lorsqu'il revint d'Espagne et que Mme la régente[3] alla au-devant de lui à
895 Bayonne, elle mena toutes ses filles[4], parmi lesquelles était Mlle de Pisseleu[5], qui a été depuis la duchesse d'Étampes. Le roi en devint amoureux. Elle était inférieure en naissance, en esprit et en beauté à Mme de Valentinois, et elle n'avait au-dessus d'elle que l'avantage de la grande jeunesse. Je lui
900 ai ouï dire plusieurs fois qu'elle était née le jour que Diane de Poitiers avait été mariée, la haine le lui faisait dire, et non pas la vérité, car je suis bien trompée si la duchesse de Valentinois n'épousa M. de Brezé[6], grand sénéchal[7] de Normandie, dans le même temps que le roi devint amoureux
905 de Mme d'Étampes. Jamais il n'y a eu une si grande haine que l'a été celle de ces deux femmes. La duchesse de Valentinois ne pouvait pardonner à Mme d'Étampes de lui

---

1. Du roi : de François Ier.

2. François Ier fut fait prisonnier par Charles Quint à Pavie, en 1525. Il fut ensuite emmené à Madrid et ne put rentrer en France qu'un an plus tard.

3. Mme la régente : Louise de Savoie (1476-1531), mère de François Ier.

4. Ses filles : les jeunes filles et jeunes femmes constituant sa compagnie la plus proche.

5. Mlle de Pisseleu : Anne de Pisseleu (1508-1575) est la favorite du roi François Ier jusqu'à la mort de ce dernier.

6. M. De Brézé : Louis de Brézé (1463-1531) est le petit fils de Charles VII et de sa favorite Agnès Sorel. Il épousa Diane de Poitiers.

7. Grand sénéchal : grand officier.

avoir ôté le titre de maîtresse du roi. Mme d'Étampes avait
une jalousie violente contre Mme de Valentinois, parce que
910   le roi conservait un commerce[1] avec elle. Ce prince n'avait
pas une fidélité exacte pour ses maîtresses ; il y en avait
toujours une qui avait le titre et les honneurs, mais les dames
que l'on appelait *de la petite bande* le partageaient tour à tour.
La perte du dauphin, son fils[2], qui mourut à Tournon, et que
915   l'on crut empoisonné, lui donna une sensible affliction. Il
n'avait pas la même tendresse, ni le même goût pour son
second fils, qui règne présentement ; il ne lui trouvait pas
assez de hardiesse, ni assez de vivacité. Il s'en plaignit un jour
à Mme de Valentinois, et elle lui dit qu'elle voulait le faire
920   devenir amoureux d'elle, pour le rendre plus vif et plus
agréable. Elle y réussit comme vous le voyez. Il y a plus de
vingt ans que cette passion dure sans qu'elle ait été altérée ni
par le temps ni par les obstacles.

Le feu roi s'y opposa d'abord et soit qu'il eût encore assez
925   d'amour pour Mme de Valentinois pour avoir de la jalousie,
ou qu'il fût poussé par la duchesse d'Étampes, qui était au
désespoir que M. le dauphin fût attaché à son ennemie, il est
certain qu'il vit cette passion avec une colère et un chagrin
dont il donnait tous les jours des marques. Son fils ne craignit
930   ni sa colère ni sa haine, et rien ne put l'obliger à diminuer son
attachement, ni à le cacher ; il fallut que le roi s'accoutumât à
le souffrir. Aussi cette opposition à ses volontés l'éloigna
encore de lui et l'attacha davantage au duc d'Orléans, son

---

1. **Commerce** : liaison.
2. **La perte du dauphin, son fils** : il s'agit de François III de Bretagne, fils aîné
de François Ier, qui aurait été empoisonné par Charles Quint.

troisième fils[1]. C'était un prince bien fait, beau, plein de feu
935 et d'ambition, d'une jeunesse fougueuse, qui avait besoin
d'être modéré, mais qui eût fait aussi un prince d'une grande
élévation, si l'âge eût muri son esprit.

Le rang d'aîné qu'avait le dauphin, et la faveur du roi
qu'avait le duc d'Orléans, faisaient entre eux une sorte d'ému-
940 lation[2] qui allait jusqu'à la haine. Cette émulation avait
commencé dès leur enfance, et s'était toujours conservée.
Lorsque l'empereur[3] passa en France, il donna une préférence
entière au duc d'Orléans sur M. le dauphin, qui la ressentit si
vivement, que, comme cet empereur était à Chantilly, il voulut
945 obliger M. le connétable à l'arrêter, sans attendre le commandement du roi. M. le connétable ne le voulut pas, le roi le blâma
dans la suite de n'avoir pas suivi le conseil de son fils, et lorsqu'il
l'éloigna de la cour, cette raison y eut beaucoup de part.

La division des deux frères donna la pensée à la duchesse
950 d'Étampes de s'appuyer de M. le duc d'Orléans, pour la
soutenir auprès du roi contre Mme de Valentinois. Elle y
réussit : ce prince, sans être amoureux d'elle, n'entra guère
moins dans ses intérêts que le dauphin était dans ceux de
Mme de Valentinois. Cela fit deux cabales[4] dans la cour, telles
955 que vous pouvez vous les imaginer, mais ces intrigues ne se
bornèrent pas seulement à des démêlés de femmes.

L'empereur, qui avait conservé de l'amitié pour le duc
d'Orléans, avait offert plusieurs fois de lui remettre le duché

---

1. **Son troisième fils** : Charles (1522-1545), duc d'Angoulême puis duc
d'Orléans.
2. **Émulation** : rivalité.
3. **L'empereur** : Charles Quint.
4. **Cabales** : conspirations.

de Milan. Dans les propositions qui se firent depuis pour la
paix, il faisait espérer de lui donner les dix-sept provinces, et
de lui faire épouser sa fille. M. le dauphin ne souhaitait ni la
paix, ni ce mariage. Il se servit de M. le connétable, qu'il a
toujours aimé, pour faire voir au roi de quelle importance il
était de ne pas donner à son successeur un frère aussi puissant
que le serait un duc d'Orléans avec l'alliance de l'empereur
et les dix-sept provinces. M. le connétable entra d'autant
mieux dans les sentiments de M. le dauphin, qu'il s'opposait
par-là à ceux de Mme d'Étampes, qui était son ennemie
déclarée, et qui souhaitait ardemment l'élévation de M. le
duc d'Orléans.

M. le dauphin commandait alors l'armée du roi en
Champagne et avait réduit celle de l'empereur en une telle
extrémité qu'elle eût péri entièrement si la duchesse
d'Étampes, craignant que de trop grands avantages ne nous
fissent refuser la paix et l'alliance de l'empereur pour M. le
duc d'Orléans, n'eût fait secrètement avertir les ennemis de
surprendre Épernay et Château-Thierry, qui étaient pleins de
vivres. Ils le firent, et sauvèrent par ce moyen toute leur
armée.

Cette duchesse ne jouit pas longtemps du succès de sa
trahison. Peu après, M. le duc d'Orléans mourut à Farmoutiers
d'une espèce de maladie contagieuse. Il aimait une des plus
belles femmes de la cour, et en était aimé. Je ne vous la
nommerai pas, parce qu'elle a vécu depuis avec tant de
sagesse, et qu'elle a même caché avec tant de soin la passion
qu'elle avait pour ce prince, qu'elle a mérité que l'on conserve
sa réputation. Le hasard fit qu'elle reçut la nouvelle de la mort
de son mari le même jour qu'elle apprit celle de M. d'Orléans,

46

de sorte qu'elle eut ce prétexte pour cacher sa véritable afflic-
990 tion, sans avoir la peine de se contraindre.

Le roi ne survécut guère au prince son fils ; il mourut deux
ans après. Il recommanda à M. le dauphin de se servir du
cardinal de Tournon[1] et de l'amiral d'Annebault[2], et ne parla
point de M. le connétable, qui était pour lors relégué à
995 Chantilly. Ce fut néanmoins la première chose que fit le roi son
fils, de le rappeler, et de lui donner le gouvernement des affaires.

Mme d'Étampes fut chassée et reçut tous les mauvais trai-
tements qu'elle pouvait attendre d'une ennemie toute puissante. La duchesse de Valentinois se vengea alors pleinement,
1000 et de cette duchesse, et de tous ceux qui lui avaient déplu. Son
pouvoir parut plus absolu sur l'esprit du roi, qu'il ne paraissait
encore pendant qu'il était dauphin. Depuis douze ans que ce
prince règne, elle est maîtresse absolue de toutes choses ; elle
dispose des charges et des affaires ; elle a fait chasser le cardinal
1005 de Tournon, le chancelier Olivier[3], et Villeroy[4]. Ceux qui ont
voulu éclairer le roi sur sa conduite ont péri dans cette entreprise. Le comte de Taix[5], grand maître de l'artillerie, qui ne
l'aimait pas, ne put s'empêcher de parler de ses galanteries[6],

---

1. Cardinal de Tournon : François de Tournon (1489-1562) devint archevêque
de Lyon en 1551, et doyen du Collège des cardinaux en 1560.

2. L'amiral d'Annebault : Claude d'Annebault (1495-1552) fut nommé maréchal de France puis amiral.

3. Le chancelier Olivier (1496-1560) : François Olivier fut nommé chancelier
de France et garde des Sceaux par François Ier et par François II.

4. Villeroy : Nicolas II de Neuville, seigneur de Villeroy (mort vers 1553) fut
trésorier de France et secrétaire des finances et de la chambre du roi sous
François Ier.

5. Le comte de Faix : Jean de Taix, mort en 1553, devint grand-maître de
l'artillerie en 1546.

6. Galanteries : conquêtes amoureuses.

et surtout de celle du comte de Brissac[1], dont le roi avait
déjà eu beaucoup de jalousie ; néanmoins, elle fit si bien que
le comte de Taix fut disgracié, on lui ôta sa charge, et, ce qui
est presque incroyable, elle la fit donner au comte de Brissac,
et l'a fait ensuite maréchal de France. La jalousie du roi
augmenta néanmoins d'une telle sorte qu'il ne put souffrir
que ce maréchal demeurât à la cour, mais la jalousie, qui est
aigre et violente en tous les autres, est douce et modérée en lui
par l'extrême respect qu'il a pour sa maîtresse, en sorte qu'il
n'osa éloigner son rival que sur le prétexte de lui donner le
gouvernement de Piémont. Il y a passé plusieurs années ; il
revint, l'hiver dernier, sur le prétexte de demander des troupes
et d'autres choses nécessaires pour l'armée qu'il commande.
Le désir de revoir Mme de Valentinois et la crainte d'en être
oublié avaient peut-être beaucoup de part à ce voyage. Le roi
le reçut avec une grande froideur. Messieurs de Guise qui
ne l'aiment pas, mais qui n'osent le témoigner à cause de
Mme de Valentinois, se servirent de monsieur le vidame, qui
est son ennemi déclaré, pour empêcher qu'il n'obtînt aucune
des choses qu'il était venu demander. Il n'était pas difficile
de lui nuire ; le roi le haïssait, et sa présence lui donnait de
l'inquiétude, de sorte qu'il fut contraint de s'en retourner
sans remporter aucun fruit de son voyage, que d'avoir peut-
être rallumé dans le cœur de Mme de Valentinois des sentiments que l'absence commençait d'éteindre. Le roi a bien eu
d'autres sujets de jalousie, mais ou il ne les a pas connus, ou il
n'a osé s'en plaindre.

---

1. Charles Ier de Cossé, comte de Brissac (1505-1563), fut nommé maréchal de
France en 1550.

« Je ne sais, ma fille, ajouta Mme de Chartres, si vous ne trouverez point que je vous ai plus appris de choses que vous n'aviez envie d'en savoir.

— Je suis très éloignée, Madame, de faire cette plainte, répondit Mme de Clèves, et, sans la peur de vous importuner, je vous demanderais encore plusieurs circonstances que j'ignore. »

La passion de M. de Nemours pour Mme de Clèves fut d'abord[1] si violente qu'elle lui ôta le goût et même le souvenir de toutes les personnes qu'il avait aimées et avec qui il avait conservé des commerces[2] pendant son absence. Il ne prit pas seulement le soin de chercher des prétextes pour rompre avec elles, il ne put se donner la patience d'écouter leurs plaintes et de répondre à leurs reproches. Mme la dauphine, pour qui il avait eu des sentiments assez passionnés, ne put tenir dans son cœur contre Mme de Clèves. Son impatience pour le voyage d'Angleterre commença même à se ralentir, et il ne pressa plus avec tant d'ardeur les choses qui étaient nécessaires pour son départ. Il allait souvent chez la reine dauphine, parce que Mme de Clèves y allait souvent, et il n'était pas fâché de laisser imaginer ce que l'on avait cru de ses sentiments pour cette reine. Mme de Clèves lui paraissait d'un si grand prix, qu'il se résolut de manquer plutôt à lui donner des marques de sa passion que de hasarder de la faire connaître au public. Il n'en parla pas même au vidame de Chartres, qui était son ami intime, et pour qui il n'avait rien de caché. Il prit une

---

1. D'abord : dès le commencement.
2. Avec qui il avait conservé des commerces : avec qui il avait gardé contact.

conduite si sage, et s'observa avec tant de soin que personne ne le soupçonna d'être amoureux de Mme de Clèves, que le chevalier de Guise, et elle aurait eu peine à s'en apercevoir elle-même, si l'inclination qu'elle avait pour lui ne lui eût donné une attention particulière pour ses actions, qui ne lui permit pas d'en douter.

Elle ne se trouva pas la même disposition à dire à sa mère ce qu'elle pensait des sentiments de ce prince, qu'elle avait eue à lui parler de ses autres amants : sans avoir un dessein formé de le lui cacher, elle ne lui en parla point. Mais Mme de Chartres ne le voyait que trop, aussi bien que le penchant que sa fille avait pour lui. Cette connaissance lui donna une douleur sensible ; elle jugeait bien le péril où était cette jeune personne, d'être aimée d'un homme fait comme M. de Nemours pour qui elle avait de l'inclination. Elle fut entièrement confirmée dans les soupçons qu'elle avait de cette inclination par une chose qui arriva peu de jours après.

Le maréchal de Saint-André, qui cherchait toutes les occasions de faire voir sa magnificence[1], supplia le roi, sur le prétexte de lui montrer sa maison, qui ne venait que d'être achevée, de lui vouloir faire l'honneur d'y aller souper avec les reines. Ce maréchal était bien aise aussi de faire paraître aux yeux de Mme de Clèves cette dépense éclatante qui allait jusqu'à la profusion.

Quelques jours avant celui qui avait été choisi pour ce souper, le roi dauphin, dont la santé était assez mauvaise, s'était trouvé mal, et n'avait vu personne. La reine, sa femme

---

1. **Magnificence** : luxe.

avait passé tout le jour auprès de lui. Sur le soir, comme il se portait mieux, il fit entrer toutes les personnes de qualité[1] qui étaient dans son antichambre. La reine dauphine s'en alla chez elle ; elle y trouva Mme de Clèves et quelques autres dames 1095 qui étaient le plus dans sa familiarité.

Comme il était déjà assez tard, et qu'elle n'était point habillée, elle n'alla pas chez la reine ; elle fit dire qu'on ne la voyait point, et fit apporter ses pierreries, afin d'en choisir pour le bal du maréchal de Saint-André, et pour en donner à 1100 Mme de Clèves, à qui elle en avait promis. Comme elles étaient dans cette occupation, le prince de Condé arriva. Sa qualité lui rendait toutes les entrées libres. La reine dauphine lui dit qu'il venait sans doute de chez le roi son mari et lui demanda ce que l'on y faisait.

1105 « L'on dispute contre M. de Nemours, Madame, répondit-il, et il défend avec tant de chaleur la cause qu'il soutient qu'il faut que ce soit la sienne. Je crois qu'il a quelque maîtresse qui lui donne de l'inquiétude quand elle est au bal, tant il trouve que c'est une chose fâcheuse pour un amant, que d'y 1110 voir la personne qu'il aime.

— Comment ! reprit Mme la dauphine, M. de Nemours ne veut pas que sa maîtresse aille au bal ? J'avais bien cru que les maris pouvaient souhaiter que leurs femmes n'y allassent pas, mais, pour les amants, je n'avais jamais pensé qu'ils pussent 1115 être de ce sentiment.

— M. de Nemours trouve, répliqua le prince de Condé, que le bal est ce qu'il y a de plus insupportable pour les amants, soit qu'ils soient aimés ou qu'ils ne le soient pas. Il dit que, s'ils

---

1. **Qualité** : ici, origine sociale élevée.

sont aimés, ils ont le chagrin de l'être moins pendant plusieurs jours ; qu'il n'y a point de femme que le soin de sa parure n'empêche de songer à son amant ; qu'elles en sont entièrement occupées ; que ce soin de se parer est pour tout le monde aussi bien que pour celui qu'elles aiment ; que, lorsqu'elles sont au bal, elles veulent plaire à tous ceux qui les regardent ; que, quand elles sont contentes de leur beauté, elles en ont une joie dont leur amant ne fait pas la plus grande partie. Il dit aussi que, quand on n'est point aimé, on souffre encore davantage de voir sa maîtresse dans une assemblée ; que, plus elle est admirée du public, plus on se trouve malheureux de n'en être point aimé ; que l'on craint toujours que sa beauté ne fasse naître quelque amour plus heureux que le sien. Enfin il trouve qu'il n'y a point de souffrance pareille à celle de voir sa maîtresse au bal, si ce n'est de savoir qu'elle y est, et de n'y être pas. »

Mme de Clèves ne faisait pas semblant d'entendre[1] ce que disait le prince de Condé, mais elle l'écoutait avec attention. Elle jugeait aisément quelle part elle avait à l'opinion que soutenait M. de Nemours, et surtout à ce qu'il disait du chagrin de n'être pas au bal où était sa maîtresse, parce qu'il ne devait pas être à celui du maréchal de Saint-André, et que le roi l'envoyait au-devant du duc de Ferrare[2].

La reine dauphine riait avec le prince de Condé et n'approuvait pas l'opinion de M. de Nemours.

« Il n'y a qu'une occasion, Madame, lui dit ce prince, où M. de Nemours consente que sa maîtresse aille au bal, c'est

---

1. Ne faisait pas semblant d'entendre : faisait semblant de ne pas comprendre.
2. Hercule II d'Este, duc de Ferrare (1508-1559) devint le quatrième duc de Ferrare, Modène et Reggio en 1534. Il épousa en 1528 Renée de France, fille de Louis XII.

1145 lorsque c'est lui qui le donne ; et il dit que, l'année passée qu'il
en donna un à Votre Majesté, il trouva que sa maîtresse lui
faisait une faveur d'y venir, quoiqu'elle ne semblât que vous
y suivre ; que c'est toujours faire une grâce à un amant que
d'aller prendre sa part à un plaisir qu'il donne ; que c'est aussi
1150 une chose agréable pour l'amant, que sa maîtresse le voie le
maître d'un lieu où est toute la cour, et qu'elle le voie se bien
acquitter d'en faire les honneurs.

— M. de Nemours avait raison, dit la reine dauphine, en
souriant, d'approuver que sa maîtresse allât au bal. Il y avait alors
1155 un si grand nombre de femmes à qui il donnait cette qualité que,
si elles n'y fussent point venues, il y aurait eu peu de monde. »

Sitôt que le prince de Condé avait commencé à conter les
sentiments de M. de Nemours sur le bal, Mme de Clèves avait
senti une grande envie de ne point aller à celui du maréchal
1160 de Saint-André. Elle entra aisément dans l'opinion qu'il ne
fallait pas aller chez un homme dont on était aimée, et elle fut
bien aise d'avoir une raison de sévérité pour faire une chose
qui était une faveur pour M. de Nemours. Elle emporta néanmoins la parure que lui avait donnée la reine dauphine, mais
1165 le soir, lorsqu'elle la montra à sa mère, elle lui dit qu'elle
n'avait pas dessein de s'en servir, que le maréchal de Saint-
André prenait tant de soin de faire voir qu'il était attaché à
elle, qu'elle ne doutait point qu'il ne voulût aussi faire croire
qu'elle aurait part au divertissement qu'il devait donner au
1170 roi et que, sous prétexte de faire l'honneur de chez lui, il lui
rendrait des soins dont peut-être elle serait embarrassée.

Mme de Chartres combattit quelque temps l'opinion de sa
fille, comme la trouvant particulière, mais, voyant qu'elle s'y
opiniâtrait, elle s'y rendit, et lui dit qu'il fallait donc qu'elle fît

1175 la malade, pour avoir un prétexte de n'y pas aller, parce que les raisons qui l'en empêchaient ne seraient pas approuvées, et qu'il fallait même empêcher qu'on ne les soupçonnât. Mme de Clèves consentit volontiers à passer quelques jours chez elle pour ne point aller dans un lieu où M. de Nemours ne devait pas être,
1180 et il partit sans avoir le plaisir de savoir qu'elle n'irait pas.

Il revint le lendemain du bal, il sut qu'elle ne s'y était pas trouvée, mais, comme il ne savait pas que l'on eût redit devant elle la conversation de chez le roi dauphin, il était bien éloigné de croire qu'il fût assez heureux pour l'avoir empêchée d'y aller.

1185 Le lendemain, comme il était chez la reine, et qu'il parlait à Mme la dauphine, Mme de Chartres et Mme de Clèves y vinrent, et s'approchèrent de cette princesse. Mme de Clèves était un peu négligée, comme une personne qui s'était trouvée mal, mais son visage ne répondait pas à son habillement.

1190 « Vous voilà si belle, lui dit Mme la dauphine, que je ne saurais croire que vous ayez été malade. Je pense que M. le prince de Condé, en vous contant l'avis de M. de Nemours sur le bal, vous a persuadée que vous feriez une faveur au maréchal de Saint-André d'aller chez lui, et que c'est ce qui vous a
1195 empêchée d'y venir. »

Mme de Clèves rougit de ce que Mme la dauphine devinait si juste et de ce qu'elle disait devant M. de Nemours ce qu'elle avait deviné.

Mme de Chartres vit dans ce moment pourquoi sa fille
1200 n'avait pas voulu aller au bal, et, pour empêcher que M. de Nemours ne le jugeât aussi bien qu'elle, elle prit la parole avec un air qui semblait être appuyé sur la vérité.

« Je vous assure, Madame, dit-elle à Mme la dauphine, que Votre Majesté fait plus d'honneur à ma fille qu'elle n'en

1205 mérite. Elle était véritablement malade, mais je crois que, si
je ne l'en eusse empêchée, elle n'eût pas laissé de vous suivre
et de se montrer aussi changée qu'elle était, pour avoir le
plaisir de voir tout ce qu'il y a eu d'extraordinaire au divertissement d'hier au soir. »

1210 Mme la dauphine crut ce que disait Mme de Chartres,
M. de Nemours fut bien fâché d'y trouver de l'apparence ;
néanmoins la rougeur de Mme de Clèves lui fit soupçonner
que ce que Mme la dauphine avait dit n'était pas entièrement
éloigné de la vérité. Mme de Clèves avait d'abord été fâchée
1215 que M. de Nemours eût eu lieu de croire que c'était lui qui
l'avait empêchée d'aller chez le maréchal de Saint-André,
mais ensuite elle sentit quelque espèce de chagrin que sa mère
lui en eût entièrement ôté l'opinion.

Quoique l'assemblée de Cercamp eût été rompue, les négo-
1220 ciations pour la paix avaient toujours continué et les choses
s'y disposèrent d'une telle sorte que, sur la fin de février, on se
rassembla à Cateau-Cambrésis[1]. Les mêmes députés y retournèrent, et l'absence du maréchal de Saint-André défit M. de
Nemours du rival qui lui était plus redoutable par l'attention
1225 qu'il avait à observer ceux qui approchaient Mme de Clèves,
que par le progrès qu'il pouvait faire auprès d'elle.

Mme de Chartres n'avait pas voulu laisser voir à sa fille
qu'elle connaissait ses sentiments pour ce prince, de peur de
se rendre suspecte sur les choses qu'elle avait envie de lui dire.
1230 Elle se mit un jour à parler de lui ; elle lui en dit du bien et
y mêla beaucoup de louanges empoisonnées sur la sagesse

---

1. La paix entre Henri II et Philippe II fut signée au Cateau-Cambresis les 2 et
3 avril 1559. Elle marque la fin définitive des guerres d'Italie.

qu'il avait d'être incapable de devenir amoureux et sur ce qu'il ne se faisait qu'un plaisir, et non pas un attachement sérieux du commerce[1] des femmes.

1235 « Ce n'est pas, ajouta-t-elle, que l'on ne l'ait soupçonné d'avoir une grande passion pour la reine dauphine ; je vois même qu'il y va très souvent, et je vous conseille d'éviter, autant que vous pourrez, de lui parler, et surtout en particulier, parce que, Mme la dauphine vous traitant comme elle 1240 fait, on dirait bientôt que vous êtes leur confidente, et vous savez combien cette réputation est désagréable. Je suis d'avis, si ce bruit continue, que vous alliez un peu moins chez Mme la dauphine, afin de ne vous pas trouver mêlée dans des aventures de galanterie. »

1245 Mme de Clèves n'avait jamais ouï parler de M. de Nemours et de Mme la dauphine ; elle fut si surprise de ce que lui dit sa mère, et elle crut si bien voir combien elle s'était trompée dans tout ce qu'elle avait pensé des sentiments de ce prince, qu'elle en changea de visage. Mme de Chartres s'en aperçut ; 1250 il vint du monde dans ce moment, Mme de Clèves s'en alla chez elle et s'enferma dans son cabinet. L'on ne peut exprimer la douleur qu'elle sentit de connaître, par ce que lui venait de dire sa mère, l'intérêt qu'elle prenait à M. de Nemours ; elle n'avait encore osé se l'avouer à elle-même. Elle vit alors que 1255 les sentiments qu'elle avait pour lui étaient ceux que M. de Clèves lui avait tant demandés ; elle trouva combien il était honteux de les avoir pour un autre que pour un mari qui les méritait. Elle se sentit blessée et embarrassée de la crainte que M. de Nemours ne la voulût faire servir de prétexte à Mme la

---

1. Commerce : présence.

1260 dauphine, et cette pensée la détermina à conter à Mme de Chartres ce qu'elle ne lui avait point encore dit.

Elle alla le lendemain matin dans sa chambre pour exécuter ce qu'elle avait résolu, mais elle trouva que Mme de Chartres avait un peu de fièvre, de sorte qu'elle ne voulut pas lui parler. 1265 Ce mal paraissait néanmoins si peu de chose, que Mme de Clèves ne laissa pas d'aller l'après-dînée chez Mme la dauphine : elle était dans son cabinet avec deux ou trois dames qui étaient le plus avant dans sa familiarité.

« Nous parlions de M. de Nemours, lui dit cette reine en la 1270 voyant, et nous admirions combien il est changé depuis son retour de Bruxelles. Devant que d'y aller, il avait un nombre infini de maîtresses, et c'était même un défaut en lui, car il ménageait également celles qui avaient du mérite et celles qui n'en avaient pas. Depuis qu'il est revenu, il ne connaît ni les 1275 unes ni les autres : il n'y a jamais eu un si grand changement ; je trouve même qu'il y en a dans son humeur, et qu'il est moins gai que de coutume. »

Mme de Clèves ne répondit rien, et elle pensait avec honte qu'elle aurait pris tout ce que l'on disait du changement de ce 1280 prince pour des marques de sa passion, si elle n'avait point été détrompée. Elle se sentait quelque aigreur contre Mme la dauphine de lui voir chercher des raisons et s'étonner d'une chose dont apparemment elle savait mieux la vérité que personne. Elle ne put s'empêcher de lui en témoigner quelque 1285 chose, et, comme les autres dames s'éloignèrent, elle s'approcha d'elle et lui dit tout bas :

« Est-ce aussi pour moi, Madame, que vous venez de parler, et voudriez-vous me cacher que vous fussiez celle qui a fait changer de conduite à M. de Nemours ?

1290 — Vous êtes injuste, lui dit Mme la dauphine, vous savez que je n'ai rien de caché pour vous. Il est vrai que M. de Nemours, devant que d'aller à Bruxelles, a eu, je crois, intention de me laisser entendre[1] qu'il ne me haïssait pas, mais, depuis qu'il est revenu, il ne m'a pas même paru qu'il se

1295 souvînt des choses qu'il avait faites, et j'avoue que j'ai de la curiosité de savoir ce qui l'a fait changer. Il sera bien difficile que je ne le démêle[2], ajouta-t-elle, le vidame de Chartres, qui est son ami intime, est amoureux d'une personne sur qui j'ai quelque pouvoir, et je saurai par ce moyen ce qui a fait ce

1300 changement. »

Mme la dauphine parla d'un air qui persuada Mme de Clèves, et elle se trouva malgré elle dans un état plus calme et plus doux que celui où elle était auparavant.

Lorsqu'elle revint chez sa mère, elle sut qu'elle était beau-

1305 coup plus mal qu'elle ne l'avait laissée. La fièvre lui avait redoublé et, les jours suivants elle augmenta de telle sorte qu'il parut que ce serait une maladie considérable. Mme de Clèves était dans une affliction extrême, elle ne sortait point de la chambre de sa mère ; M. de Clèves y passait aussi presque

1310 tous les jours et, par l'intérêt qu'il prenait à Mme de Chartres, et pour empêcher sa femme de s'abandonner à la tristesse, mais pour avoir aussi le plaisir de la voir : sa passion n'était point diminuée.

M. de Nemours, qui avait toujours eu beaucoup d'amitié

1315 pour lui, n'avait pas cessé de lui en témoigner depuis son retour de Bruxelles. Pendant la maladie de Mme de Chartres,

---

1. Entendre : comprendre.
2. Il sera bien difficile que je ne le démêle : il y a peu de risques que je ne le découvre pas.

ce prince trouva le moyen de voir plusieurs fois Mme de Clèves en faisant semblant de chercher son mari ou de le venir prendre pour le mener promener. Il le cherchait même à des heures où il savait bien qu'il n'y était pas et, sous le prétexte de l'attendre, il demeurait dans l'antichambre de Mme de Chartres, où il y avait toujours plusieurs personnes de qualité[1]. Mme de Clèves y venait souvent et, pour être affligée[2], elle n'en paraissait pas moins belle à M. de Nemours. Il lui faisait voir combien il prenait d'intérêt à son affliction et il lui en parlait avec un air si doux et si soumis qu'il la persuadait aisément que ce n'était pas de Mme la dauphine dont il était amoureux.

Elle ne pouvait s'empêcher d'être troublée de sa vue, et d'avoir pourtant du plaisir à le voir, mais, quand elle ne le voyait plus, et qu'elle pensait que ce charme qu'elle trouvait dans sa vue était le commencement des passions, il s'en fallait peu[3] qu'elle ne crût le haïr, par la douleur que lui donnait cette pensée.

Mme de Chartres empira si considérablement que l'on commença à désespérer de sa vie ; elle reçut ce que les médecins lui dirent du péril où elle était avec un courage digne de sa vertu et de sa piété. Après qu'ils furent sortis, elle fit retirer tout le monde et appeler Mme de Clèves.

« Il faut nous quitter, ma fille, lui dit-elle, en lui tendant la main ; le péril où je vous laisse et le besoin que vous avez de moi augmentent le déplaisir que j'ai de vous quitter. Vous avez de l'inclination pour M. de Nemours ; je ne vous demande point de me l'avouer ; je ne suis plus en état de me

---

1. **Qualité** : ici, de rang social élevé.
2. **Pour être affligée** : si elle était affligée.
3. **Il s'en fallait peu** : il s'en fallait de peu.

servir de votre sincérité pour vous conduire. Il y a déjà long-
1345 temps que je me suis aperçue de cette inclination, mais je ne
vous en ai pas voulu parler d'abord, de peur de vous en faire
apercevoir vous-même. Vous ne la connaissez que trop présentement, vous êtes sur le bord du précipice, il faut de grands
efforts et de grandes violences pour vous retenir. Songez ce
1350 que vous devez à votre mari, songez ce que vous vous devez à
vous-même, et pensez que vous allez perdre cette réputation
que vous vous êtes acquise, et que je vous ai tant souhaitée.
Ayez de la force et du courage, ma fille, retirez-vous de la cour,
obligez votre mari de vous emmener ; ne craignez point de
1355 prendre des partis trop rudes et trop difficiles ; quelque
affreux qu'ils vous paraissent d'abord, ils seront plus doux
dans les suites que les malheurs d'une galanterie[1]. Si d'autres
raisons que celles de la vertu et de votre devoir vous pouvaient
obliger à ce que je souhaite, je vous dirais que, si quelque
1360 chose était capable de troubler le bonheur que j'espère en
sortant de ce monde, ce serait de vous voir tomber comme les
autres femmes, mais, si ce malheur vous doit arriver, je reçois
la mort avec joie, pour n'en être pas le témoin. »

Mme de Clèves fondait en larmes sur la main de sa mère,
1365 qu'elle tenait serrée entre les siennes, et Mme de Chartres se
sentant touchée elle-même :

« Adieu, ma fille, lui dit-elle, finissons une conversation
qui nous attendrit trop l'une et l'autre, et souvenez-vous, si
vous pouvez, de tout ce que je viens de vous dire. »

1370 Elle se tourna de l'autre côté en achevant ces paroles et
commanda à sa fille d'appeler ses femmes, sans vouloir

---

1. **Galanterie** : aventure extraconjugale.

l'écouter ni parler davantage. Mme de Clèves sortit de la chambre de sa mère en l'état que l'on peut s'imaginer, et Mme de Chartres ne songea plus qu'à se préparer à la mort.

1375 Elle vécut encore deux jours, pendant lesquels elle ne voulut plus revoir sa fille, qui était la seule chose à quoi elle se sentait attachée.

Mme de Clèves était dans une affliction extrême ; son mari ne la quittait point, et, sitôt que Mme de Chartres fut expirée,
1380 il l'emmena à la campagne, pour l'éloigner d'un lieu qui ne faisait qu'aigrir sa douleur. On n'en a jamais vu de pareille ; quoique la tendresse et la reconnaissance y eussent la plus grande part, le besoin qu'elle sentait qu'elle avait de sa mère pour se défendre contre M. de Nemours ne laissait pas d'y en
1385 avoir beaucoup. Elle se trouvait malheureuse d'être abandonnée à elle-même, dans un temps où elle était si peu maîtresse de ses sentiments et où elle eût tant souhaité d'avoir quelqu'un qui pût la plaindre et lui donner de la force. La manière dont M. de Clèves en usait pour elle[1] lui faisait
1390 souhaiter plus fortement que jamais de ne manquer à rien de ce qu'elle lui devait. Elle lui témoignait aussi plus d'amitié et plus de tendresse qu'elle n'avait encore fait ; elle ne voulait point qu'il la quittât, et il lui semblait qu'à force de s'attacher à lui, il la défendrait contre M. de Nemours.

1395 Ce prince vint voir M. de Clèves à la campagne. Il fit ce qu'il put pour rendre aussi une visite à Mme de Clèves, mais elle ne le voulut point recevoir et, sentant bien qu'elle ne pouvait s'empêcher de le trouver aimable[2], elle avait fait

---

1. La manière dont M. de Clèves en usait pour elle : la façon dont M. de Clèves se comportait avec elle.
2. Aimable : propre à être aimé.

une forte résolution de s'empêcher de le voir et d'en éviter
toutes les occasions qui dépendraient d'elle.

M. de Clèves vint à Paris pour faire sa cour et promit à sa
femme de s'en retourner le lendemain ; il ne revint néanmoins
que le jour d'après.

« Je vous attendis tout hier, lui dit Mme de Clèves
lorsqu'il arriva, et je vous dois faire des reproches de n'être
pas venu comme vous me l'aviez promis. Vous savez que si je
pouvais sentir une nouvelle affliction en l'état où je suis, ce
serait la mort de Mme de Tournon, que j'ai apprise ce matin :
j'en aurais été touchée quand je ne l'aurais point connue ;
c'est toujours une chose digne de pitié qu'une femme jeune
et belle comme celle-là soit morte en deux jours, mais, de
plus, c'était une des personnes du monde qui me plaisait
davantage et qui paraissait avoir autant de sagesse que de
mérite.

— Je fus très fâché de ne pas revenir hier, répondit M. de
Clèves, mais j'étais si nécessaire à la consolation d'un malheureux, qu'il m'était impossible de le quitter. Pour Mme de
Tournon, je ne vous conseille pas d'en être affligée, si vous la
regrettez comme une femme pleine de sagesse et digne de
votre estime.

— Vous m'étonnez, reprit Mme de Clèves, et je vous ai ouï
dire plusieurs fois qu'il n'y avait point de femme à la cour que
vous estimassiez davantage.

— Il est vrai, répondit-il, mais les femmes sont incompré-
hensibles, et quand je les vois toutes, je me trouve si heureux
de vous avoir, que je ne saurais assez admirer mon bonheur.

— Vous m'estimez plus que je ne vaux, répliqua Mme de
Clèves en soupirant, et il n'est pas encore temps de me trouver

digne de vous. Apprenez-moi, je vous en supplie, ce qui vous
1430 a détrompé de Mme de Tournon.

— Il y a longtemps que je le suis, répliqua-t-il, et que je sais
qu'elle aimait le comte de Sancerre[1], à qui elle donnait des
espérances de l'épouser.

— Je ne saurais croire, interrompit Mme de Clèves, que
1435 Mme de Tournon, après cet éloignement si extraordinaire
qu'elle a témoigné pour le mariage depuis qu'elle est veuve,
et après les déclarations publiques qu'elle a faites de ne se
remarier jamais, ait donné des espérances à Sancerre.

— Si elle n'en eût donné qu'à lui, répliqua monsieur de
1440 Clèves, il ne faudrait pas s'étonner, mais ce qu'il y a de surprenant, c'est qu'elle en donnait aussi à Estouteville[2] dans le
même temps, et je vais vous apprendre toute cette histoire. »

FIN DU PREMIER TOME

---

1. Le comte de Sancerre (avant 1532-1563 ou 1565) : Louis de Bueil devint
le 18e comte de Sancerre, sous le nom de Louis IV de Sancerre-Bueil, en 1537.
2. Estouteville : François II de Saint-Pol, duc d'Estouteville est en fait mort
à douze ans en 1546. Ce dernier est donc un personnage de fiction.

Tome deuxième

« Vous savez l'amitié qu'il y a entre Sancerre et moi ; néanmoins il devint amoureux de Mme de Tournon, il y a environ
deux ans, et me le cacha avec beaucoup de soin, aussi bien qu'à
tout le reste du monde. J'étais bien éloigné de le soupçonner.
5   Mme de Tournon paraissait encore inconsolable de la mort de
son mari et vivait dans une retraite austère. La sœur de
Sancerre était quasi la seule personne qu'elle vît, et c'était
chez elle qu'il en était devenu amoureux.

Un soir qu'il devait y avoir une comédie au Louvre et que
10 l'on n'attendait plus que le roi et Mme de Valentinois pour
commencer, l'on vint dire qu'elle s'était trouvée mal, et que
le roi ne viendrait pas. On jugea aisément que le mal de cette
duchesse était quelque démêlé avec le roi. Nous savions les
jalousies qu'il avait eues du maréchal de Brissac pendant qu'il
15 avait été à la cour, mais il était retourné en Piémont depuis
quelques jours, et nous ne pouvions imaginer le sujet de cette
brouillerie.

Comme j'en parlais avec Sancerre, M. d'Anville arriva dans
la salle et me dit tout bas que le roi était dans une affliction
20 et dans une colère qui faisaient pitié ; qu'en un raccommode-
ment qui s'était fait entre lui et Mme de Valentinois, il y avait
quelques jours, sur des démêlés qu'ils avaient eus pour le
maréchal de Brissac, le roi lui avait donné une bague et l'avait

priée de la porter ; que, pendant qu'elle s'habillait pour venir
à la comédie, il avait remarqué qu'elle n'avait point cette
bague, et lui en avait demandé la raison ; qu'elle avait paru
étonnée de ne la pas avoir, qu'elle l'avait demandée à ses
femmes, lesquelles, par malheur, ou faute d'être bien
instruites, avaient répondu qu'il y avait quatre ou cinq jours
qu'elles ne l'avaient vue.

Ce temps est précisément celui du départ du maréchal de
Brissac, continua M. d'Anville ; le roi n'a point douté qu'elle
ne lui ait donné la bague en lui disant adieu. Cette pensée a
réveillé si vivement toute cette jalousie, qui n'était pas encore
bien éteinte, qu'il s'est emporté contre son ordinaire et lui a
fait mille reproches. Il vient de rentrer chez lui très affligé,
mais je ne sais s'il l'est davantage de l'opinion que Mme de
Valentinois a sacrifié sa bague que de la crainte de lui avoir
déplu par sa colère.

Sitôt que M. d'Anville eut achevé de me conter cette
nouvelle, je me rapprochai de Sancerre pour la lui apprendre ;
je la lui dis comme un secret que l'on venait de me confier, et
dont je lui défendais de parler.

Le lendemain matin, j'allai d'assez bonne heure chez ma
belle-sœur : je trouvai Mme de Tournon au chevet de son lit.
Elle n'aimait pas Mme de Valentinois, et elle savait bien que
ma belle-sœur n'avait pas sujet de s'en louer. Sancerre avait
été chez elle au sortir de la comédie. Il lui avait appris la
brouillerie du roi avec cette duchesse, et Mme de Tournon
était venue la conter à ma belle-sœur, sans savoir ou sans faire
réflexion que c'était moi qui l'avait apprise à son amant.

Sitôt que je m'approchai de ma belle-sœur, elle dit à Mme
de Tournon que l'on pouvait me confier ce qu'elle venait de

lui dire et, sans attendre la permission de Mme de Tournon,
55 elle me conta mot pour mot tout ce que j'avais dit à Sancerre
le soir précédent. Vous pouvez juger comme j'en fus étonné.
Je regardai Mme de Tournon, elle me parut embarrassée. Son
embarras me donna du soupçon ; je n'avais dit la chose qu'à
Sancerre, il m'avait quitté au sortir de la comédie sans m'en
60 dire la raison, je me souvins de lui avoir ouï extrêmement
louer Mme de Tournon. Toutes ces choses m'ouvrirent les
yeux, et je n'eus pas de peine à démêler qu'il avait une galanterie avec elle, et qu'il l'avait vue depuis qu'il m'avait quitté.

Je fus si piqué de voir qu'il me cachait cette aventure que
65 je dis plusieurs choses qui firent connaître à Mme de Tournon
l'imprudence qu'elle avait faite ; je la remis à son carrosse et
je l'assurai, en la quittant, que j'enviais le bonheur de celui
qui lui avait appris la brouillerie du roi et de Mme de
Valentinois.

70 Je m'en allai à l'heure même trouver Sancerre, je lui fis des
reproches, et je lui dis que je savais sa passion pour Mme de
Tournon, sans lui dire comment je l'avais découverte. Il fut
contraint de me l'avouer ; je lui contai ensuite ce qui me
l'avait apprise, et il m'apprit aussi le détail de leur aventure ;
75 il me dit que, quoiqu'il fût cadet de sa maison, et très éloigné
de pouvoir prétendre un aussi bon parti, néanmoins elle était
résolue de l'épouser. L'on ne peut être plus surpris que je le
fus. Je dis à Sancerre de presser la conclusion de son mariage,
et qu'il n'y avait rien qu'il ne dût craindre d'une femme qui
80 avait l'artifice de soutenir aux yeux du public un personnage
si éloigné de la vérité. Il me répondit qu'elle avait été véritablement affligée, mais que l'inclination qu'elle avait eue pour
lui avait surmonté cette affliction, et qu'elle n'avait pu laisser

66

paraître tout d'un coup un si grand changement. Il me dit encore plusieurs autres raisons pour l'excuser, qui me firent voir à quel point il en était amoureux ; il m'assura qu'il la ferait consentir que je susse la passion qu'il avait pour elle, puisque aussi bien c'était elle-même qui me l'avait apprise. Il l'y obligea en effet, quoique avec beaucoup de peine, et je fus ensuite très avant dans leur confidence.

Je n'ai jamais vu une femme avoir une conduite si honnête et si agréable à l'égard de son amant ; néanmoins j'étais toujours choqué de son affectation à paraître encore affligée. Sancerre était si amoureux et si content de la manière dont elle en usait pour lui, qu'il n'osait quasi la presser de conclure leur mariage, de peur qu'elle ne crût qu'il le souhaitait plutôt par intérêt que par une véritable passion. Il lui en parla toutefois, et elle lui parut résolue à l'épouser ; elle commença même à quitter cette retraite où elle vivait, et à se remettre dans le monde. Elle venait chez ma belle-sœur à des heures où une partie de la cour s'y trouvait. Sancerre n'y venait que rarement, mais ceux qui y étaient tous les soirs et qui l'y voyaient souvent la trouvaient très aimable[1].

Peu de temps après qu'elle eut commencé à quitter sa solitude, Sancerre crut voir quelque refroidissement dans la passion qu'elle avait pour lui. Il m'en parla plusieurs fois sans que je fisse aucun fondement sur ses plaintes, mais, à la fin, comme il me dit qu'au lieu d'achever leur mariage, elle semblait l'éloigner, je commençai à croire qu'il n'avait pas de tort d'avoir de l'inquiétude. Je lui répondis que, quand la passion de Mme de Tournon diminuerait après avoir duré

---

1. **Aimable** : propre à être aimée.

deux ans, il ne faudrait pas s'en étonner ; que quand même, sans être diminuée, elle ne serait pas assez forte pour l'obliger à l'épouser, il ne devrait pas s'en plaindre ; que ce mariage, à l'égard du public, lui ferait un extrême tort, non seulement parce qu'il n'était pas un assez bon parti pour elle, mais par le préjudice qu'il apporterait à sa réputation ; qu'ainsi tout ce qu'il pouvait souhaiter était qu'elle ne le trompât point et qu'elle ne lui donnât pas de fausses espérances. Je lui dis encore que, si elle n'avait pas la force de l'épouser ou qu'elle lui avouât qu'elle en aimait quelque autre, il ne fallait point qu'il s'emportât, ni qu'il se plaignît, mais qu'il devrait conserver pour elle de l'estime et de la reconnaissance.

« Je vous donne, lui dis-je, le conseil que je prendrais pour moi-même ; car la sincérité me touche d'une telle sorte que je crois que, si ma maîtresse et même ma femme m'avouait que quelqu'un lui plût, j'en serais affligé sans en être aigri. Je quitterais le personnage d'amant ou de mari, pour la conseiller et pour la plaindre. »

Ces paroles firent rougir Mme de Clèves, et elle y trouva un certain rapport avec l'état où elle était, qui la surprit et qui lui donna un trouble dont elle fut longtemps à se remettre.

Sancerre parla à Mme de Tournon, continua M. de Clèves, il lui dit tout ce que je lui avais conseillé, mais elle le rassura avec tant de soin, et parut si offensée de ses soupçons, qu'elle les lui ôta entièrement. Elle remit néanmoins leur mariage après un voyage qu'il allait faire et qui devait être assez long, mais elle se conduisit si bien jusqu'à son départ et en parut si affligée que je crus, aussi bien que lui, qu'elle l'aimait véritablement. Il partit il y a environ trois mois. Pendant son absence, j'ai peu vu Mme de Tournon ; vous m'avez entièrement occupé, et je savais seulement qu'il devait bientôt revenir.

Avant-hier, en arrivant à Paris, j'appris qu'elle était morte. J'envoyai savoir chez lui si on n'avait point eu de ses nouvelles : on me manda[1] qu'il était arrivé de la veille, qui était précisément le jour de la mort de Mme de Tournon. J'allai le voir à l'heure même, me doutant bien de l'état où je le trouverais, mais son affliction passait de beaucoup ce que je m'en étais imaginé.

Je n'ai jamais vu une douleur si profonde et si tendre. Dès le moment qu'il me vit, il m'embrassa, fondant en larmes :

« Je ne la verrai plus, me dit-il, je ne la verrai plus, elle est morte ! Je n'en étais pas digne, mais je la suivrai bientôt. »

Après cela il se tut ; et puis, de temps en temps, redisant toujours : « Elle est morte, et je ne la verrai plus ! », il revenait aux cris et aux larmes, et demeurait comme un homme qui n'avait plus de raison. Il me dit qu'il n'avait pas reçu souvent de ses lettres pendant son absence, mais qu'il ne s'en était pas étonné, parce qu'il la connaissait et qu'il savait la peine qu'elle avait à hasarder de ses lettres. Il ne doutait point qu'il ne l'eût épousée à son retour ; il la regardait comme la plus aimable[2] et la plus fidèle personne qui eût jamais été ; il s'en croyait tendrement aimé ; il la perdait dans le moment qu'il pensait s'attacher à elle pour jamais. Toutes ces pensées le plongeaient dans une affliction violente dont il était entièrement accablé, et j'avoue que je ne pouvais m'empêcher d'en être touché.

---

1. On me manda : on me fit dire.
2. Aimable : propre à être aimée.

Je fus néanmoins contraint de le quitter pour aller chez le
170   roi ; je lui promis que je reviendrais bientôt. Je revins en effet,
et je ne fus jamais si surpris que de le trouver tout différent
de ce que je l'avais quitté. Il était debout dans sa chambre,
avec un visage furieux, marchant et s'arrêtant comme s'il eût
été hors de lui-même. « Venez, venez, me dit-il, venez voir
175   l'homme du monde le plus désespéré ; je suis plus malheureux
mille fois que je n'étais tantôt, et ce que je viens d'apprendre
de Mme de Tournon est pire que sa mort. »

Je crus que la douleur le troublait entièrement et je ne
pouvais m'imaginer qu'il y eût quelque chose de pire que la
180   mort d'une maîtresse que l'on aime et dont on est aimé. Je lui
dis que tant que son affliction avait eu des bornes, je l'avais
approuvée, et que j'y étais entré, mais que je ne le plaindrais
plus s'il s'abandonnait au désespoir, et s'il perdait la raison.

« Je serais trop heureux de l'avoir perdue, et la vie aussi,
185   s'écria-t-il, Mme de Tournon m'était infidèle, et j'apprends
son infidélité et sa trahison le lendemain que j'ai appris sa
mort, dans un temps où mon âme est remplie et pénétrée de
la plus vive douleur et de la plus tendre amour que l'on ait
jamais senties, dans un temps où son idée[1] est dans mon cœur
190   comme la plus parfaite chose qui ait jamais été, et la plus
parfaite à mon égard. Je trouve que je me suis trompé, et
qu'elle ne mérite pas que je la pleure ; cependant j'ai la même
affliction de sa mort, que si elle m'était fidèle, et je sens son
infidélité comme si elle n'était point morte. Si j'avais appris
195   son changement devant[2] sa mort, la jalousie, la colère, la rage

---

1. Son idée : son image.
2. Devant : avant.

m'auraient rempli et m'auraient endurci en quelque sorte contre la douleur de sa perte, mais je suis dans un état où je ne puis ni m'en consoler, ni la haïr. »

Vous pouvez juger si je fus surpris de ce que me disait Sancerre ; je lui demandai comment il avait su ce qu'il venait de me dire. Il me conta qu'un moment après que j'étais sorti de sa chambre, Estouteville, qui est son ami intime, mais qui ne savait pourtant rien de son amour pour Mme de Tournon, l'était venu voir ; que, d'abord qu'il avait été assis, il avait commencé à pleurer, et qu'il lui avait dit qu'il lui demandait pardon de lui avoir caché ce qu'il lui allait apprendre ; qu'il le priait d'avoir pitié de lui ; qu'il venait lui ouvrir son cœur, et qu'il voyait l'homme du monde le plus affligé de la mort de Mme de Tournon.

« Ce nom, me dit Sancerre, m'a tellement surpris, que, quoique mon premier mouvement ait été de lui dire que j'en étais plus affligé que lui, je n'ai pas eu néanmoins la force de parler. » Il a continué, et m'a dit qu'il était amoureux d'elle depuis six mois ; qu'il avait toujours voulu me le dire, mais qu'elle le lui avait défendu expressément et avec tant d'autorité qu'il n'avait osé lui désobéir ; qu'il lui avait plu quasi dans le même temps qu'il l'avait aimée ; qu'ils avaient caché leur passion à tout le monde ; qu'il n'avait jamais été chez elle publiquement ; qu'il avait eu le plaisir de la consoler de la mort de son mari ; et qu'enfin il l'allait épouser dans le temps qu'elle était morte ; mais que ce mariage, qui était un effet de passion, aurait paru un effet de devoir et d'obéissance ; qu'elle avait gagné son père pour se faire commander de l'épouser, afin qu'il n'y eût pas un trop grand changement dans sa conduite, qui avait été si éloignée de se marier.

« Tant qu'Estouteville m'a parlé, me dit Sancerre, j'ai ajouté foi à ses paroles, parce que j'y ai trouvé de la vraisemblance et que le temps où il m'a dit qu'il avait commencé à aimer Mme de Tournon est précisément celui où elle m'a paru
230 changée, mais un moment après, je l'ai cru un menteur ou du moins un visionnaire. J'ai été prêt à le lui dire, j'ai passé ensuite à vouloir m'éclaircir, je l'ai questionné, je lui ai fait paraître des doutes ; enfin j'ai tant fait pour m'assurer de mon malheur qu'il m'a demandé si je connaissais l'écriture de
235 Mme de Tournon. Il a mis sur mon lit quatre de ses lettres et son portrait ; mon frère est entré dans ce moment. Estouteville avait le visage si plein de larmes qu'il a été contraint de sortir pour ne se pas laisser voir ; il m'a dit qu'il reviendrait ce soir requérir ce qu'il me laissait, et moi je chassai mon frère sur le
240 prétexte de me trouver mal, par l'impatience de voir ces lettres que l'on m'avait laissées, et espérant d'y trouver quelque chose qui ne me persuaderait pas tout ce qu'Estouteville venait de me dire[1]. Mais hélas ! Que n'y ai-je point trouvé ! Quelle tendresse ! Quels serments ! Quelles assu-
245 rances de l'épouser ! Quelles lettres ! Jamais elle ne m'en a écrit de semblables. Ainsi, ajouta-t-il, j'éprouve à la fois la douleur de la mort et celle de l'infidélité ; ce sont deux maux que l'on a souvent comparés, mais qui n'ont jamais été sentis en même temps par la même personne. J'avoue, à ma honte,
250 que je sens encore plus sa perte que son changement ; je ne puis la trouver assez coupable pour consentir à sa mort. Si elle vivait, j'aurais le plaisir de lui faire des reproches et de me

---

1. Qui ne me persuaderait pas tout ce qu'Estouteville venait de me dire : qui me permettrait d'avoir des doutes sur ce qu'Estouteville venait de me dire.

venger d'elle en lui faisant connaître son injustice, mais je ne
la verrai plus, reprenait-il, je ne la verrai plus ; ce mal est le
255 plus grand de tous les maux. Je souhaiterais de lui rendre la
vie aux dépens de la mienne. Quel souhait ! Si elle revenait,
elle vivrait pour Estouteville. Que j'étais heureux hier !
s'écriait-il, que j'étais heureux ! J'étais l'homme du monde le
plus affligé, mais mon affliction était raisonnable, et je trou-
260 vais quelque douceur à penser que je ne devais jamais me
consoler. Aujourd'hui tous mes sentiments sont injustes. Je
paye à une passion feinte qu'elle a eue pour moi, le même
tribut de douleur que je croyais devoir à une passion véritable. Je ne puis ni haïr, ni aimer sa mémoire ; je ne puis me
265 consoler ni m'affliger. Du moins, me dit-il, en se retournant
tout d'un coup vers moi, faites, je vous en conjure, que je ne
voie jamais Estouteville ; son nom seul me fait horreur. Je sais
bien que je n'ai nul sujet de m'en plaindre ; c'est ma faute de
lui avoir caché que j'aimais Mme de Tournon : s'il l'eût su il
270 ne s'y serait peut-être pas attaché, elle ne m'aurait pas été
infidèle ; il est venu me chercher pour me confier sa douleur ;
il me fait pitié. Eh ! C'est avec raison, s'écriait-il, il aimait
Mme de Tournon, il en était aimé et il ne la verra jamais, je
sens bien néanmoins que je ne saurais m'empêcher de le haïr.
275 Et encore une fois, je vous conjure de faire en sorte que je ne
le voie point. »

Sancerre se remit ensuite à pleurer, à regretter Mme de
Tournon, à lui parler et à lui dire les choses du monde les plus
tendres ; il repassa ensuite à la haine, aux plaintes, aux
280 reproches et aux imprécations[1] contre elle. Comme je le vis

---

1. **Imprécations** : reproches.

dans un état si violent, je connus bien[1] qu'il me fallait
quelque secours pour m'aider à calmer son esprit. J'envoyai
quérir son frère que je venais de quitter chez le roi ; j'allai lui
parler dans l'antichambre avant qu'il entrât et je lui contai
285 l'état où était Sancerre. Nous donnâmes des ordres pour
empêcher qu'il ne vît Estouteville et nous employâmes une
partie de la nuit à tâcher de le rendre capable de raison. Ce
matin, je l'ai encore trouvé plus affligé ; son frère est demeuré
auprès de lui, et je suis revenu auprès de vous.

290 — L'on ne peut être plus surprise que je le suis, dit alors
Mme de Clèves, et je croyais Mme de Tournon incapable
d'amour et de tromperie.

— L'adresse et la dissimulation, reprit M. de Clèves, ne
peuvent aller plus loin qu'elle les a portées. Remarquez que,
295 quand Sancerre crut qu'elle était changée pour lui, elle l'était
véritablement et qu'elle commençait à aimer Estouteville.
Elle disait à ce dernier qu'il la consolait de la mort de son mari
et que c'était lui qui était cause qu'elle quittait cette grande
retraite, et il paraissait à Sancerre que c'était parce que nous
300 avions résolu qu'elle ne témoignerait plus d'être si affligée.
Elle faisait valoir à Estouteville de cacher leur intelligence[2],
et de paraître obligée à l'épouser par le commandement de son
père, comme un effet du soin qu'elle avait de sa réputation ;
et c'était pour abandonner Sancerre sans qu'il eût sujet de s'en
305 plaindre. Il faut que je m'en retourne, continua M. de Clèves,
pour voir ce malheureux et je crois qu'il faut que vous reve-
niez aussi à Paris. Il est temps que vous voyiez le monde,

---

1. Je connus bien : je sus bien.
2. Intelligence : complicité, relation.

et que vous receviez ce nombre infini de visites dont aussi bien vous ne sauriez vous dispenser. »

310   Mme de Clèves consentit à son retour et elle revint le lendemain. Elle se trouva plus tranquille sur M. de Nemours qu'elle n'avait été ; tout ce que lui avait dit Mme de Chartres en mourant, et la douleur de sa mort, avaient fait une suspension à ses sentiments, qui lui faisait croire qu'ils étaient entiè-
315 rement effacés.

    Dès le même soir qu'elle fut arrivée, Mme la dauphine la vint voir, et, après lui avoir témoigné la part qu'elle avait prise à son affliction, elle lui dit que, pour la détourner de ces tristes pensées, elle voulait l'instruire de tout ce qui s'était passé à la
320 cour en son absence ; elle lui conta ensuite plusieurs choses particulières.

    « Mais ce que j'ai le plus d'envie de vous apprendre, ajouta-t-elle, c'est qu'il est certain que M. de Nemours est passionnément amoureux, et que ses amis les plus intimes, non
325 seulement ne sont point dans sa confidence, mais qu'ils ne peuvent deviner qui est la personne qu'il aime. Cependant cet amour est assez fort pour lui faire négliger ou abandonner, pour mieux dire, les espérances d'une couronne. »

    Mme la dauphine conta ensuite tout ce qui s'était passé sur
330 l'Angleterre.

    « J'ai appris ce que je viens de vous dire, continua-t-elle, de M. d'Anville, et il m'a dit ce matin que le roi envoya quérir hier au soir M. de Nemours, sur des lettres de Lignerolles, qui demande à revenir, et qui écrit au roi qu'il ne peut plus
335 soutenir auprès de la reine d'Angleterre les retardements de M. de Nemours ; qu'elle commence à s'en offenser, et qu'encore qu'elle n'eût point donné de parole positive, elle en avait

assez dit pour faire hasarder un voyage. Le roi lut cette lettre à M. de Nemours qui, au lieu de parler sérieusement, comme il avait fait dans les commencements, ne fit que rire, que badiner et se moquer des espérances de Lignerolles. Il dit que toute l'Europe condamnerait son imprudence, s'il hasardait d'aller en Angleterre comme un prétendu mari de la reine sans être assuré du succès.

« Il me semble aussi, ajouta-t-il, que je prendrais mal mon temps, de faire ce voyage présentement que[1] le roi d'Espagne fait de si grandes instances pour épouser cette reine. Ce ne serait peut-être pas un rival bien redoutable dans une galanterie[2], mais je pense que dans un mariage Votre Majesté ne me conseillerait pas de lui disputer quelque chose.

— Je vous le conseillerais en cette occasion, reprit le roi, mais vous n'aurez rien à lui disputer ; je sais qu'il a d'autres pensées ; et, quand il n'en aurait pas, la reine Marie s'est trop mal trouvée du joug de l'Espagne pour croire que sa sœur le veuille reprendre, et qu'elle se laisse éblouir à l'éclat de tant de couronnes jointes ensemble.

— Si elle ne s'en laisse pas éblouir, repartit M. de Nemours, il y a apparence qu'elle voudra se rendre heureuse par l'amour. Elle a aimé le milord Courtenay[3], il y a déjà quelques années ; il était aussi aimé de la reine Marie, qui l'aurait épousé du consentement de toute l'Angleterre, sans qu'elle connût que la jeunesse et la beauté de sa sœur Élisabeth le touchaient davantage que l'espérance de régner. Votre Majesté sait que

---

1. **Présentement que** : alors que.
2. **Galanterie** : aventure amoureuse.
3. **Le milord Courtenay** : Édouard de Courtenay (1527-1555) était le premier comte de Devon.

les violentes jalousies qu'elle en eut la portèrent à les mettre
l'un et l'autre en prison, à exiler ensuite le milord Courtenay,
et la déterminèrent enfin à épouser le roi d'Espagne. Je crois
qu'Élisabeth, qui est présentement sur le trône, rappellera
bientôt ce milord, et qu'elle choisira un homme qu'elle a
aimé, qui est fort aimable, qui a tant souffert pour elle, plutôt
qu'un autre qu'elle n'a jamais vu.

— Je serais de votre avis, repartit le roi, si Courtenay vivait
encore, mais j'ai su, depuis quelques jours, qu'il est mort à
Padoue, où il était relégué. Je vois bien, ajouta-t-il en quittant M. de Nemours, qu'il faudrait faire votre mariage comme
on ferait celui de M. le dauphin et envoyer épouser la reine
d'Angleterre par des ambassadeurs. »

M. d'Anville et M. le vidame, qui étaient chez le roi avec
M. de Nemours, sont persuadés que c'est cette même passion
dont il est occupé qui le détourne d'un si grand dessein. Le
vidame, qui le voit de plus près que personne, a dit à Mme de
Martigues[1] que ce prince est tellement changé qu'il ne le
reconnaît plus, et ce qui l'étonne davantage, c'est qu'il ne lui
voit aucun commerce[2] ni aucunes heures particulières où il se
dérobe, en sorte qu'il croit qu'il n'a point d'intelligence[3] avec
la personne qu'il aime ; et c'est ce qui fait méconnaître M. de
Nemours de lui voir aimer une femme qui ne répond point à
son amour. »

Quel poison pour Mme de Clèves que le discours de
Mme la dauphine ! Le moyen de ne se pas reconnaître pour

---

1. Mme de Martigues : Marie de Beaucaire (1535-1616) avait épousé Sébastien
de Luxembourg, comte de Martigues.
2. Aucun commerce : aucune liaison.
3. Intelligence : liaison.

390 cette personne dont on ne savait point le nom et le moyen de
n'être pas pénétrée de reconnaissance et de tendresse, en
apprenant, par une voie qui ne lui pouvait être suspecte, que
ce prince, qui touchait déjà son cœur, cachait sa passion à tout
le monde et négligeait pour l'amour d'elle les espérances
395 d'une couronne! Aussi ne peut-on représenter ce qu'elle
sentit, et le trouble qui s'éleva dans son âme. Si Mme la
dauphine l'eût regardée avec attention, elle eût aisément
remarqué que les choses qu'elle venait de dire ne lui étaient
pas indifférentes, mais, comme elle n'avait aucun soupçon de
400 la vérité, elle continua de parler, sans y faire de réflexion.

« M. d'Anville, ajouta-t-elle, qui, comme je vous viens de
dire, m'a appris tout ce détail, m'en croit mieux instruite que
lui ; et il a une si grande opinion de mes charmes qu'il est
persuadé que je suis la seule personne qui puisse faire de si
405 grands changements en M. de Nemours. »

Ces dernières paroles de Mme la dauphine donnèrent une
autre sorte de trouble à Mme de Clèves, que celui qu'elle avait
eu quelques moments auparavant.

« Je serais aisément de l'avis de M. d'Anville, répondit-elle,
410 et il y a beaucoup d'apparence, Madame, qu'il ne faut pas
moins qu'une princesse telle que vous pour faire mépriser la
reine d'Angleterre.

— Je vous l'avouerais si je le savais, repartit Mme la
dauphine, et je le saurais s'il était véritable. Ces sortes de
415 passions n'échappent point à la vue de celles qui les causent,
elles s'en aperçoivent les premières. M. de Nemours ne m'a
jamais témoigné que de légères complaisances ; mais il y a
néanmoins une si grande différence de la manière dont il a
vécu avec moi à celle dont il y vit présentement que je puis

420 vous répondre que je ne suis pas la cause de l'indifférence qu'il a pour la couronne d'Angleterre.

Je m'oublie avec vous, ajouta Mme la dauphine, et je ne me souviens pas qu'il faut que j'aille voir Madame. Vous savez que la paix est quasi conclue, mais vous ne savez pas que le

425 roi d'Espagne n'a voulu passer aucun article qu'à condition d'épouser cette princesse, au lieu du prince don Carlos[1], son fils. Le roi a eu beaucoup de peine à s'y résoudre ; enfin il y a consenti, et il est allé tantôt annoncer cette nouvelle à Madame. Je crois qu'elle sera inconsolable : ce n'est pas une chose qui

430 puisse plaire d'épouser un homme de l'âge et de l'humeur du roi d'Espagne, surtout à elle qui a toute la joie que donne la première jeunesse jointe à la beauté, et qui s'attendait d'épouser un jeune prince pour qui elle a de l'inclination sans l'avoir vu. Je ne sais si le roi en elle trouvera toute l'obéissance qu'il désire ;

435 il m'a chargée de la voir parce qu'il sait qu'elle m'aime et qu'il croit que j'aurai quelque pouvoir sur son esprit. Je ferai ensuite une autre visite bien différente ; j'irai me réjouir avec Madame[2], sœur du roi. Tout est arrêté pour son mariage avec M. de Savoie, et il sera ici dans peu de temps. Jamais personne de l'âge

440 de cette princesse n'a eu une joie si entière de se marier. La cour va être plus belle et plus grosse qu'on ne l'a jamais vue et, malgré votre affliction, il faut que vous veniez nous aider à faire voir aux étrangers que nous n'avons pas de médiocres beautés. »

Après ces paroles, Mme la dauphine quitta Mme de Clèves,

445 et, le lendemain le mariage de Madame fut su de tout

---

1. Don Carlos (1545-1568) : c'est à l'origine l'infant, le fils de Philippe II qui devait épouser Élisabeth de France, fille de Henri II et de Catherine de Médicis. Mais Philippe II changea d'avis et épousa lui-même la princesse.
2. Madame : Marie Stuart appelle « Madame » la fille et la sœur du roi.

le monde. Les jours suivants, le roi et les reines allèrent voir
Mme de Clèves. M. de Nemours, qui avait attendu son retour
avec une extrême impatience et qui souhaitait ardemment de
lui pouvoir parler sans témoins, attendit pour aller chez elle
450 l'heure que tout le monde en sortirait et qu'apparemment
il ne reviendrait plus personne. Il réussit dans son dessein, et
il arriva comme les dernières visites en sortaient.

Cette princesse était sur son lit, il faisait chaud, et la vue
de M. de Nemours acheva de lui donner une rougeur qui ne
455 diminuait pas sa beauté. Il s'assit vis-à-vis d'elle, avec cette
crainte et cette timidité que donnent les véritables passions.
Il demeura quelque temps sans pouvoir parler. Mme de Clèves
n'était pas moins interdite, de sorte qu'ils gardèrent assez
longtemps le silence. Enfin, M. de Nemours prit la parole et
460 lui fit des compliments sur son affliction ; Mme de Clèves,
étant bien aise de continuer la conversation sur ce sujet, parla
assez longtemps de la perte qu'elle avait faite, et enfin elle dit
que, quand le temps aurait diminué la violence de sa douleur,
il lui en demeurerait toujours une si forte impression que son
465 humeur en serait changée.

« Les grandes afflictions et les passions violentes, repartit
M. de Nemours, font de grands changements dans l'esprit, et,
pour moi, je ne me reconnais pas depuis que je suis revenu de
Flandre. Beaucoup de gens ont remarqué ce changement, et
470 même Mme la dauphine m'en parlait encore hier.

— Il est vrai, repartit Mme de Clèves, qu'elle l'a remarqué,
et je crois lui en avoir ouï dire quelque chose.

— Je ne suis pas fâché, Madame, répliqua M. de Nemours,
qu'elle s'en soit aperçue, mais je voudrais qu'elle ne fût pas
475 seule à s'en apercevoir. Il y a des personnes à qui on n'ose

donner d'autres marques de la passion qu'on a pour elles que par les choses qui ne les regardent point, et, n'osant leur faire paraître qu'on les aime, on voudrait du moins qu'elles vissent que l'on ne veut être aimé de personne. L'on voudrait qu'elles
480 sussent qu'il n'y a point de beauté, dans quelque rang qu'elle pût être, que l'on ne regardât avec indifférence, et qu'il n'y a point de couronne que l'on voulût acheter au prix de ne les voir jamais. Les femmes jugent d'ordinaire de la passion qu'on a pour elles, continua-t-il, par le soin qu'on prend de leur
485 plaire et de les chercher, mais ce n'est pas une chose difficile pour peu qu'elles soient aimables ; ce qui est difficile, c'est de ne s'abandonner pas au plaisir de les suivre, c'est de les éviter, par la peur de laisser paraître au public, et quasi à elles-mêmes, les sentiments que l'on a pour elles. Et ce qui marque
490 encore mieux un véritable attachement, c'est de devenir entièrement opposé à ce que l'on était, et de n'avoir plus d'ambition, ni de plaisir, après avoir été toute sa vie occupé de l'un et de l'autre. »

Mme de Clèves entendait[1] aisément la part qu'elle avait à
495 ces paroles[2]. Il lui semblait qu'elle devait y répondre et ne les pas souffrir. Il lui semblait aussi qu'elle ne devait pas les entendre, ni témoigner qu'elle les prît pour elle. Elle croyait devoir parler et croyait ne devoir rien dire. Le discours de M. de Nemours lui plaisait et l'offensait quasi également, elle
500 y voyait la confirmation de tout ce que lui avait fait penser Mme la dauphine, elle y trouvait quelque chose de galant et de respectueux, mais aussi quelque chose de hardi et de trop

---

1. Entendait : comprenait.
2. La part qu'elle avait à ces paroles : en quoi ces paroles la concernaient.

intelligible. L'inclination qu'elle avait pour ce prince lui donnait un trouble dont elle n'était pas maîtresse. Les paroles les plus obscures d'un homme qui plaît donnent plus d'agitation que des déclarations ouvertes d'un homme qui ne plaît pas. Elle demeurait donc sans répondre et M. de Nemours se fût aperçu de son silence, dont il n'aurait peut-être pas tiré de mauvais présages, si l'arrivée de M. de Clèves n'eût fini la conversation et sa visite.

Ce prince venait conter à sa femme des nouvelles de Sancerre, mais elle n'avait pas une grande curiosité pour la suite de cette aventure. Elle était si occupée de ce qui se venait de passer, qu'à peine pouvait-elle cacher la distraction de son esprit. Quand elle fut en liberté de rêver, elle connut bien qu'elle s'était trompée lorsqu'elle avait cru n'avoir plus que de l'indifférence pour M. de Nemours. Ce qu'il lui avait dit avait fait toute l'impression qu'il pouvait souhaiter et l'avait entièrement persuadée de sa passion. Les actions de ce prince s'accordaient trop bien avec ses paroles pour laisser quelque doute à cette princesse. Elle ne se flatta plus de l'espérance de ne le pas aimer ; elle songea seulement à ne lui en donner jamais aucune marque. C'était une entreprise difficile dont elle connaissait déjà les peines ; elle savait que le seul moyen d'y réussir était d'éviter la présence de ce prince, et comme son deuil lui donnait lieu d'être plus retirée que de coutume, elle se servit de ce prétexte pour n'aller plus dans les lieux où il la pouvait voir. Elle était dans une tristesse profonde : la mort de sa mère en paraissait la cause, et l'on n'en cherchait point d'autre.

M. de Nemours était désespéré de ne la voir presque plus, et, sachant qu'il ne la trouverait dans aucune assemblée et dans aucun des divertissements où était toute la cour, il ne pouvait se résoudre d'y paraître ; il feignit une passion grande pour la chasse, et il en faisait des parties les mêmes jours qu'il y avait des assemblées chez les reines. Une légère maladie lui servit longtemps de prétexte pour demeurer chez lui et pour éviter d'aller dans tous les lieux où il savait bien que Mme de Clèves ne serait pas.

M. de Clèves fut malade à peu près dans le même temps. Mme de Clèves ne sortit point de sa chambre pendant son mal, mais, quand il se porta mieux, qu'il vit du monde, et entre autres M. de Nemours, qui, sur le prétexte d'être encore faible[1], y passait la plus grande partie du jour, elle trouva qu'elle n'y pouvait plus demeurer : elle n'eut pas néanmoins la force d'en sortir les premières fois qu'il y vint. Il y avait trop longtemps qu'elle ne l'avait vu, pour se résoudre à ne le voir pas. Ce prince trouva le moyen de lui faire entendre[2], par des discours qui ne semblaient que généraux, mais qu'elle entendait néanmoins parce qu'ils avaient du rapport à ce qu'il lui avait dit chez elle, qu'il allait à la chasse pour rêver et qu'il n'allait point aux assemblées parce qu'elle n'y était pas.

Elle exécuta enfin la résolution qu'elle avait prise de sortir de chez son mari lorsqu'il y serait ; ce fut toutefois en se faisant une extrême violence. Ce prince vit bien qu'elle le fuyait, et en fut sensiblement touché.

M. de Clèves ne prit pas garde d'abord à la conduite de sa femme, mais enfin il s'aperçut qu'elle ne voulait pas être dans

---

1. **Sur le prétexte d'être encore faible** : sur le prétexte que M. de Clèves était encore faible.
2. **Entendre** : comprendre.

560 sa chambre lorsqu'il y avait du monde. Il lui en parla, et elle
lui répondit qu'elle ne croyait pas que la bienséance voulût
qu'elle fût tous les soirs avec ce qu'il y avait de plus jeune à la
cour ; qu'elle le suppliait de trouver bon qu'elle fît une vie
plus retirée qu'elle n'avait accoutumé ; que la vertu et la
565 présence de sa mère autorisaient beaucoup de choses qu'une
femme de son âge ne pouvait soutenir.

M. de Clèves, qui avait naturellement beaucoup de douceur
et de complaisance pour sa femme, n'en eut pas en cette occasion, et il lui dit qu'il ne voulait pas absolument qu'elle chan-
570 geât de conduite. Elle fut prête de lui dire que le bruit était
dans le monde que M. de Nemours était amoureux d'elle,
mais elle n'eut pas la force de le nommer. Elle sentit aussi de
la honte de se vouloir servir d'une fausse raison et de déguiser
la vérité à un homme qui avait si bonne opinion d'elle.

575 Quelques jours après, le roi était chez la reine à l'heure du
cercle ; l'on parla des horoscopes et des prédictions. Les
opinions étaient partagées sur la croyance que l'on y devait
donner. La reine y ajoutait beaucoup de foi : elle soutint
qu'après tant de choses qui avaient été prédites, et que l'on
580 avait vu arriver, on ne pouvait douter qu'il n'y eût quelque
certitude dans cette science. D'autres soutenaient que, parmi
ce nombre infini de prédictions, le peu qui se trouvait véritable faisait bien voir que ce n'était qu'un effet du hasard.

« J'ai eu autrefois beaucoup de curiosité pour l'avenir, dit le
585 roi, mais on m'a dit tant de choses fausses et si peu vraisem-
blables, que je suis demeuré convaincu que l'on ne peut rien
savoir de véritable. Il y a quelques années qu'il vint ici un
homme d'une grande réputation dans l'astrologie. Tout le
monde l'alla voir ; j'y allai comme les autres, mais sans lui dire

590 qui j'étais, et je menai M. de Guise et d'Escars[1] ; je les fis passer
les premiers. L'astrologue néanmoins s'adressa d'abord à moi,
comme s'il m'eût jugé le maître des autres. Peut-être qu'il me
connaissait ; cependant il me dit une chose qui ne me conve-
nait pas s'il m'eût connu. Il me prédit que je serais tué en duel.
595 Il dit ensuite à M. de Guise qu'il serait tué par derrière et à
d'Escars qu'il aurait la tête cassée d'un coup de pied de cheval.
M. de Guise s'offensa quasi de cette prédiction, comme si on
l'eût accusé de devoir fuir. D'Escars ne fut guère satisfait de
trouver qu'il devait finir par un accident si malheureux. Enfin,
600 nous sortîmes tous très malcontents de l'astrologue[2]. Je ne sais
ce qui arrivera à M. de Guise et à d'Escars, mais il n'y a guère
d'apparence que je sois tué en duel. Nous venons de faire la
paix, le roi d'Espagne et moi ; et, quand nous ne l'aurions pas
faite, je doute que nous nous battions, et que je le fisse appeler,
605 comme le roi mon père fit appeler Charles Quint. »

Après le malheur que le roi conta qu'on lui avait prédit,
ceux qui avaient soutenu l'astrologie en abandonnèrent le
parti et tombèrent d'accord qu'il n'y fallait donner aucune
croyance.

610 « Pour moi, dit tout haut M. de Nemours, je suis l'homme
du monde qui doit le moins y en avoir et, se tournant vers
Mme de Clèves, auprès de qui il était, on m'a prédit, lui dit-il
tout bas, que je serais heureux par les bontés de la personne
du monde pour qui j'aurais la plus violente et la plus respec-
615 tueuse passion. Vous pouvez juger, madame, si je dois croire
aux prédictions. »

---

1. D'Escars : Jean d'Escars (1517-1585), prince de Carency, était chevalier de
l'ordre du roi.
2. Il s'agit de Nostradamus (1503-1566), célèbre pour ses prophéties.

Mme la dauphine qui crut, parce que M. de Nemours avait dit tout haut, que ce qu'il disait tout bas était quelque fausse prédiction qu'on lui avait faite, demanda à ce prince ce qu'il
620 disait à Mme de Clèves. S'il eût eu moins de présence d'esprit, il eût été surpris de cette demande, mais prenant la parole sans hésiter :

« Je lui disais, Madame, répondit-il, que l'on m'a prédit que je serais élevé à une si haute fortune que je n'oserais même
625 y prétendre.

— Si l'on ne vous a fait que cette prédiction, repartit Mme la dauphine en souriant, et pensant à l'affaire d'Angleterre, je ne vous conseille pas de décrier l'astrologie, et vous pourriez trouver des raisons pour la soutenir. »

630 Mme de Clèves comprit bien ce que voulait dire Mme la dauphine ; mais elle entendait[1] bien aussi que la fortune dont M. de Nemours voulait parler n'était pas d'être roi d'Angleterre.

Comme il y avait déjà assez longtemps de la mort de sa mère, il fallait qu'elle commençât à paraître dans le monde
635 et à faire sa cour comme elle avait accoutumé. Elle voyait M. de Nemours chez Mme la dauphine ; elle le voyait chez M. de Clèves, où il venait souvent avec d'autres personnes de qualité[2] de son âge, afin de ne se pas faire remarquer ; mais elle ne le voyait plus qu'avec un trouble dont il s'apercevait aisément.

640 Quelque application qu'elle eût à éviter ses regards et à lui parler moins qu'à un autre, il lui échappait de certaines choses qui partaient d'un premier mouvement, qui faisaient juger à ce prince qu'il ne lui était pas indifférent. Un homme moins

---

1. Entendait : comprenait.
2. Qualité : origine sociale élevée.

pénétrant que lui ne s'en fût peut-être pas aperçu, mais il avait
645 déjà été aimé tant de fois qu'il était difficile qu'il ne connût
pas quand on l'aimait. Il voyait bien que le chevalier de Guise
était son rival, et ce prince connaissait que M. de Nemours
était le sien. Il était le seul homme de la cour qui eût démêlé
cette vérité, son intérêt l'avait rendu plus clairvoyant que les
650 autres, la connaissance qu'ils avaient de leurs sentiments leur
donnait une aigreur qui paraissait en toutes choses sans éclater
néanmoins par aucun démêlé, mais ils étaient opposés en tout.
Ils étaient toujours de différent parti dans les courses de
bague[1], dans les combats à la barrière, et dans tous les diver-
655 tissements où le roi s'occupait, et leur émulation était si
grande qu'elle ne se pouvait cacher.

L'affaire d'Angleterre revenait souvent dans l'esprit de
Mme de Clèves : il lui semblait que M. de Nemours ne résis-
terait point aux conseils du roi et aux instances de Lignerolles.
660 Elle voyait avec peine que ce dernier n'était point encore de
retour, et elle l'attendait avec impatience. Si elle eût suivi ses
mouvements, elle se serait informée avec soin de l'état de cette
affaire, mais le même sentiment qui lui donnait de la curiosité, l'obligeait à la cacher et elle s'enquérait seulement de la
665 beauté, de l'esprit, et de l'humeur de la reine Élisabeth. On
apporta un de ses portraits chez le roi, qu'elle trouva plus beau
qu'elle n'avait envie de le trouver ; et elle ne put s'empêcher
de dire qu'il était flatté[2].

« Je ne le crois pas, reprit Mme la dauphine, qui était
670 présente, cette princesse a la réputation d'être belle et d'avoir

---

1. Courses de bague : ces affrontements consistent à passer une lance à travers
des anneaux suspendus.
2. Flatté : flatteur.

un esprit fort au-dessus du commun, et je sais bien qu'on me l'a proposée toute ma vie pour exemple. Elle doit être aimable, si elle ressemble à Anne de Boulen[1] sa mère. Jamais femme n'a eu tant de charmes et tant d'agrément[2] dans sa personne et dans son humeur. J'ai ouï dire que son visage avait quelque chose de vif et de singulier, et qu'elle n'avait aucune ressemblance avec les autres beautés anglaises.

— Il me semble aussi, reprit Mme de Clèves, que l'on dit qu'elle était née en France.

— Ceux qui l'ont cru se sont trompés, répondit Mme la dauphine, et je vais vous conter son histoire en peu de mots.

Elle était d'une bonne maison d'Angleterre. Henri VIII avait été amoureux de sa sœur et de sa mère, et l'on a même soupçonné qu'elle était sa fille. Elle vint ici avec la sœur de Henri VII[3], qui épousa le roi Louis XII. Cette princesse, qui était jeune et galante, eut beaucoup de peine à quitter la cour de France après la mort de son mari, mais Anne de Boulen, qui avait les mêmes inclinations que sa maîtresse, ne se put résoudre à en partir. Le feu roi en était amoureux, et elle demeura fille d'honneur de la reine Claude. Cette reine mourut, et Mme Marguerite[4], sœur du roi, duchesse d'Alençon, et depuis reine de Navarre, dont vous avez vu les contes, la prit

---

1. Anne de Boulen ou Anne Boleyn (1501 ou 1507-1536) : deuxième femme de Henri VIII et mère d'Élisabeth I, elle fut accusée d'adultère, d'inceste et de haute trahison et décapitée en 1536.

2. Agrément : caractère agréable.

3. Mme de Lafayette se trompe ; il s'agit ici non de Henri VII, mais de Henri VIII. Louis XII (1462-1515) épousa sa sœur, Marie d'Angleterre (1496-1533) en troisième noces, en 1514.

4. Mme Marguerite : Marguerite de Navarre (1492-1549), sœur de François Ier, était la grande protectrice des évangéliques. Elle était également écrivain, et auteur notamment de l'*Heptaméron*, qui parut de façon posthume.

auprès d'elle, et elle prit auprès de cette princesse les teintures de la religion nouvelle[1]. Elle retourna ensuite en Angleterre et y charma tout le monde ; elle avait les manières de France qui plaisent à toutes les nations ; elle chantait bien, elle dansait admirablement ; on la mit fille de la reine Catherine d'Aragon[2], et le roi Henri VIII en devint éperdument amoureux.

Le cardinal de Volsey[3], son favori et son premier ministre, avait prétendu au pontificat, et mal satisfait de l'empereur[4], qui ne l'avait pas soutenu dans cette prétention, il résolut de s'en venger et d'unir le roi, son maître, à la France. Il mit dans l'esprit de Henri VIII que son mariage avec la tante de l'empereur[5] était nul et lui proposa d'épouser la duchesse d'Alençon[6], dont le mari venait de mourir. Anne de Boulen, qui avait de l'ambition, regarda ce divorce comme un chemin qui la pouvait conduire au trône. Elle commença à donner au roi d'Angleterre des impressions[7] de la religion de Luther[8] et

---

1. Les teintures de la religion nouvelle : le goût du protestantisme. Marguerite de Navarre n'était pas protestante mais évangélique. Selon Marie Stuart, c'est néanmoins l'évangélisme de Marguerite de Navarre qui a préparé le terrain au protestantisme d'Anne Boleyn.

2. Catherine d'Aragon (1485-1536) : elle fut la première femme de Henri VIII. Anne Boleyn était sa fille d'honneur et Henri VIII voulut faire annuler son mariage avec Catherine d'Aragon pour épouser celle-là. Le refus du pape fut à l'origine de la rupture de Henri VIII avec Rome et de l'instauration de l'anglicanisme.

3. Le cardinal de Volsey : Thomas Volsey (1471-1530) devint cardinal en 1515. Il tomba en disgrâce auprès de Henri VIII pour n'avoir pas réussi à faire annuler le mariage de ce dernier avec Catherine d'Aragon.

4. L'empereur : Charles Quint.

5. La tante de l'Empereur : Catherine d'Aragon.

6. La duchesse d'Alençon : Marguerite de Navarre, sœur de François Ier, mariée au duc d'Alençon qui meurt en 1525, puis remariée en 1527 à Henri d'Albret, roi de Navarre.

7. Impressions : ici, des éléments de connaissance.

8. Luther : Martin Luther (1483-1546) est à l'origine du protestantisme.

engagea le feu roi[1] à favoriser à Rome le divorce de Henri, sur
710 l'espérance du mariage[2] de Mme d'Alençon. Le cardinal de
Volsey se fit députer en France sur d'autres prétextes pour
traiter cette affaire, mais son maître ne put se résoudre à souffrir qu'on en fît seulement la proposition et il lui envoya un
ordre à Calais de ne point parler de ce mariage.

715 Au retour de France, le cardinal de Volsey fut reçu avec des
honneurs pareils à ceux que l'on rendait au roi même ; jamais
favori n'a porté l'orgueil et la vanité à un si haut point. Il
ménagea une entrevue entre les deux rois, qui se fit à
Boulogne[3]. François Ier donna la main à Henri VIII, qui ne la
720 voulait point recevoir. Ils se traitèrent tour à tour avec une
magnificence[4] extraordinaire, et se donnèrent des habits
pareils à ceux qu'ils avaient fait faire pour eux-mêmes. Je me
souviens d'avoir ouï dire que ceux que le feu roi envoya au roi
d'Angleterre étaient de satin cramoisi, chamarré en triangle,
725 avec des perles et des diamants ; et la robe de velours blanc
brodé d'or. Après avoir été quelques jours à Boulogne, ils
allèrent encore à Calais. Anne de Boulen était logée chez
Henri VIII avec le train d'une reine[5], et François Ier lui fit les
mêmes présents et lui rendit les mêmes honneurs que si elle
730 l'eût été. Enfin, après une passion de neuf années, Henri
l'épousa sans attendre la dissolution de son premier mariage,
qu'il demandait à Rome depuis longtemps. Le pape prononça
les fulminations[6] contre lui avec précipitation et Henri en fut

1. **Le feu roi** : François Ier.
2. **Sur l'espérance du mariage** : en espérant le mariage.
3. L'entrevue se fit à Boulogne-sur-Mer en 1532.
4. **Magnificence** : luxe.
5. **Le train d'une reine** : le luxe dévolu à une reine.
6. **Fulminations** : condamnations.

tellement irrité qu'il se déclara chef de la religion, et entraîna
toute l'Angleterre dans le malheureux changement où vous la
voyez[1].

Anne de Boulen ne jouit pas longtemps de sa grandeur ;
car, lorsqu'elle la croyait plus assurée par la mort de Catherine
d'Aragon, un jour qu'elle assistait avec toute la cour à des
courses de bague[2] que faisait le vicomte de Rochefort[3], son
frère, le roi en fut frappé d'une telle jalousie, qu'il quitta
brusquement le spectacle, s'en vint à Londres et laissa ordre
d'arrêter la reine, le vicomte de Rochefort et plusieurs autres,
qu'il croyait amants ou confidents de cette princesse. Quoique
cette jalousie parût née dans ce moment, il y avait déjà
quelque temps qu'elle lui avait été inspirée par la vicomtesse
de Rochefort[4], qui, ne pouvant souffrir la liaison étroite de
son mari avec la reine, la fit regarder au roi comme une amitié
criminelle, en sorte que ce prince, qui d'ailleurs était amoureux de Jeanne Seimer[5], ne songea qu'à se défaire d'Anne de
Boulen. En moins de trois semaines, il fit faire le procès à cette
reine et à son frère, leur fit couper la tête et épousa Jeanne
Seimer. Il eut ensuite plusieurs femmes, qu'il répudia, ou

---

1. C'est ainsi qu'il créa l'anglicanisme.

2. Courses de bague : affrontements consistant à passer une lance à travers des
anneaux suspendus.

3. Le vicomte de Rochefort : George Boleyn (1503-1536) est le frère d'Anne.
Accusé de relations incestueuses avec sa sœur, il fut décapité le 17 mai 1536,
deux jours avant sa sœur, accusée d'adultère.

4. La vicomtesse de Rochefort : Jane Parker épouse George Boleyn en 1524
ou 1525. Sans doute poussée par la jalousie, elle fut à l'origine des accusations
d'inceste qui pesèrent sur son mari.

5. Jeanne Seimer ou Jane Seymour (vers 1509-1537) devint la troisième femme
de Henri VIII en 1536 et mourut des suites de l'accouchement du futur
Édouard VI d'Angleterre.

qu'il fit mourir, et entre autres Catherine Havart[1], dont la
comtesse de Rochefort était confidente, et qui eut la tête
coupée avec elle. Elle fut ainsi punie des crimes qu'elle avait
supposés à Anne de Boulen, et Henri VIII mourut étant
devenu d'une grosseur prodigieuse. »

Toutes les dames, qui étaient présentes au récit de Mme la
dauphine, la remercièrent de les avoir si bien instruites de la
cour d'Angleterre, et entre autres Mme de Clèves, qui ne put
s'empêcher de lui faire encore plusieurs questions sur la reine
Élisabeth.

La reine dauphine faisait faire des portraits en petit de toutes
les belles personnes de la cour pour les envoyer à la reine sa
mère. Le jour qu'on achevait celui de Mme de Clèves, Mme la
dauphine vint passer l'après-dînée chez elle. M. de Nemours ne
manqua pas de s'y trouver : il ne laissait échapper aucune occasion de voir Mme de Clèves sans laisser paraître néanmoins qu'il
les cherchât. Elle était si belle, ce jour-là, qu'il en serait devenu
amoureux, quand il ne l'aurait pas été. Il n'osait pourtant avoir
les yeux attachés sur elle pendant qu'on la peignait, et il craignait de laisser trop voir le plaisir qu'il avait à la regarder.

Mme la dauphine demanda à M. de Clèves un petit portrait
qu'il avait de sa femme, pour le voir auprès de celui que l'on
achevait. Tout le monde dit son sentiment de l'un et de
l'autre, et Mme de Clèves ordonna au peintre de raccommoder
quelque chose à la coiffure de celui que l'on venait d'apporter.
Le peintre, pour lui obéir, ôta le portrait de la boîte où il était,
et après y avoir travaillé, il le remit sur la table.

---

1. Catherine Havart ou Catherine Howard (1522-1542) devint la cinquième
épouse de Henri VIII en 1540. Elle fut décapitée moins de deux ans plus tard,
pour adultère.

Il y avait longtemps que M. de Nemours souhaitait d'avoir le portrait de Mme de Clèves. Lorsqu'il vit celui qui était à M. de Clèves, il ne put résister à l'envie de le dérober à un mari qu'il croyait tendrement aimé, et il pensa que, parmi
785 tant de personnes qui étaient dans ce même lieu, il ne serait pas soupçonné plutôt qu'un autre.

Mme la dauphine était assise sur le lit et parlait bas à Mme de Clèves, qui était debout devant elle. Mme de Clèves aperçut par un des rideaux qui n'était qu'à demi-fermé, M. de
790 Nemours, le dos contre la table qui était au pied du lit, et elle vit que, sans tourner la tête, il prenait adroitement quelque chose sur cette table. Elle n'eut pas de peine à deviner que c'était son portrait, et elle en fut si troublée que Mme la dauphine remarqua qu'elle ne l'écoutait pas et lui demanda
795 tout haut ce qu'elle regardait. M. de Nemours se tourna à ces paroles, il rencontra les yeux de Mme de Clèves qui étaient encore attachés sur lui, et il pensa qu'il n'était pas impossible qu'elle eût vu ce qu'il venait de faire.

Mme de Clèves n'était pas peu embarrassée : la raison voulait
800 qu'elle demandât son portrait, mais en le demandant publiquement, c'était apprendre à tout le monde les sentiments que ce prince avait pour elle, et en le lui demandant en particulier, c'était quasi l'engager à lui parler de sa passion. Enfin, elle jugea qu'il valait mieux le lui laisser, et elle fut bien aise de lui accorder
805 une faveur qu'elle lui pouvait faire sans qu'il sût même qu'elle la lui faisait. M. de Nemours, qui remarquait son embarras, et qui en devinait quasi la cause, s'approcha d'elle et lui dit tout bas :

« Si vous avez vu ce que j'ai osé faire, ayez la bonté, Madame, de me laisser croire que vous l'ignorez, je n'ose vous en
810 demander davantage. »

Et il se retira après ces paroles, et n'attendit point sa réponse.

Mme la dauphine sortit pour s'aller promener, suivie de toutes les dames et M. de Nemours alla se renfermer chez lui, ne pouvant soutenir en public la joie d'avoir un portrait de Mme de Clèves. Il sentait tout ce que la passion peut faire sentir de plus agréable ; il aimait la plus aimable[1] personne de la cour, il s'en faisait aimer malgré elle, et il voyait dans toutes ses actions cette sorte de trouble et d'embarras que cause l'amour dans l'innocence de la première jeunesse.

Le soir, on chercha ce portrait avec beaucoup de soin ; comme on trouvait la boîte où il devait être, l'on ne soupçonna point qu'il eût été dérobé, et l'on crut qu'il était tombé par hasard. M. de Clèves était affligé de cette perte et, après qu'on eut encore cherché inutilement, il dit à sa femme, mais d'une manière qui faisait voir qu'il ne le pensait pas, qu'elle avait sans doute quelque amant caché à qui elle avait donné ce portrait, ou qui l'avait dérobé, et qu'un autre qu'un amant ne se serait pas contenté de la peinture sans la boîte.

Ces paroles, quoique dites en riant, firent une vive impression dans l'esprit de Mme de Clèves. Elles lui donnèrent des remords, elle fit réflexion à la violence de l'inclination qui l'entraînait vers M. de Nemours, elle trouva qu'elle n'était plus maîtresse de ses paroles et de son visage ; elle pensa que Lignerolles était revenu, qu'elle ne craignait plus l'affaire d'Angleterre, qu'elle n'avait plus de soupçons sur Mme la dauphine, qu'enfin il n'y avait plus rien qui la pût défendre, et qu'il n'y avait de sûreté pour elle qu'en s'éloignant. Mais, comme elle n'était pas maîtresse de s'éloigner, elle se trouvait

---

1. **Aimable :** propre à être aimée.

dans une grande extrémité et prête à tomber dans ce qui lui
840 paraissait le plus grand des malheurs, qui était de laisser voir
à M. de Nemours l'inclination qu'elle avait pour lui. Elle se
souvenait de tout ce que Mme de Chartres lui avait dit en
mourant et des conseils qu'elle lui avait donnés de prendre
toutes sortes de partis, quelque difficiles qu'ils pussent être,
845 plutôt que de s'embarquer dans une galanterie[1]. Ce que M. de
Clèves lui avait dit sur la sincérité, en parlant de Mme de
Tournon, lui revint dans l'esprit; il lui sembla qu'elle lui
devait avouer l'inclination qu'elle avait pour M. de Nemours.
Cette pensée l'occupa longtemps : ensuite elle fut étonnée de
850 l'avoir eue, elle y trouva de la folie, et retomba dans l'embarras
de ne savoir quel parti prendre.

La paix était signée. Mme Élisabeth, après beaucoup de
répugnance, s'était résolue à obéir au roi son père. Le duc
d'Albe avait été nommé pour venir l'épouser au nom du roi
855 catholique, et il devait bientôt arriver. L'on attendait le duc
de Savoie, qui venait épouser Madame, sœur du roi, et dont
les noces se devaient faire en même temps[2]. Le roi ne songeait
qu'à rendre ces noces célèbres par des divertissements où il
pût faire paraître l'adresse et la magnificence[3] de sa cour. On
860 proposa tout ce qui se pouvait faire de plus grand pour des
ballets et des comédies, mais le roi trouva ces divertissements
trop particuliers, et il en voulut d'un plus grand éclat. Il
résolut de faire un tournoi, où les étrangers seraient reçus, et
dont le peuple pourrait être spectateur. Tous les princes et les
865 jeunes seigneurs entrèrent avec joie dans le dessein du roi,

---

1. Galanterie : aventure amoureuse.
2. En réalité, les noces eurent lieu à quelques semaines de distance.
3. Magnificence : luxe.

et surtout le duc de Ferrare, M. de Guise et M. de Nemours, qui surpassaient tous les autres dans ces sortes d'exercices. Le roi les choisit pour être avec lui les quatre tenants[1] du tournoi.

L'on fit publier par tout le royaume, qu'en la ville de Paris, le pas[2] était ouvert au quinzième juin, par Sa Majesté Très-Chrétienne, et par les princes Alphonse d'Este, duc de Ferrare, François de Lorraine, duc de Guise, et Jacques de Savoie, duc de Nemours, pour être tenu contre tous venants, à commencer le premier combat à cheval en lice[3], en double pièce[4], quatre coups de lance et un pour les dames ; le deuxième combat à coups d'épée, un à un, ou deux à deux, à la volonté des maîtres du camp ; le troisième combat à pied, trois coups de pique et six coups d'épée ; que les tenants fourniraient de lances, d'épées et de piques, au choix des assaillants ; et que, si en courant on donnait au cheval[5], on serait mis hors des rangs ; qu'il y aurait quatre maîtres du camp pour donner les ordres et que ceux des assaillants qui auraient le plus rompu[6] et le mieux fait auraient un prix dont la valeur serait à la discrétion des juges ; que tous les assaillants, tant français qu'étrangers, seraient tenus de venir toucher à l'un des écus qui seraient pendus au perron, au bout de la lice, ou à plusieurs, selon leur choix ; que là ils trouveraient un officier d'armes qui les recevrait pour les enrôler selon leur rang et selon les écus[7] qu'ils auraient touchés ; que les assaillants seraient tenus de faire

---

1. **Tenants :** adversaires.
2. **Pas :** ici le tournoi.
3. **En lice :** dans le champ du tournoi.
4. **En double pièce :** en armure composée de deux parties.
5. **Donnait au cheval :** donnait des coups d'éperon.
6. **Rompu :** échangé des coups de lance.
7. **Écus :** boucliers.

890 apporter par un gentilhomme leur écu avec leurs armes, pour
le pendre au perron trois jours avant le commencement du
tournoi ; qu'autrement ils n'y seraient point reçus sans le
congé[1] des tenants.

On fit faire une grande lice proche de la Bastille qui venait
895 du château des Tournelles[2], qui traversait la rue Saint-
Antoine, et qui allait rendre[3] aux écuries royales. Il y avait des
deux côtés des échafauds[4] et des amphithéâtres, avec des loges
couvertes qui formaient des espèces de galeries, qui faisaient
un très bel effet à la vue, et qui pouvaient contenir un nombre
900 infini de personnes. Tous les princes et seigneurs ne furent
plus occupés que du soin d'ordonner ce qui leur était nécessaire pour paraître avec éclat, et pour mêler dans leurs chiffres
ou dans leurs devises[5] quelque chose de galant qui eût rapport
aux personnes qu'ils aimaient.

905 Peu de jours avant l'arrivée du duc d'Albe, le roi fit une
partie de paume avec M. de Nemours, le chevalier de Guise et
le vidame de Chartres. Les reines les allèrent voir jouer, suivies
de toutes les dames, et entre autres de Mme de Clèves. Après
que la partie fut finie, comme l'on sortait du jeu de paume,
910 Chastelart s'approcha de la reine dauphine et lui dit que le
hasard lui venait de mettre entre les mains une lettre de galanterie qui était tombée de la poche de M. de Nemours. Cette
reine, qui avait toujours de la curiosité pour ce qui regardait
ce prince, dit à Chastelart de la lui donner ; elle la prit et suivit

---

1. **Congé** : permission.
2. Le château des Tournelles se situait au nord de l'actuelle place des Vosges.
3. **Rendre** : aboutir.
4. **Échafauds** : estrades.
5. Les devises sont les formules associées aux blasons des familles nobles.

915   la reine sa belle-mère, qui s'en allait avec le roi voir travailler à la lice. Après que l'on y eut été quelque temps, le roi fit amener des chevaux qu'il avait fait venir depuis peu. Quoiqu'ils ne fussent pas encore dressés, il les voulut monter, et en fit donner à tous ceux qui l'avaient suivi. Le roi et M. de
920   Nemours se trouvèrent sur les plus fougueux ; ces chevaux se voulurent jeter l'un à l'autre. M. de Nemours, par la crainte de blesser le roi, recula brusquement et porta son cheval contre un pilier du manège, avec tant de violence que la secousse le fit chanceler. On courut à lui, et on le crut considérablement
925   blessé. Mme de Clèves le crut encore plus blessé que les autres. L'intérêt qu'elle y prenait lui donna une appréhension et un trouble qu'elle ne songea pas à cacher ; elle s'approcha de lui avec les reines et avec un visage si changé qu'un homme moins intéressé que le chevalier de Guise s'en fût aperçu : aussi le
930   remarqua-t-il aisément, et il eut bien plus d'attention à l'état où était Mme de Clèves qu'à celui où était M. de Nemours. Le coup que ce prince s'était donné lui causa un si grand éblouissement qu'il demeura quelque temps la tête penchée sur ceux qui le soutenaient. Quand il la releva, il vit d'abord Mme de
935   Clèves ; il connut, sur son visage, la pitié qu'elle avait de lui, et il la regarda d'une sorte qui pût lui faire juger combien il en était touché. Il fit ensuite des remerciements aux reines de la bonté qu'elles lui témoignaient, et des excuses de l'état où il avait été devant elles. Le roi lui ordonna de s'aller reposer.

940   Mme de Clèves, après s'être remise de la frayeur qu'elle avait eue, fit bientôt réflexion aux marques qu'elle en avait données. Le chevalier de Guise ne la laissa pas longtemps dans l'espérance que personne ne s'en serait aperçu. Il lui donna la main pour la conduire hors de la lice :

945 « Je suis plus à plaindre que M. de Nemours, Madame, lui dit-il ; pardonnez-moi, si je sors de ce profond respect que j'ai toujours eu pour vous, et si je vous fais paraître la vive douleur que je sens de ce que je viens de voir ; c'est la première fois que j'ai été assez hardi pour vous parler et ce sera aussi la dernière.

950 La mort, ou du moins un éloignement éternel, m'ôteront d'un lieu où je ne puis plus vivre, puisque je viens de perdre la triste consolation de croire que tous ceux qui osent vous regarder sont aussi malheureux que moi. »

Mme de Clèves ne répondit que quelques paroles mal
955 arrangées, comme si elle n'eût pas entendu ce que signifiaient celles du chevalier de Guise. Dans un autre temps, elle aurait été offensée qu'il lui eût parlé des sentiments qu'il avait pour elle ; mais, dans ce moment, elle ne sentit que l'affliction de voir qu'il s'était aperçu de ceux qu'elle avait pour M. de
960 Nemours. Le chevalier de Guise en fut si convaincu et si pénétré de douleur, que, dès ce jour, il prit la résolution de ne penser jamais à être aimé de Mme de Clèves. Mais, pour quitter cette entreprise qui lui avait paru si difficile et si glorieuse, il en fallait quelque autre dont la grandeur pût
965 l'occuper. Il se mit dans l'esprit de prendre Rhodes, dont il avait déjà eu quelque pensée[1], et quand la mort l'ôta du monde dans la fleur de sa jeunesse[2], et dans le temps qu'il avait acquis la réputation d'un des plus grands princes de son siècle, le seul regret qu'il témoigna de quitter la vie fut de
970 n'avoir pu exécuter une si belle résolution, dont il croyait le succès infaillible par tous les soins qu'il en avait pris.

---

1. Il avait déjà eu quelque pensée : ce à quoi il avait déjà pensé.
2. Le chevalier de Guise mourut en 1563, à l'âge de 25 ans. Il battit effective-ment les Turcs à Rhodes, en 1557.

Mme de Clèves, en sortant de la lice, alla chez la reine, l'esprit bien occupé de ce qui s'était passé. M. de Nemours y vint peu de temps après, habillé magnifiquement, et comme un homme qui ne se sentait pas de l'accident qui lui était arrivé. Il paraissait même plus gai que de coutume ; et la joie de ce qu'il croyait avoir vu lui donnait un air qui augmentait encore son agrément[1]. Tout le monde fut surpris lorsqu'il entra, et il n'y eut personne qui ne lui demandât de ses nouvelles, excepté Mme de Clèves qui demeura auprès de la cheminée sans faire semblant de le voir[2]. Le roi sortit d'un cabinet où il était et, le voyant parmi les autres, il l'appela pour lui parler de son aventure. M. de Nemours passa auprès de Mme de Clèves et lui dit tout bas :

« J'ai reçu aujourd'hui des marques de votre pitié, Madame ; mais ce n'est pas de celles dont je suis le plus digne. »

Mme de Clèves s'était bien doutée que ce prince s'était aperçu de la sensibilité qu'elle avait eue pour lui, et ses paroles lui firent voir qu'elle ne s'était pas trompée. Ce lui était une grande douleur de voir qu'elle n'était plus maîtresse de cacher ses sentiments et de les avoir laissé paraître au chevalier de Guise. Elle en avait aussi beaucoup que M. de Nemours les connût ; mais cette dernière douleur n'était pas si entière et elle était mêlée de quelque sorte de douceur.

La reine dauphine, qui avait une extrême impatience de savoir ce qu'il y avait dans la lettre que Chastelart lui avait donnée, s'approcha de Mme de Clèves :

---

1. **Agrément** : charme.
2. **Sans faire semblant de le voir** : en faisant semblant de ne pas le voir.

« Allez lire cette lettre, lui dit-elle, elle s'adresse à M. de
Nemours et, selon les apparences, elle est de cette maîtresse
pour qui il a quitté toutes les autres. Si vous ne la pouvez lire
présentement, gardez-là ; venez ce soir à mon coucher pour
me la rendre, et pour me dire si vous en connaissez l'écriture. »

Mme la dauphine quitta Mme de Clèves après ces paroles,
et la laissa si étonnée[1], et dans un si grand saisissement,
qu'elle fut quelque temps sans pouvoir sortir de sa place.
L'impatience[2] et le trouble où elle était ne lui permirent pas
de demeurer chez la reine ; elle s'en alla chez elle, quoiqu'il ne
fût pas l'heure où elle avait accoutumé de se retirer. Elle tenait
cette lettre avec une main tremblante : ses pensées étaient si
confuses qu'elle n'en avait aucune distincte, et elle se trouvait
dans une sorte de douleur insupportable, qu'elle ne connaissait point et qu'elle n'avait jamais sentie. Sitôt qu'elle fut dans
son cabinet, elle ouvrit cette lettre, et la trouva telle :

« Je vous ai trop aimé pour vous laisser croire que le changement qui vous paraît en moi soit un effet de ma légèreté ;
je veux vous apprendre que votre infidélité en est la cause.
Vous êtes bien surpris que je vous parle de votre infidélité ;
vous me l'aviez cachée avec tant d'adresse, et j'ai pris tant de
soin de vous cacher que je la savais, que vous avez raison d'être
étonné qu'elle me soit connue. Je suis surprise moi-même que
j'aie pu[3] ne vous en rien faire paraître. Jamais douleur n'a été
pareille à la mienne. Je croyais que vous aviez pour moi une
passion violente ; je ne vous cachais plus celle que j'avais pour

---

1. Étonnée : abasourdie, foudroyée.
2. Impatience : inquiétude.
3. Je suis surprise moi-même que j'aie pu : je suis surprise moi-même d'avoir
pu.

1025 vous, et dans le temps que je vous la laissais voir tout entière,
j'appris que vous me trompiez, que vous en aimiez une autre,
et que, selon toutes les apparences, vous me sacrifiiez à cette
nouvelle maîtresse. Je le sus le jour de la course de bague[1] ;
c'est ce qui fit que je n'y allai point. Je feignis d'être malade
1030 pour cacher le désordre de mon esprit, mais je le devins en
effet, et mon corps ne put supporter une si violente agitation.
Quand je commençai à me porter mieux, je feignis encore
d'être fort mal, afin d'avoir un prétexte de ne vous point voir
et de ne vous point écrire. Je voulus avoir du temps pour
1035 résoudre de quelle sorte j'en devais user avec vous ; je pris et
je quittai vingt fois les mêmes résolutions, mais enfin je vous
trouvai indigne de voir ma douleur, et je résolus de ne vous la
point faire paraître. Je voulus blesser votre orgueil en vous
faisant voir que ma passion s'affaiblissait d'elle-même. Je crus
1040 diminuer par là le prix du sacrifice que vous en faisiez, je ne
voulus pas que vous eussiez le plaisir de montrer combien je
vous aimais pour en paraître plus aimable[2]. Je résolus de vous
écrire des lettres tièdes et languissantes pour jeter dans l'esprit de celle à qui vous les donniez que l'on cessait de vous
1045 aimer. Je ne voulus pas qu'elle eût le plaisir d'apprendre que
je savais qu'elle triomphait de moi, ni augmenter son
triomphe par mon désespoir et par mes reproches. Je pensais
que je ne vous punirais pas assez en rompant avec vous, et que
je ne vous donnerais qu'une légère douleur si je cessais de vous
1050 aimer lorsque vous ne m'aimiez plus. Je trouvai qu'il fallait
que vous m'aimassiez pour sentir le mal de n'être point aimé,

---

1. Course de bague : affrontement consistant à passer une lance à travers des
anneaux suspendus.
2. Aimable : digne d'être aimé.

que j'éprouvais si cruellement. Je crus que, si quelque chose pouvait rallumer les sentiments que vous aviez eus pour moi, c'était de vous faire voir que les miens étaient changés, mais de vous le faire voir en feignant de vous le cacher, et comme si je n'eusse pas eu la force de vous l'avouer. Je m'arrêtai à cette résolution, mais qu'elle me fut difficile à prendre, et qu'en vous revoyant elle me parut impossible à exécuter ! Je fus prête cent fois à éclater par mes reproches et par mes pleurs. L'état où j'étais encore, par ma santé, me servit à vous déguiser mon trouble et mon affliction. Je fus soutenue ensuite par le plaisir de dissimuler avec vous, comme vous dissimuliez avec moi ; néanmoins je me faisais une si grande violence pour vous dire et pour vous écrire que je vous aimais, que vous vîtes plus tôt que je n'avais eu dessein de vous laisser voir que mes sentiments étaient changés. Vous en fûtes blessé ; vous vous en plaignîtes : je tâchais de vous rassurer, mais c'était d'une manière si forcée que vous en étiez encore mieux persuadé que je ne vous aimais plus. Enfin, je fis tout ce que j'avais eu intention de faire. La bizarrerie de votre cœur vous fit revenir vers moi, à mesure que vous voyiez que je m'éloignais de vous. J'ai joui de tout le plaisir que peut donner la vengeance ; il m'a paru que vous m'aimiez mieux que vous n'aviez jamais fait, et je vous ai fait voir que je ne vous aimais plus. J'ai eu lieu de croire que vous aviez entièrement abandonné celle pour qui vous m'aviez quittée. J'ai eu aussi des raisons pour être persuadée que vous ne lui aviez jamais parlé de moi. Mais votre retour et votre discrétion n'ont pu réparer votre légèreté. Votre cœur a été partagé entre moi et une autre, vous m'avez trompée, cela suffit pour m'ôter le plaisir d'être aimée de vous, comme je croyais mériter de l'être, et pour me laisser dans cette résolution que j'ai prise de ne vous voir jamais, et dont vous êtes si surpris. »

Mme de Clèves lut cette lettre, et la relut plusieurs fois, sans savoir néanmoins ce qu'elle avait lu. Elle voyait seulement que M. de Nemours ne l'aimait pas comme elle l'avait pensé, et qu'il en aimait d'autres qu'il trompait comme elle. Quelle vue et quelle connaissance pour une personne de son humeur, qui avait une passion violente, qui venait d'en donner des marques à un homme qu'elle en jugeait indigne, et à un autre qu'elle maltraitait pour l'amour de lui ! Jamais affliction n'a été si piquante et si vive : il lui semblait que ce qui faisait l'aigreur de cette affliction était ce qui s'était passé dans cette journée, et que, si M. de Nemours n'eût point eu lieu de croire qu'elle l'aimait, elle ne se fût pas souciée qu'il en eût aimé une autre. Mais elle se trompait elle-même et ce mal qu'elle trouvait si insupportable était la jalousie avec toutes les horreurs dont elle peut être accompagnée. Elle voyait, par cette lettre, que M. de Nemours avait une galanterie[1] depuis longtemps. Elle trouvait que celle qui avait écrit la lettre avait de l'esprit et du mérite ; elle lui paraissait digne d'être aimée ; elle lui trouvait plus de courage qu'elle ne s'en trouvait à elle-même, et elle enviait la force qu'elle avait eue de cacher ses sentiments à M. de Nemours. Elle voyait, par la fin de la lettre, que cette personne se croyait aimée ; elle pensait que la discrétion que ce prince lui avait fait paraître, et dont elle avait été si touchée, n'était peut-être que l'effet de la passion qu'il avait pour cette autre personne à qui il craignait de déplaire. Enfin elle pensait tout ce qui pouvait augmenter son affliction et son désespoir.

---

1. Galanterie : liaison.

1110 Quels retours ne fit-elle point sur elle-même! Quelles réflexions sur les conseils que sa mère lui avait donnés! Combien se repentit-elle de ne s'être pas opiniâtrée à se séparer du commerce du monde, malgré M. de Clèves, ou de n'avoir pas suivi la pensée qu'elle avait eue de lui avouer l'in-

1115 clination qu'elle avait pour M. de Nemours! Elle trouvait qu'elle aurait mieux fait de la découvrir à un mari dont elle connaissait la bonté, et qui aurait eu intérêt à la cacher, que de la laisser voir à un homme qui en était indigne, qui la trompait, qui la sacrifiait peut-être, et qui ne pensait à être aimé

1120 d'elle que par un sentiment d'orgueil et de vanité. Enfin elle trouva que tous les maux qui lui pouvaient arriver, et toutes les extrémités où elle se pouvait porter, étaient moindres que d'avoir laissé voir à M. de Nemours qu'elle l'aimait et de connaître qu'il en aimait une autre. Tout ce qui la consolait

1125 était de penser au moins, qu'après cette connaissance, elle n'avait plus rien à craindre d'elle-même, et qu'elle serait entièrement guérie de l'inclination qu'elle avait pour ce prince.

Elle ne pensa guère à l'ordre que Mme la dauphine lui avait donné de se trouver à son coucher : elle se mit au lit et feignit

1130 de se trouver mal, en sorte que, quand M. de Clèves revint de chez le roi, on lui dit qu'elle était endormie, mais elle était bien éloignée de la tranquillité qui conduit au sommeil. Elle passa la nuit sans faire autre chose que s'affliger et relire la lettre qu'elle avait entre les mains.

1135 Mme de Clèves n'était pas la seule personne dont cette lettre troublait le repos. Le vidame de Chartres, qui l'avait perdue, et non pas M. de Nemours, en était dans une extrême inquiétude. Il avait passé tout le soir chez M. de Guise, qui avait donné un grand souper au duc de Ferrare, son beau-frère,

1140 et à toute la jeunesse de la cour. Le hasard fit qu'en soupant on parla de jolies lettres. Le vidame de Chartres dit qu'il en avait une sur lui, plus jolie que toutes celles qui avaient jamais été écrites. On le pressa de la montrer, il s'en défendit. M. de Nemours lui soutint qu'il n'en avait point et qu'il ne parlait

1145 que par vanité. Le vidame lui répondit qu'il poussait sa discrétion à bout, que néanmoins il ne montrerait pas la lettre, mais qu'il en lirait quelques endroits, qui feraient juger que peu d'hommes en recevaient de pareilles. En même temps, il voulut prendre cette lettre, et ne la trouva point : il la chercha

1150 inutilement, on lui en fit la guerre, mais il parut si inquiet que l'on cessa de lui en parler. Il se retira plus tôt que les autres et s'en alla chez lui avec impatience, pour voir s'il n'y avait point laissé la lettre qui lui manquait. Comme il la cherchait encore, un premier valet de chambre de la reine le vint trouver pour

1155 lui dire que la vicomtesse d'Usez[1] avait cru nécessaire de l'avertir en diligence que l'on avait dit chez la reine qu'il était tombé une lettre de galanterie[2] de sa poche, pendant qu'il était au jeu de paume, que l'on avait raconté une grande partie de ce qui était dans la lettre ; que la reine avait témoigné beau-

1160 coup de curiosité de la voir ; qu'elle l'avait envoyé demander à un de ses gentilshommes servants, mais qu'il avait répondu qu'il l'avait laissée entre les mains de Chastelart.

Le premier valet de chambre dit encore beaucoup d'autres choses au vidame de Chartres, qui achevèrent de lui donner

1165 un grand trouble. Il sortit à l'heure même pour aller chez un gentilhomme qui était ami intime de Chastelart ; il le fit

---

1. La vicomtesse d'Usez : Louise de Clermont (1504-1596) était proche de Catherine de Médicis.

2. Lettre de galanterie : lettre d'amour.

lever, quoique l'heure fût extraordinaire pour aller demander cette lettre, sans dire qui était celui qui la demandait et qui l'avait perdue. Chastelart, qui avait l'esprit prévenu qu'elle 1170 était à M. de Nemours, et que ce prince était amoureux de Mme la dauphine, ne douta point que ce ne fût lui qui la faisait redemander. Il répondit, avec une maligne joie, qu'il avait remis la lettre entre les mains de la reine dauphine. Le gentilhomme vint faire cette réponse au vidame de Chartres. 1175 Elle augmenta l'inquiétude qu'il avait déjà, et y en joignit encore de nouvelles. Après avoir été longtemps irrésolu sur ce qu'il devait faire, il trouva qu'il n'y avait que M. de Nemours qui pût lui aider à sortir de l'embarras où il était.

Il s'en alla chez lui, et entra dans sa chambre que le jour ne 1180 commençait qu'à paraître. Ce prince dormait d'un sommeil tranquille ; ce qu'il avait vu le jour précédent de Mme de Clèves ne lui avait donné que des idées agréables. Il fut bien surpris de se voir éveillé par le vidame de Chartres, et il lui demanda si c'était pour se venger de ce qu'il lui avait dit 1185 pendant le souper qu'il venait troubler son repos. Le vidame lui fit bien juger par son visage qu'il n'y avait rien que de sérieux au sujet qui l'amenait.

« Je viens vous confier la plus importante affaire de ma vie, lui dit-il. Je sais bien que vous ne m'en devez pas être obligé, 1190 puisque c'est dans un temps où j'ai besoin de votre secours, mais je sais bien aussi que j'aurais perdu de votre estime si je vous avais appris tout ce que je vais vous dire, sans que la nécessité m'y eût contraint. J'ai laissé tomber cette lettre dont je parlais hier au soir ; il m'est d'une conséquence extrême que personne 1195 ne sache qu'elle s'adresse à moi. Elle a été vue de beaucoup de gens qui étaient dans le jeu de paume où elle tomba hier, vous y étiez aussi et je vous demande en grâce[1] de vouloir bien dire que c'est vous qui l'avez perdue.

— Il faut que vous croyiez que je n'ai point de maîtresse, reprit M. de Nemours en souriant, pour me faire une pareille proposition et pour vous imaginer qu'il n'y ait personne avec qui je me puisse brouiller en laissant croire que je reçois de pareilles lettres.

— Je vous prie, dit le vidame, écoutez-moi sérieusement. Si vous avez une maîtresse, comme je n'en doute point, quoique je ne sache pas qui elle est, il vous sera aisé de vous justifier, et je vous en donnerai les moyens infaillibles : quand vous ne vous justifieriez pas auprès d'elle, il ne vous en peut coûter que d'être brouillé pour quelques moments ; mais moi, par cette aventure, je déshonore une personne qui m'a passionnément aimé, et qui est une des plus estimables femmes du monde ; et, d'un autre côté, je m'attire une haine implacable, qui me coûtera ma fortune, et peut-être quelque chose de plus.

— Je ne puis entendre[2] tout ce que vous me dites, répondit M. de Nemours, mais vous me faites entrevoir que les bruits qui ont couru de l'intérêt qu'une grande princesse prenait à vous ne sont pas entièrement faux.

— Ils ne le sont pas aussi, repartit le vidame de Chartres, et plût à Dieu qu'ils le fussent ! Je ne me trouverais pas dans l'embarras où je me trouve, mais il faut vous raconter tout ce qui s'est passé, pour vous faire voir tout ce que j'ai à craindre.

Depuis que je suis à la cour, la reine m'a toujours traité avec beaucoup de distinction et d'agrément[3], et j'avais eu lieu de

---

1. **Demande en grâce** : supplie.
2. **Entendre** : comprendre.
3. **Agrément** : façon très agréable.

croire qu'elle avait de la bonté pour moi ; néanmoins, il n'y
avait rien de particulier, et je n'avais jamais songé à avoir
d'autres sentiments pour elle que ceux du respect. J'étais
même fort amoureux de Mme de Thémines[1] : il est aisé de
juger, en la voyant, qu'on peut avoir beaucoup d'amour pour
elle quand on en est aimé, et je l'étais. Il y a près de deux ans
que, comme la cour était à Fontainebleau, je me trouvai deux
ou trois fois en conversation avec la reine, à des heures où il y
avait très peu de monde. Il me parut que mon esprit lui plaisait et qu'elle entrait dans tout ce que je disais. Un jour entre
autres, on se mit à parler de la confiance. Je dis qu'il n'y avait
personne en qui j'en eusse une entière ; que je trouvais que l'on
se repentait toujours d'en avoir, et que je savais beaucoup de
choses dont je n'avais jamais parlé. La reine me dit qu'elle
m'en estimait davantage, qu'elle n'avait trouvé personne en
France qui eût du secret[2], et que c'était ce qui l'avait le plus
embarrassée, parce que cela lui avait ôté le plaisir de donner
sa confiance, que c'était une chose nécessaire dans la vie que
d'avoir quelqu'un à qui on pût parler, et surtout pour les
personnes de son rang. Les jours suivants, elle reprit encore
plusieurs fois la même conversation, elle m'apprit même des
choses assez particulières[3] qui se passaient. Enfin, il me
sembla qu'elle souhaitait de s'assurer de mon secret, et qu'elle
avait envie de me confier les siens. Cette pensée m'attacha à
elle, je fus touché de cette distinction, et je lui fis ma cour avec
beaucoup plus d'assiduité que je n'avais accoutumé. Un soir

1. **Mme de Thémines** : Anne de Puymisson, femme de Jean de Lauzières,
marquis de Thémines.
2. **Secret** : discrétion.
3. **Particulières** : privées.

1250 que le roi et toutes les dames s'étaient allés promener à cheval dans la forêt, où elle n'avait pas voulu aller parce qu'elle s'était trouvée un peu mal, je demeurai auprès d'elle ; elle descendit au bord de l'étang, et quitta la main de ses écuyers, pour marcher avec plus de liberté. Après qu'elle eut fait quelques 1255 tours, elle s'approcha de moi, et m'ordonna de la suivre.

« Je veux vous parler, me dit-elle, et vous verrez, par ce que je veux vous dire, que je suis de vos amies. »

Elle s'arrêta à ces paroles, et me regardant fixement :

« Vous êtes amoureux, continua-t-elle, et parce que vous ne 1260 vous fiez peut-être à personne, vous croyez que votre amour n'est pas su, mais il est connu, et même des personnes intéressées. On vous observe, on sait les lieux où vous voyez votre maîtresse, on a dessein de vous y surprendre. Je ne sais qui elle est, je ne vous le demande point et je veux seulement vous 1265 garantir des malheurs où vous pouvez tomber. »

Voyez, je vous prie, quel piège me tendait la reine, et combien il était difficile de n'y pas tomber. Elle voulait savoir si j'étais amoureux ; et, en ne me demandant point de qui je l'étais, et en ne me laissant voir que la seule intention de me 1270 faire plaisir, elle m'ôtait la pensée qu'elle me parlât par curiosité ou par dessein.

Cependant, contre toutes sortes d'apparences, je démêlai la vérité. J'étais amoureux de Mme de Thémines, mais, quoiqu'elle m'aimât, je n'étais pas assez heureux pour avoir 1275 des lieux particuliers à la voir[1], et pour craindre d'y être surpris ; et ainsi je vis bien que ce ne pouvait être elle dont

---

1. **Pour avoir des lieux particuliers à la voir** : pour avoir des lieux privés où je pusse la voir.

la reine voulait parler. Je savais bien aussi que j'avais un commerce de galanterie[1] avec une autre femme moins belle et moins sévère que Mme de Thémines, et qu'il n'était pas impossible que l'on eût découvert le lieu où je la voyais, mais, comme je m'en souciais peu, il m'était aisé de me mettre à couvert de toutes sortes de périls en cessant de la voir. Ainsi je pris le parti de ne rien avouer à la reine et de l'assurer, au contraire, qu'il y avait très longtemps que j'avais abandonné le désir de me faire aimer des femmes dont je pouvais espérer de l'être, parce que je les trouvais quasi toutes indignes d'attacher un honnête homme, et qu'il n'y avait que quelque chose fort au-dessus d'elles qui pût m'engager.

« Vous ne me répondez pas sincèrement, répliqua la reine, je sais le contraire de ce que vous me dites. La manière dont je vous parle vous doit obliger à ne me rien cacher. Je veux que vous soyez de mes amis, continua-t-elle, mais je ne veux pas, en vous donnant cette place, ignorer quels sont vos attachements. Voyez si vous la voulez acheter au prix de me les apprendre : je vous donne deux jours pour y penser, mais, après ce temps-là, songez bien à ce que vous me direz, et souvenez-vous que, si dans la suite je trouve que vous m'ayez trompée, je ne vous le pardonnerai de ma vie. »

La reine me quitta après m'avoir dit ces paroles, sans attendre ma réponse. Vous pouvez croire que je demeurai l'esprit bien rempli de ce qu'elle me venait de dire. Les deux jours qu'elle m'avait donnés pour y penser ne me parurent pas trop longs pour me déterminer. Je voyais qu'elle voulait savoir si j'étais amoureux, et qu'elle ne souhaitait pas que

---

1. Commerce de galanterie : liaison.

1305 je le fusse. Je voyais les suites et les conséquences du parti que
j'allais prendre. Ma vanité n'était pas peu flattée d'une liaison
particulière avec la reine, et une reine dont la personne est
encore extrêmement aimable. D'un autre côté, j'aimais
Mme de Thémines, et, quoique je lui fisse une espèce d'infi-
1310 délité pour cette autre femme dont je vous ai parlé, je ne me
pouvais résoudre à rompre avec elle. Je voyais aussi le péril où
je m'exposais en trompant la reine, et combien il était difficile
de la tromper, néanmoins, je ne pus me résoudre à refuser ce
que la fortune m'offrait, et je pris le hasard[1] de tout ce que ma
1315 mauvaise conduite pouvait m'attirer. Je rompis avec cette
femme dont on pouvait découvrir le commerce[2], et j'espérai
de cacher celui que j'avais avec Mme de Thémines.

Au bout des deux jours que la reine m'avait donnés, comme
j'entrais dans la chambre où toutes les dames étaient au cercle,
1320 elle me dit tout haut, avec un air grave qui me surprit :

« Avez-vous pensé à cette affaire dont je vous ai chargé, et
en savez-vous la vérité ?

— Oui, Madame, lui répondis-je, et elle est comme je l'ai
dite à Votre Majesté.

1325 — Venez ce soir, à l'heure que je dois écrire, répliqua-t-elle,
et j'achèverai de vous donner mes ordres. »

Je fis une profonde révérence, sans rien répondre, et ne
manquai pas de me trouver à l'heure qu'elle m'avait marquée.
Je la trouvai dans la galerie où était son secrétaire et
1330 quelqu'une de ses femmes. Sitôt qu'elle me vit, elle vint à
moi, et me mena à l'autre bout de la galerie.

---

1. Hasard : risque.
2. Commerce : liaison.

« Hé bien ! me dit-elle, est-ce après y avoir bien pensé que vous n'avez rien à me dire, et la manière dont j'en use[1] avec vous ne mérite-t-elle pas que vous me parliez sincèrement ?

1335 — C'est parce que je vous parle sincèrement, Madame, lui répondis-je, que je n'ai rien à vous dire, et je jure à Votre Majesté, avec tout le respect que je lui dois, que je n'ai d'attachement pour aucune femme de la cour.

— Je le veux croire, repartit la reine, parce que je le
1340 souhaite, et je le souhaite parce que je désire que vous soyez entièrement attaché à moi, et qu'il serait impossible que je fusse contente de votre amitié si vous étiez amoureux. On ne peut se fier à ceux qui le sont, on ne peut s'assurer de leur secret. Ils sont trop distraits et trop partagés ; et leur maîtresse
1345 leur fait une première occupation qui ne s'accorde point avec la manière dont je veux que vous soyez attaché à moi. Souvenez-vous donc que c'est sur la parole que vous me donnez, que vous n'avez aucun engagement, que je vous choisis pour vous donner toute ma confiance. Souvenez-vous
1350 que je veux la vôtre tout entière, que je veux que vous n'ayez ni ami, ni amie, que ceux qui me seront agréables, et que vous abandonniez tout autre soin que celui de me plaire. Je ne vous ferai pas perdre celui de votre fortune, je la conduirai avec plus d'application que vous-même ; et, quoi que je fasse pour
1355 vous, je m'en tiendrai trop bien récompensée, si je vous trouve pour moi tel que je l'espère. Je vous choisis pour vous confier tous mes chagrins et pour m'aider à les adoucir. Vous pouvez juger qu'ils ne sont pas médiocres. Je souffre en apparence, sans beaucoup de peine l'attachement du roi pour la duchesse

---

1. **La manière dont j'en use** : mon attitude.

1360 de Valentinois, mais il m'est insupportable. Elle gouverne le roi, elle le trompe, elle me méprise, tous mes gens sont à elle. La reine ma belle-fille, fière de sa beauté et du crédit de ses oncles, ne me rend aucun devoir. Le connétable de Montmorency est maître du roi et du royaume ; il me hait, et

1365 m'a donné des marques de sa haine que je ne puis oublier. Le maréchal de Saint-André est un jeune favori audacieux qui n'en use pas mieux avec moi que les autres. Le détail de mes malheurs vous ferait pitié. Je n'ai osé jusqu'ici me fier à personne, je me fie à vous, faites que je ne m'en repente point

1370 et soyez ma seule consolation. »

Les yeux de la reine rougirent en achevant ces paroles, je pensai me jeter à ses pieds, tant je fus véritablement touché de la bonté qu'elle me témoignait. Depuis ce jour-là, elle eut en moi une entière confiance, elle ne fit plus rien sans m'en

1375 parler et j'ai conservé une liaison qui dure encore.

FIN DU DEUXIÈME TOME

Tome troisième

Cependant, quelque rempli et quelque occupé que je fusse de cette nouvelle liaison avec la reine, je tenais à Mme de Thémines par une inclination naturelle que je ne pouvais vaincre. Il me parut qu'elle cessait de m'aimer et, au lieu que,
5 si j'eusse été sage, je me fusse servi du changement qui paraissait en elle pour aider à me guérir, mon amour en redoubla et je me conduisais si mal que la reine eut quelque connaissance de cet attachement. La jalousie est naturelle aux personnes de sa nation[1], et peut-être que cette princesse a pour moi des
10 sentiments plus vifs qu'elle ne pense elle-même. Mais enfin le bruit que j'étais amoureux lui donna de si grandes inquiétudes et de si grands chagrins que je me crus cent fois perdu auprès d'elle. Je la rassurai enfin à force de soins, de soumissions et de faux serments, mais je n'aurais pu la tromper
15 longtemps si le changement de Mme de Thémines ne m'avait détaché d'elle malgré moi. Elle me fit voir qu'elle ne m'aimait plus, et j'en fus si persuadé que je fus contraint de ne la pas tourmenter davantage et de la laisser en repos. Quelque temps après, elle m'écrivit cette lettre que j'ai perdue. J'appris par là
20 qu'elle avait su le commerce[2] que j'avais eu avec cette autre

---

1. Catherine de Médicis est italienne, et donc, selon un cliché, de nature jalouse.
2. Commerce : liaison.

femme dont je vous ai parlé, et que c'était la cause de son changement. Comme je n'avais plus rien alors qui me partageât, la reine était assez contente de moi ; mais comme les sentiments que j'ai pour elle ne sont pas d'une nature à me rendre incapable de tout autre attachement, et que l'on n'est pas amoureux par sa volonté, je le suis devenu de Mme de Martigues, pour qui j'avais déjà eu beaucoup d'inclination pendant qu'elle était Villemontais, fille[1] de la reine dauphine. J'ai lieu de croire que je n'en suis pas haï[2], la discrétion que je lui fais paraître, et dont elle ne sait pas toutes les raisons, lui est agréable. La reine n'a aucun soupçon sur son sujet, mais elle en a un autre qui n'est guère moins fâcheux. Comme Mme de Martigues est toujours chez la reine dauphine, j'y vais aussi beaucoup plus souvent que de coutume. La reine s'est imaginé que c'est de cette princesse que je suis amoureux. Le rang de la reine dauphine, qui est égal au sien, et la beauté et la jeunesse qu'elle a au-dessus d'elle, lui donnent une jalousie qui va jusques à la fureur, et une haine contre sa belle-fille qu'elle ne saurait plus cacher. Le cardinal de Lorraine, qui me paraît depuis longtemps aspirer aux bonnes grâces de la reine[3], et qui voit bien que j'occupe une place qu'il voudrait remplir, sous prétexte de raccommoder Mme la dauphine avec elle, est entré dans les différends qu'elles ont eu ensemble. Je ne doute pas qu'il n'ait démêlé le véritable sujet de l'aigreur de la reine, et je crois qu'il me rend toutes sortes de mauvais offices, sans lui laisser voir qu'il a dessein de

---

1. Fille : fille d'honneur.

2. J'ai lieu de croire que je n'en suis pas haï : je pense que j'en suis aimé.

3. Selon une légende alimentée par la haine des protestants pour ces deux personnages, Catherine de Médicis aurait eu une liaison avec le cardinal de Lorraine.

me les rendre[1]. Voilà l'état où sont les choses à l'heure que je
vous parle. Jugez quel effet peut produire la lettre que j'ai
perdue, et que mon malheur m'a fait mettre dans ma poche,
50 pour la rendre à Mme de Thémines. Si la reine voit cette
lettre, elle connaîtra que je l'ai trompée, et que, presque dans
le temps que je la trompais pour Mme de Thémines, je trompais Mme de Thémines pour une autre ; jugez quelle idée cela
lui peut donner de moi et si elle peut jamais se fier à mes
55 paroles. Si elle ne voit point cette lettre, que lui dirai-je ? Elle
sait qu'on l'a remise entre les mains de Mme la dauphine, elle
croira que Chastelart a reconnu l'écriture de cette reine, et que
la lettre est d'elle, elle s'imaginera que la personne dont on
témoigne de la jalousie est peut-être elle-même ; enfin il n'y
60 a rien qu'elle n'ait lieu de penser, et il n'y a rien que je ne doive
craindre de ses pensées. Ajoutez à cela que je suis vivement
touché de Mme de Martigues, qu'assurément Mme la
dauphine lui montrera cette lettre qu'elle croira écrite depuis
peu ; ainsi je serai également brouillé, et avec la personne du
65 monde que j'aime le plus, et avec la personne du monde que
je dois le plus craindre. Voyez, après cela, si je n'ai pas raison
de vous conjurer de dire que la lettre est à vous, et de vous
demander en grâce, de l'aller retirer des mains de Mme la
dauphine.

70   — Je vois bien, dit M. de Nemours, que l'on ne peut être
dans un plus grand embarras que celui où vous êtes, et il faut
avouer que vous le méritez. On m'a accusé de n'être pas un
amant fidèle, et d'avoir plusieurs galanteries[2] à la fois, mais

---

1. Sans lui laisser voir qu'il a dessein de me les rendre : il me dessert sans
en laisser rien paraître.
2. Galanteries : liaisons.

vous me passez[1] de si loin, que je n'aurais seulement osé
imaginer les choses que vous avez entreprises. Pouviez-vous
prétendre de conserver Mme de Thémines en vous engageant avec la reine, et espériez-vous de vous engager avec la
reine et de la pouvoir tromper ? Elle est italienne et reine, et
par conséquent pleine de soupçons, de jalousie et d'orgueil ;
quand votre bonne fortune, plutôt que votre bonne
conduite, vous a ôté des engagements où vous étiez, vous en
avez pris de nouveaux, et vous vous êtes imaginé qu'au
milieu de la cour vous pourriez aimer Mme de Martigues
sans que la reine s'en aperçût. Vous ne pouviez prendre trop
de soins de lui ôter la honte d'avoir fait les premiers pas. Elle
a pour vous une passion violente : votre discrétion vous
empêche de me le dire, et la mienne de vous le demander,
mais enfin elle vous aime, elle a de la défiance[2], et la vérité
est contre vous.

— Est-ce à vous à m'accabler de réprimandes, interrompit
le vidame, et votre expérience ne vous doit-elle pas donner de
l'indulgence pour mes fautes ? Je veux pourtant bien convenir
que j'ai tort, mais songez, je vous conjure, à me tirer de
l'abîme où je suis. Il me paraît qu'il faudrait que vous vissiez
la reine dauphine sitôt qu'elle sera éveillée, pour lui redemander cette lettre, comme l'ayant perdue.

— Je vous ai déjà dit, reprit monsieur de Nemours, que la
proposition que vous me faites est un peu extraordinaire, et que
mon intérêt particulier m'y peut faire trouver des difficultés,
mais, de plus, si l'on a vu tomber cette lettre de votre poche,

---

1. Vous me passez : vous me dépassez.
2. Défiance : méfiance.

il me paraît difficile de persuader qu'elle soit tombée de la mienne.

— Je croyais vous avoir appris, répondit le vidame, que l'on a dit à la reine dauphine que c'était de la vôtre qu'elle était
105 tombée.

— Comment! reprit brusquement M. de Nemours, qui vit dans ce moment les mauvais offices[1] que cette méprise lui pouvait faire auprès de Mme de Clèves, l'on a dit à la reine dauphine que c'est moi qui ai laissé tomber cette lettre?

110 — Oui, reprit le vidame, on le lui a dit. Et ce qui a fait cette méprise, c'est qu'il y avait plusieurs gentilshommes des reines dans une des chambres du jeu de paume où étaient nos habits, et que vos gens et les miens les ont été quérir. En même temps la lettre est tombée; ces gentilshommes l'ont ramassée, et
115 l'ont lue tout haut. Les uns ont cru qu'elle était à vous, et les autres à moi. Chastelart, qui l'a prise, et à qui je viens de la faire demander, a dit qu'il l'avait donnée à la reine dauphine, comme une lettre qui était à vous, et ceux qui en ont parlé à la reine, ont dit, par malheur, qu'elle était à moi; ainsi vous
120 pouvez faire aisément ce que je souhaite, et m'ôter de l'embarras où je suis. »

M. de Nemours avait toujours fort aimé le vidame de Chartres, et ce qu'il était à Mme de Clèves le lui rendait encore plus cher[2]. Néanmoins, il ne pouvait se résoudre à
125 prendre le hasard[3] qu'elle entendît parler de cette lettre comme d'une chose où il avait intérêt[4]. Il se mit à rêver

---

1. **Mauvais offices** : mauvais effets.
2. Le vidame de Chartres est en effet l'oncle de Mme de Clèves.
3. **Prendre le hasard** : prendre le risque.
4. **Où il avait intérêt** : qui le concernait.

profondément, et le vidame se doutant à peu près du sujet de sa rêverie :

« Je crois bien, lui dit-il, que vous craignez de vous brouiller avec votre maîtresse, et même vous me donneriez lieu de croire que c'est avec la reine dauphine si le peu de jalousie que je vous vois de M. d'Anville ne m'en ôtait la pensée, mais, quoi qu'il en soit, il est juste que vous ne sacrifiez pas votre repos au mien, et je veux bien vous donner les moyens de faire voir à celle que vous aimez que cette lettre s'adresse à moi et non pas à vous ; voilà un billet de Mme d'Amboise[1], qui est amie de Mme de Thémines, et à qui elle s'est fiée de tous les sentiments qu'elle a eus pour moi. Par ce billet elle me redemande cette lettre de son amie, que j'ai perdue. Mon nom est sur le billet, et ce qui est dedans prouve, sans aucun doute, que la lettre que l'on me redemande est la même que l'on a trouvée. Je vous remets ce billet entre les mains, et je consens que vous le montriez à votre maîtresse pour vous justifier. Je vous conjure de ne perdre pas un moment, et d'aller dès ce matin chez Mme la dauphine. »

M. de Nemours le promit au vidame de Chartres et prit le billet de Mme d'Amboise : néanmoins, son dessein n'était pas de voir la reine dauphine, et il trouvait qu'il avait quelque chose de plus pressé à faire. Il ne doutait pas qu'elle n'eût déjà parlé de la lettre à Mme de Clèves, et il ne pouvait supporter qu'une personne qu'il aimait si éperdument eût lieu de croire qu'il eût quelque attachement pour une autre.

---

1. Mme d'Amboise est probablement un personnage de fiction, difficile à identifier avec un personnage historique.

Il alla chez elle à l'heure qu'il crut qu'elle pouvait être éveillée
et lui fit dire qu'il ne demanderait pas à avoir l'honneur de la
voir à une heure si extraordinaire, si une affaire de conséquence
ne l'y obligeait. Mme de Clèves était encore au lit, l'esprit aigri
et agité de tristes pensées qu'elle avait eues pendant la nuit. Elle
fut extrêmement surprise, lorsqu'on lui dit que M. de Nemours
la demandait. L'aigreur où elle était ne la fit pas balancer à
répondre qu'elle était malade et qu'elle ne pouvait lui parler.

Ce prince ne fut pas blessé de ce refus ; une marque de froideur, dans un temps où elle pouvait avoir de la jalousie, n'était
pas un mauvais augure. Il alla à l'appartement de M. de Clèves,
et lui dit qu'il venait de celui de Mme sa femme, qu'il était
bien fâché de ne la pouvoir entretenir, parce qu'il avait à lui
parler d'une affaire importante pour le vidame de Chartres. Il
fit entendre [1] en peu de mots à M. de Clèves la conséquence de
cette affaire, et M. de Clèves le mena à l'heure même dans la
chambre de sa femme. Si elle n'eût point été dans l'obscurité,
elle eût eu peine à cacher son trouble et son étonnement de
voir entrer M. de Nemours conduit par son mari. M. de Clèves
lui dit qu'il s'agissait d'une lettre où l'on avait besoin de
son secours pour les intérêts du vidame, qu'elle verrait avec
M. de Nemours ce qu'il y avait à faire, et que, pour lui, il s'en
allait chez le roi, qui venait de l'envoyer quérir.

M. de Nemours demeura seul auprès de Mme de Clèves,
comme il le pouvait souhaiter.

« Je viens vous demander, Madame, lui dit-il, si Mme la
dauphine ne vous a point parlé d'une lettre que Chastelart lui
remit hier entre les mains.

---

1. **Entendre** : comprendre.

— Elle m'en a dit quelque chose, répondit Mme de Clèves ; mais je ne vois pas ce que cette lettre a de commun avec les intérêts de mon oncle, et je vous puis assurer qu'il n'y est pas nommé.

— Il est vrai, Madame, répliqua M. de Nemours, il n'y est pas nommé ; néanmoins, elle s'adresse à lui, et il lui est très important que vous la retiriez des mains de Mme la dauphine.

— J'ai peine à comprendre, reprit Mme de Clèves, pourquoi il lui importe que cette lettre soit vue, et pourquoi il faut la redemander sous son nom.

— Si vous voulez vous donner le loisir de m'écouter, Madame, dit M. de Nemours, je vous ferai bientôt voir la vérité, et vous apprendrez des choses si importantes pour M. le vidame, que je ne les aurais pas même confiées à M. le prince de Clèves, si je n'avais eu besoin de son secours pour avoir l'honneur de vous voir.

— Je pense que tout ce que vous prendriez la peine de me dire serait inutile, répondit Mme de Clèves avec un air assez sec, et il vaut mieux que vous alliez trouver la reine dauphine, et que, sans chercher de détours, vous lui disiez l'intérêt que vous avez à cette lettre, puisqu'aussi bien on lui a dit qu'elle vient de vous. »

L'aigreur que M. de Nemours voyait dans l'esprit de Mme de Clèves lui donnait le plus sensible plaisir qu'il eût jamais eu, et balançait son impatience de se justifier.

« Je ne sais, Madame, reprit-il, ce qu'on peut avoir dit à Mme la dauphine, mais je n'ai aucun intérêt à cette lettre, et elle s'adresse à M. le vidame.

— Je le crois, répliqua Mme de Clèves, mais on a dit le contraire à la reine dauphine, et il ne lui paraîtra pas vraisem-

blable que les lettres de M. le vidame tombent de vos poches.
C'est pourquoi, à moins que vous n'ayez quelque raison que
je ne sais point à cacher la vérité à la reine dauphine, je vous
215 conseille de la lui avouer.

— Je n'ai rien à lui avouer, reprit-il, la lettre ne s'adresse pas
à moi et, s'il y a quelqu'un que je souhaite d'en persuader, ce
n'est pas Mme la dauphine ; mais, Madame, comme il s'agit
en ceci de la fortune de M. le vidame, trouvez bon que je vous
220 apprenne des choses qui sont même dignes de votre curiosité. »

Mme de Clèves témoigna par son silence qu'elle était prête
à l'écouter, et M. de Nemours lui conta le plus succinctement
qu'il lui fut possible tout ce qu'il venait d'apprendre du
225 vidame. Quoique ce fussent des choses propres à donner de
l'étonnement, et à être écoutées avec attention, Mme de
Clèves les entendit avec une froideur si grande qu'il semblait
qu'elle ne les crût pas véritables, ou qu'elles lui fussent indifférentes. Son esprit demeura dans cette situation jusqu'à ce
230 que M. de Nemours lui parlât du billet de Mme d'Amboise,
qui s'adressait au vidame de Chartres, et qui était la preuve de
tout ce qu'il lui venait de dire. Comme Mme de Clèves savait
que cette femme était amie de Mme de Thémines, elle trouva
une apparence de vérité à ce que lui disait M. de Nemours,
235 qui lui fit penser que la lettre ne s'adressait peut-être pas à lui.
Cette pensée la tira tout d'un coup, et malgré elle, de la froideur qu'elle avait eue jusqu'alors. Ce prince, après lui avoir lu
ce billet qui faisait sa justification, le lui présenta pour le lire,
et lui dit qu'elle en pouvait connaître l'écriture. Elle ne put
240 s'empêcher de le prendre, de regarder le dessus pour voir s'il
s'adressait au vidame de Chartres, et de le lire tout entier pour

juger si la lettre que l'on redemandait était la même qu'elle avait entre les mains. M. de Nemours lui dit encore tout ce qu'il crut propre à la persuader, et comme on persuade aisé-
245 ment une vérité agréable, il convainquit Mme de Clèves qu'il n'avait point de part à cette lettre.

Elle commença alors à raisonner avec lui sur l'embarras et le péril où était le vidame, à le blâmer de sa méchante conduite, à chercher les moyens de le secourir ; elle s'étonna
250 du procédé de la reine, elle avoua à M. de Nemours qu'elle avait la lettre, enfin, sitôt qu'elle le crut innocent, elle entra avec un esprit ouvert et tranquille dans les mêmes choses qu'elle semblait d'abord ne daigner pas entendre. Ils convinrent qu'il ne fallait point rendre la lettre à la reine
255 dauphine, de peur qu'elle ne la montrât à Mme de Martigues, qui connaissait l'écriture de Mme de Thémines, et qui aurait aisément deviné, par l'intérêt qu'elle prenait au vidame, qu'elle s'adressait à lui. Ils trouvèrent aussi qu'il ne fallait pas confier à la reine dauphine tout ce qui regardait la reine
260 sa belle-mère. Mme de Clèves, sous le prétexte des affaires de son oncle, entrait avec plaisir à garder tous les secrets que M. de Nemours lui confiait.

Ce prince ne lui eût pas toujours parlé des intérêts du vidame, et la liberté où il se trouvait de l'entretenir lui eût
265 donné une hardiesse qu'il n'avait encore osé prendre, si l'on ne fût venu dire à Mme de Clèves que la reine dauphine lui ordonnait de l'aller trouver. M. de Nemours fut contraint de se retirer. Il alla trouver le vidame pour lui dire qu'après l'avoir quitté, il avait pensé qu'il était plus à propos de
270 s'adresser à Mme de Clèves, qui était sa nièce, que d'aller droit à Mme la dauphine. Il ne manqua pas de raisons pour faire

approuver ce qu'il avait fait et pour en faire espérer un bon succès.

Cependant Mme de Clèves s'habilla en diligence pour aller chez la reine. À peine parut-elle dans sa chambre, que cette princesse la fit approcher, et lui dit tout bas :

« Il y a deux heures que je vous attends, et jamais je n'ai été si embarrassée à déguiser la vérité que je l'ai été ce matin. La reine a entendu parler de la lettre que je vous donnai hier ; elle croit que c'est le vidame de Chartres qui l'a laissé tomber. Vous savez qu'elle y prend quelque intérêt. Elle a fait chercher cette lettre, elle l'a fait demander à Chastelart ; il a dit qu'il me l'avait donnée : on me l'est venu demander, sur le prétexte que c'était une jolie lettre qui donnait de la curiosité à la reine. Je n'ai osé dire que vous l'aviez ; je crus qu'elle s'imaginerait que je vous l'avais mise entre les mains à cause du vidame votre oncle, et qu'il y aurait une grande intelligence[1] entre lui et moi. Il m'a déjà paru qu'elle souffrait avec peine qu'il me vît souvent, de sorte que j'ai dit que la lettre était dans les habits que j'avais hier, et que ceux qui en avaient la clef étaient sortis. Donnez-moi promptement cette lettre, ajouta-t-elle, afin que je la lui envoie, et que je la lise avant que de l'envoyer, pour voir si je n'en connaîtrai point l'écriture. »

Mme de Clèves se trouva encore plus embarrassée qu'elle n'avait pensé.

« Je ne sais, Madame, comment vous ferez, répondit-elle, car M. de Clèves, à qui je l'avais donnée à lire, l'a rendue à M. de Nemours, qui est venu, dès ce matin, le prier de vous

---

1. **Intelligence** : complicité.

la redemander. M. de Clèves a eu l'imprudence de lui dire qu'il l'avait, et il a eu la faiblesse de céder aux prières que M. de Nemours lui a faites de la lui rendre.

— Vous me mettez dans le plus grand embarras où je puisse jamais être, repartit Mme la dauphine, et vous avez tort d'avoir rendu cette lettre à M. de Nemours ; puisque c'était moi qui vous l'avais donnée, vous ne deviez point la rendre sans ma permission. Que voulez-vous que je dise à la reine, et que pourra-t-elle s'imaginer ? Elle croira, et avec apparence, que cette lettre me regarde, et qu'il y a quelque chose entre le vidame et moi. Jamais on ne lui persuadera que cette lettre soit à M. de Nemours.

— Je suis très affligée, répondit Mme de Clèves, de l'embarras que je vous cause. Je le crois aussi grand qu'il est, mais c'est la faute de M. de Clèves, et non pas la mienne.

— C'est la vôtre, répliqua Mme la dauphine, de lui avoir donné la lettre, et il n'y a que vous de femme au monde qui fasse confidence à son mari de toutes les choses qu'elle sait.

— Je crois que j'ai tort, Madame, répliqua Mme de Clèves, mais songez à réparer ma faute, et non pas à l'examiner.

— Ne vous souvenez-vous point, à-peu-près de ce qui est dans cette lettre, dit alors la reine dauphine ?

— Oui, Madame, répondit-elle, je m'en souviens, et l'ai relue plus d'une fois.

— Si cela est, reprit Mme la dauphine, il faut que vous alliez tout à l'heure[1] la faire écrire d'une main inconnue, je l'enverrai à la reine : elle ne la montrera pas à ceux qui l'ont vue. Quand elle le ferait, je soutiendrai toujours que c'est

---

1. **Tout à l'heure** : dès cette heure, immédiatement.

celle que Chastelart m'a donnée, et il n'oserait dire le contraire. »

330   Mme de Clèves entra dans cet expédient[1], et d'autant plus qu'elle pensa qu'elle enverrait quérir M. de Nemours pour ravoir la lettre même, afin de la faire copier mot à mot, et d'en faire à peu près imiter l'écriture, et elle crut que la reine y serait infailliblement trompée. Sitôt qu'elle fut chez elle, elle

335 conta à son mari l'embarras de Mme la dauphine, et le pria d'envoyer chercher M. de Nemours. On le chercha ; il vint en diligence. Mme de Clèves lui dit tout ce qu'elle avait déjà appris à son mari et lui demanda la lettre ; mais M. de Nemours répondit qu'il l'avait déjà rendue au vidame de

340 Chartres, qui avait eu tant de joie de la ravoir et de se trouver hors du péril qu'il aurait couru, qu'il l'avait renvoyée à l'heure même à l'amie de Mme de Thémines. Mme de Clèves se retrouva dans un nouvel embarras ; et enfin, après avoir bien consulté[2], ils résolurent de faire la lettre de mémoire. Ils

345 s'enfermèrent pour y travailler : on donna ordre à la porte[3] de ne laisser entrer personne, et on renvoya tous les gens de M. de Nemours. Cet air de mystère et de confidence n'était pas d'un médiocre charme pour ce prince et même pour Mme de Clèves. La présence de son mari et les intérêts du vidame de

350 Chartres la rassuraient en quelque sorte sur ses scrupules. Elle ne sentait que le plaisir de voir M. de Nemours, elle en avait une joie pure et sans mélange qu'elle n'avait jamais sentie ; cette joie lui donnait une liberté et un enjouement dans l'esprit que M. de Nemours ne lui avait jamais vus et qui

---

1. Entra dans cet expédient : accepta cette solution.
2. Après avoir bien consulté : après avoir bien discuté.
3. À la porte : aux gardes à la porte.

355 redoublaient son amour. Comme il n'avait point eu encore de si agréables moments, sa vivacité en était augmentée, et quand Mme de Clèves voulut commencer à se souvenir de la lettre et à l'écrire, ce prince, au lieu de lui aider sérieusement, ne faisait que l'interrompre et lui dire des choses plaisantes.

360 Mme de Clèves entra dans le même esprit de gaieté, de sorte qu'il y avait déjà longtemps qu'ils étaient enfermés, et on était déjà venu deux fois de la part de la reine dauphine pour dire à Mme de Clèves de se dépêcher, qu'ils n'avaient pas encore fait la moitié de la lettre.

365 M. de Nemours était bien aise de faire durer un temps qui lui était si agréable, et oubliait les intérêts de son ami. Mme de Clèves ne s'ennuyait pas[1], et oubliait aussi les intérêts de son oncle. Enfin, à peine à quatre heures la lettre était-elle achevée, et elle était si mal, et l'écriture dont on la fit copier ressemblait si peu à celle que l'on avait eu dessein d'imiter, qu'il eût fallu que la reine n'eût guère pris de soin d'éclaircir la vérité pour ne la pas connaître. Aussi n'y fut-elle pas trompée. Quelque soin que l'on prît de lui persuader que cette lettre s'adressait à M. de Nemours, elle demeura convaincue, non seulement qu'elle était au vidame de Chartres, mais elle crut que la reine dauphine y avait part, et qu'il y avait quelque intelligence entre eux[2]. Cette pensée augmenta tellement la haine qu'elle avait pour cette princesse qu'elle ne lui pardonna jamais, et qu'elle la persécuta jusqu'à ce qu'elle l'eût fait sortir de France[3].

---

1. Mme de Clèves ne s'ennuyait pas (litote) : elle avait tous les sens en éveil.
2. Qu'il y avait quelque intelligence entre eux : qu'il y avait quelque complot entre la reine dauphine et lui.
3. Marie Stuart rentra en Écosse peu après la mort de François II, sous l'influence de Catherine de Médicis.

380   Pour le vidame de Chartres, il fut ruiné[1] auprès d'elle, et, soit que le cardinal de Lorraine se fût déjà rendu maître de son esprit, ou que l'aventure de cette lettre, qui lui fit voir qu'elle était trompée, lui aidât à démêler les autres tromperies que le vidame lui avait déjà faites, il est certain qu'il ne put jamais

385 se raccommoder sincèrement avec elle. Leur liaison se rompit, et elle le perdit ensuite à la conjuration d'Amboise[2] où il se trouva embarrassé[3].

    Après qu'on eut envoyé la lettre à Mme la dauphine, M. de Clèves et M. de Nemours s'en allèrent. Mme de Clèves

390 demeura seule, et, sitôt qu'elle ne fut plus soutenue par cette joie que donne la présence de ce que l'on aime, elle revint comme d'un songe ; elle regarda avec étonnement la prodigieuse différence de l'état où elle était le soir, d'avec celui où elle se trouvait alors ; elle se remit devant les yeux l'aigreur et

395 la froideur qu'elle avait fait paraître à M. de Nemours, tant qu'elle avait cru que la lettre de Mme de Thémines s'adressait à lui ; quel calme et quelle douceur avaient succédé à cette aigreur, sitôt qu'il l'avait persuadée que cette lettre ne le regardait pas. Quand elle pensait qu'elle s'était reproché

400 comme un crime, le jour précédent, de lui avoir donné des marques de sensibilité que la seule compassion pouvait avoir fait naître, et que, par son aigreur, elle lui avait fait paraître des sentiments de jalousie qui étaient des preuves certaines de

---

1. **Il fut ruiné** : il fut discrédité.
2. **La conjuration d'Amboise** : le 17 mars 1560, à Amboise, le prince de Condé et les chefs protestants tentèrent d'enlever le très jeune roi François II, âgé de 16 ans afin de le soustraire à l'influence des Guises, qui dirigeaient quasiment le royaume à sa place. Le vidame de Chartres fut envoyé à la Bastille où il mourut en 1562.
3. **Où il se trouva embarrassé** : à laquelle il se trouva mêlé.

passion, elle ne se reconnaissait plus elle-même. Quand elle
405   pensait encore que M. de Nemours voyait bien qu'elle
connaissait son amour, qu'il voyait bien aussi que, malgré
cette connaissance, elle ne l'en traitait pas plus mal en
présence même de son mari, qu'au contraire, elle ne l'avait
jamais regardé si favorablement, qu'elle était cause que M. de
410   Clèves l'avait envoyé quérir, et qu'ils venaient de passer une
après-dînée[1] ensemble en particulier, elle trouvait qu'elle
était d'intelligence[2] avec M. de Nemours, qu'elle trompait le
mari du monde qui méritait le moins d'être trompé, et elle
était honteuse de paraître si peu digne d'estime aux yeux
415   même de son amant. Mais ce qu'elle pouvait moins supporter
que tout le reste, était le souvenir de l'état où elle avait passé
la nuit, et les cuisantes douleurs que lui avait causées la pensée
que M. de Nemours aimait ailleurs et qu'elle était trompée.

Elle avait ignoré jusqu'alors les inquiétudes mortelles de la
420   défiance[3] et de la jalousie, elle n'avait pensé qu'à se défendre
d'aimer M. de Nemours, et elle n'avait point encore
commencé à craindre qu'il en aimât une autre. Quoique les
soupçons que lui avait donnés cette lettre fussent effacés, ils
ne laissèrent pas de lui ouvrir les yeux sur le hasard[4] d'être
425   trompée, et de lui donner des impressions de défiance[5] et de
jalousie qu'elle n'avait jamais eues. Elle fut étonnée de n'avoir
point encore pensé combien il était peu vraisemblable qu'un
homme comme M. de Nemours, qui avait toujours fait

---

1. **Après-dînée** : après-midi.
2. **Elle était d'intelligence** : elle entretenait des rapports secrets.
3. **Défiance** : méfiance.
4. **Hasard** : risque.
5. **Défiance** : méfiance.

paraître tant de légèreté parmi les femmes, fût capable d'un attachement sincère et durable. Elle trouva qu'il était presque impossible qu'elle pût être contente de sa passion. Mais quand je le pourrais être, disait-elle, qu'en veux-je faire ? Veux-je la souffrir ? Veux-je y répondre ? Veux-je m'engager dans une galanterie[1] ? Veux-je manquer à M. de Clèves ? Veux-je me manquer à moi-même ? Et veux-je enfin m'exposer aux cruels repentirs et aux mortelles douleurs que donne l'amour ? Je suis vaincue et surmontée par une inclination qui m'entraîne malgré moi. Toutes mes résolutions sont inutiles ; je pensai hier tout ce que je pense aujourd'hui et je fais aujourd'hui tout le contraire de ce que je résolus hier. Il faut m'arracher de la présence de M. de Nemours, il faut m'en aller à la campagne, quelque bizarre que puisse paraître mon voyage, et, si M. de Clèves s'opiniâtre à l'empêcher ou à en vouloir savoir les raisons, peut-être lui ferai-je le mal, et à moi-même aussi, de les lui apprendre. Elle demeura dans cette résolution, et passa tout le soir chez elle, sans aller savoir de Mme la dauphine ce qui était arrivé de la fausse lettre du vidame.

Quand M. de Clèves fut revenu, elle lui dit qu'elle voulait aller à la campagne, qu'elle se trouvait mal, et qu'elle avait besoin de prendre l'air. M. de Clèves, à qui elle paraissait d'une beauté qui ne lui persuadait pas que ses maux fussent considérables, se moqua d'abord de la proposition de ce voyage et lui répondit qu'elle oubliait que les noces des princesses et le tournoi s'allaient faire, et qu'elle n'avait pas trop de temps pour se préparer à y paraître avec la même

---

1. Galanterie : liaison.

magnificence[1] que les autres femmes. Les raisons de son mari ne la firent pas changer de dessein ; elle le pria de trouver bon que, pendant qu'il irait à Compiègne avec le roi, elle allât à Coulommiers, qui était une belle maison à une journée de Paris, qu'ils faisaient bâtir avec soin. M. de Clèves y consentit ; elle y alla dans le dessein de n'en pas revenir sitôt, et le roi partit pour Compiègne où il ne devait être que peu de jours.

M. de Nemours avait eu bien de la douleur de n'avoir point revu Mme de Clèves depuis cette après-dînée qu'il avait passée avec elle si agréablement et qui avait augmenté ses espérances. Il avait une impatience[2] de la revoir qui ne lui donnait point de repos, de sorte que, quand le roi revint à Paris, il résolut d'aller chez sa sœur, la duchesse de Mercœur[3], qui était à la campagne, assez près de Coulommiers. Il proposa au vidame d'y aller avec lui, qui accepta aisément cette proposition, et M. de Nemours la fit dans l'espérance de voir Mme de Clèves, et d'aller chez elle avec le vidame.

Mme de Mercœur les reçut avec beaucoup de joie, et ne pensa qu'à les divertir et à leur donner tous les plaisirs de la campagne. Comme ils étaient à la chasse à courir le cerf, M. de Nemours s'égara dans la forêt. En s'enquérant du chemin qu'il devait tenir pour s'en retourner, il sut qu'il était proche de Coulommiers. À ce mot de « Coulommiers », sans faire aucune réflexion[4], et sans savoir quel était son dessein, il alla à toute bride du côté qu'on le lui montrait. Il arriva dans

---

1. Magnificence : luxe.
2. Impatience : inquiétude.
3. La duchesse de Mercœur : Jeanne de Savoie-Nemours épousa Nicolas de Mercœur en 1554.
4. Sans faire aucune réflexion : sans réfléchir.

la forêt, et se laissa conduire au hasard par des routes faites avec soin, qu'il jugea bien qui conduisaient[1] vers le château. Il trouva, au bout de ces routes, un pavillon dont le dessous[2]
485 était un grand salon accompagné de deux cabinets, dont l'un était ouvert sur un jardin de fleurs qui n'était séparé de la forêt que par des palissades, et le second donnait sur une grande allée du parc. Il entra dans le pavillon, et il se serait arrêté à en regarder la beauté, sans qu'il vît venir[3] par cette allée du parc
490 monsieur et Mme de Clèves, accompagnés d'un grand nombre de domestiques. Comme il ne s'était pas attendu à trouver M. de Clèves, qu'il avait laissé auprès du roi, son premier mouvement le porta à se cacher : il entra dans le cabinet qui donnait sur le jardin de fleurs, dans la pensée d'en ressortir par
495 une porte qui était ouverte sur la forêt, mais, voyant que Mme de Clèves et son mari s'étaient assis sous le pavillon, que leurs domestiques demeuraient dans le parc, et qu'ils ne pouvaient venir à lui sans passer dans le lieu où étaient monsieur et Mme de Clèves, il ne put se refuser le plaisir de voir cette princesse,
500 ni résister à la curiosité d'écouter la conversation avec un mari qui lui donnait plus de jalousie qu'aucun de ses rivaux.

Il entendit que M. de Clèves disait à sa femme :

« Mais pourquoi ne voulez-vous point revenir à Paris ? Qui vous peut retenir à la campagne ? Vous avez depuis quelque
505 temps un goût pour la solitude qui m'étonne et qui m'afflige parce qu'il nous sépare. Je vous trouve même plus triste que de coutume, et je crains que vous n'ayez quelque sujet d'affliction.

---

1. Qu'il jugea bien qui conduisaient : dont il jugeait bien qu'elles conduisaient.

2. Dessous : rez-de-chaussée.

3. Sans qu'il vît venir : s'il n'avait pas vu venir.

— Je n'ai rien de fâcheux dans l'esprit, répondit-elle, avec un air embarrassé, mais le tumulte de la cour est si grand, et il y a toujours un si grand monde chez vous qu'il est impossible que le corps et l'esprit ne se lassent, et que l'on ne cherche du repos.

— Le repos, répliqua-t-il, n'est guère propre pour une personne de votre âge. Vous êtes, chez vous et dans la cour, d'une sorte à ne vous pas donner de lassitude, et je craindrais plutôt que vous ne fussiez bien aise d'être séparée de moi.

— Vous me feriez une grande injustice d'avoir cette pensée, reprit-elle avec un embarras qui augmentait toujours, mais je vous supplie de me laisser ici. Si vous y pouviez demeurer, j'en aurais beaucoup de joie, pourvu que vous y demeurassiez seul, et que vous voulussiez bien n'y avoir point ce nombre infini de gens qui ne vous quittent quasi jamais.

— Ah ! Madame ! s'écria M. de Clèves, votre air et vos paroles me font voir que vous avez des raisons pour souhaiter d'être seule, que je ne sais point, et je vous conjure de me les dire. »

Il la pressa[1] longtemps de les lui apprendre sans pouvoir l'y obliger, et, après qu'elle se fut défendue d'une manière qui augmentait toujours la curiosité de son mari, elle demeura dans un profond silence, les yeux baissés, puis, tout d'un coup, prenant la parole et le regardant :

« Ne me contraignez point, lui dit-elle, à vous avouer une chose que je n'ai pas la force de vous avouer, quoique j'en aie eu plusieurs fois le dessein. Songez seulement que la prudence ne veut pas qu'une femme de mon âge, et maîtresse de sa conduite, demeure exposée au milieu de la cour.

---

1. **Il la pressa** : il tenta de la persuader.

— Que me faites-vous envisager, Madame ? s'écria M. de Clèves. Je n'oserais vous le dire de peur de vous offenser. »

Mme de Clèves ne répondit point ; et son silence achevant de confirmer son mari dans ce qu'il avait pensé.

540 « Vous ne me dites rien, reprit-il, et c'est me dire que je ne me trompe pas.

— Eh bien ! Monsieur, lui répondit-elle en se jetant à ses genoux, je vais vous faire un aveu que l'on n'a jamais fait à son mari, mais l'innocence de ma conduite et de mes intentions

545 m'en donne la force. Il est vrai que j'ai des raisons de m'éloigner de la cour et que je veux éviter les périls où se trouvent quelquefois les personnes de mon âge. Je n'ai jamais donné nulle marque de faiblesse, et je ne craindrais pas d'en laisser paraître, si vous me laissiez la liberté de me retirer de la cour, ou si j'avais

550 encore Mme de Chartres pour aider à me conduire. Quelque dangereux que soit le parti que je prends, je le prends avec joie pour me conserver digne d'être à vous. Je vous demande mille pardons, si j'ai des sentiments qui vous déplaisent, du moins je ne vous déplairai jamais par mes actions. Songez que, pour

555 faire ce que je fais, il faut avoir plus d'amitié et plus d'estime pour un mari que l'on n'en a jamais eu. Conduisez-moi, ayez pitié de moi, et aimez-moi encore si vous pouvez. »

M. de Clèves était demeuré, pendant tout ce discours, la tête appuyée sur ses mains, hors de lui-même, et il n'avait pas

560 songé à faire relever sa femme. Quand elle eut cessé de parler, qu'il jeta les yeux sur elle, qu'il la vit à ses genoux, le visage couvert de larmes, et d'une beauté si admirable, il pensa mourir de douleur, et l'embrassant en la relevant :

« Ayez pitié de moi, vous-même, Madame, lui dit-il, j'en

565 suis digne, et pardonnez si, dans les premiers moments

d'une affliction aussi violente qu'est la mienne, je ne réponds pas comme je dois à un procédé comme le vôtre. Vous me paraissez plus digne d'estime et d'admiration que tout ce qu'il y a jamais eu de femmes au monde, mais aussi je me trouve le plus malheureux homme qui ait jamais été. Vous m'avez donné de la passion dès le premier moment que je vous ai vue, vos rigueurs et votre possession n'ont pu l'éteindre, elle dure encore, je n'ai jamais pu vous donner de l'amour, et je vois que vous craignez d'en avoir pour un autre. Et qui est-il, Madame, cet homme heureux qui vous donne cette crainte ? Depuis quand vous plaît-il ? Qu'a-t-il fait pour vous plaire ? Quel chemin a-t-il trouvé pour aller à votre cœur ? Je m'étais consolé en quelque sorte de ne l'avoir pas touché, par la pensée qu'il était incapable de l'être. Cependant un autre fait ce que je n'ai pu faire. J'ai tout ensemble la jalousie d'un mari et celle d'un amant[1], mais il est impossible d'avoir celle d'un mari après un procédé comme le vôtre. Il est trop noble pour ne me pas donner une sûreté entière, il me console même comme votre amant. La confiance et la sincérité que vous avez pour moi sont d'un prix infini ; vous m'estimez assez pour croire que je n'abuserai pas de cet aveu. Vous avez raison, Madame, je n'en abuserai pas, et je ne vous en aimerai pas moins. Vous me rendez malheureux par la plus grande marque de fidélité que jamais une femme ait donnée à son mari. Mais, Madame, achevez, et apprenez-moi qui est celui que vous voulez éviter.

---

1. La jalousie d'un mari réside dans la crainte d'être trompé, celle d'un amant dans la crainte de se voir préférer un autre.

– Je vous supplie de ne me le point demander, répondit-elle, je suis résolue de ne vous le pas dire, et je crois que la prudence ne veut pas que je vous le nomme.

– Ne craignez point, Madame, reprit M. de Clèves, je connais trop le monde pour ignorer que la considération d'un mari n'empêche pas que l'on ne soit amoureux de sa femme. On doit haïr ceux qui le sont, et non pas s'en plaindre, et, encore une fois, Madame, je vous conjure de m'apprendre ce que j'ai envie de savoir.

– Vous m'en presseriez inutilement, répliqua-t-elle, j'ai de la force pour taire ce que je crois ne pas devoir dire. L'aveu que je vous ai fait n'a pas été par faiblesse, et il faut plus de courage pour avouer cette vérité que pour entreprendre de la cacher. »

M. de Nemours ne perdait pas une parole de cette conversation ; et ce que venait de dire Mme de Clèves ne lui donnait guère moins de jalousie qu'à son mari. Il était si éperdument amoureux d'elle, qu'il croyait que tout le monde avait les mêmes sentiments. Il était véritable aussi qu'il avait plusieurs rivaux, mais il s'en imaginait encore davantage, et son esprit s'égarait à chercher celui dont Mme de Clèves voulait parler. Il avait cru bien des fois qu'il ne lui était pas désagréable, et il avait fait ce jugement sur des choses qui lui parurent si légères dans ce moment qu'il ne put s'imaginer qu'il eût donné une passion qui devait être bien violente pour avoir recours à un remède si extraordinaire. Il était si transporté qu'il ne savait quasi ce qu'il voyait, et il ne pouvait pardonner à M. de Clèves de ne pas assez presser sa femme de lui dire ce nom qu'elle lui cachait.

M. de Clèves faisait néanmoins tous ses efforts pour le savoir, et, après qu'il l'en eut pressée inutilement :

« Il me semble, répondit-elle, que vous devez être content de ma sincérité, ne m'en demandez pas davantage et ne me donnez point lieu de me repentir de ce que je viens de faire. Contentez-vous de l'assurance que je vous donne encore, qu'aucune de mes actions n'a fait paraître mes sentiments, et que l'on ne m'a jamais rien dit dont j'aie pu m'offenser.

— Ah ! Madame, reprit tout d'un coup M. de Clèves, je ne vous saurais croire. Je me souviens de l'embarras où vous fûtes le jour que votre portrait se perdit. Vous avez donné, Madame, vous avez donné ce portrait qui m'était si cher, et qui m'appartenait si légitimement. Vous n'avez pu cacher vos sentiments ; vous aimez, on le sait ; votre vertu vous a jusqu'ici garantie du reste.

— Est-il possible, s'écria cette princesse, que vous puissiez penser qu'il y ait quelque déguisement dans un aveu comme le mien, qu'aucune raison ne m'obligeait à vous faire ? Fiez-vous à mes paroles, c'est par un assez grand prix que j'achète la confiance que je vous demande. Croyez, je vous en conjure, que je n'ai point donné mon portrait ; il est vrai que je le vis prendre, mais je ne voulus pas faire paraître que je le voyais, de peur de m'exposer à me faire dire des choses que l'on ne m'a encore osé dire.

— Par où vous a-t-on donc fait voir qu'on vous aimait, reprit M. de Clèves, et quelles marques de passion vous a-t-on données ?

— Épargnez-moi la peine, répliqua-t-elle, de vous redire des détails qui me font honte à moi-même de les avoir remarqués et qui ne m'ont que trop persuadée de ma faiblesse.

— Vous avez raison, Madame, reprit-il, je suis injuste. Refusez-moi toutes les fois que je vous demanderai de pareilles choses, mais ne vous offensez pourtant pas si je vous les demande. »

655 Dans ce moment, plusieurs de leurs gens, qui étaient demeurés dans les allées, vinrent avertir M. de Clèves, qu'un gentilhomme venait le chercher de la part du roi, pour lui ordonner de se trouver le soir à Paris. M. de Clèves fut contraint de s'en aller, et il ne put rien dire à sa femme, sinon

660 qu'il la suppliait de venir le lendemain, et qu'il la conjurait de croire que, quoiqu'il fût affligé, il avait pour elle une tendresse et une estime dont elle devait être satisfaite.

Lorsque ce prince fut parti, que Mme de Clèves demeura seule, qu'elle regarda ce qu'elle venait de faire, elle en fut si

665 épouvantée, qu'à peine put-elle s'imaginer que ce fût une vérité. Elle trouva qu'elle s'était ôté elle-même le cœur et l'estime de son mari, et qu'elle s'était creusé un abîme dont elle ne sortirait jamais. Elle se demandait pourquoi elle avait fait une chose si hasardeuse[1], et elle trouvait qu'elle s'y était

670 engagée sans en avoir presque eu le dessein. La singularité d'un pareil aveu, dont elle ne trouvait point d'exemple, lui en faisait voir tout le péril.

Mais quand elle venait à penser que ce remède, quelque violent qu'il fût, était le seul qui la pouvait défendre contre

675 M. de Nemours, elle trouvait qu'elle ne devait point se repentir, et qu'elle n'avait point trop hasardé. Elle passa toute la nuit, pleine d'incertitude, de trouble et de crainte, mais enfin le calme revint dans son esprit. Elle trouva même de la douceur à avoir donné ce témoignage de fidélité à un mari qui

680 le méritait si bien, qui avait tant d'estime et tant d'amitié

---

1. **Hasardeuse** : risquée.

pour elle, et qui venait de lui en donner encore des marques par la manière dont il avait reçu ce qu'elle lui avait avoué.

Cependant M. de Nemours était sorti du lieu où il avait entendu une conversation qui le touchait si sensiblement, et s'était enfoncé dans la forêt. Ce qu'avait dit Mme de Clèves de son portrait lui avait redonné la vie en lui faisant connaître que c'était lui qu'elle ne haïssait pas[1]. Il s'abandonna d'abord à cette joie, mais elle ne fut pas longue, quand il fit réflexion que la même chose qui lui venait d'apprendre qu'il avait touché le cœur de Mme de Clèves, le devait persuader aussi qu'il n'en recevrait jamais nulle marque, et qu'il était impossible d'engager[2] une personne qui avait recours à un remède si extraordinaire. Il sentit pourtant un plaisir sensible de l'avoir réduite à cette extrémité. Il trouva de la gloire à s'être fait aimer d'une femme si différente de toutes celles de son sexe ; enfin, il se trouva cent fois heureux et malheureux tout ensemble. La nuit le surprit dans la forêt, et il eut beaucoup de peine à retrouver le chemin de chez Mme de Mercœur. Il y arriva à la pointe du jour. Il fut assez embarrassé de rendre compte de ce qui l'avait retenu ; il s'en démêla le mieux qu'il lui fut possible, et revint ce jour même à Paris avec le vidame.

Ce prince était si rempli de sa passion et si surpris de ce qu'il avait entendu, qu'il tomba dans une imprudence assez ordinaire, qui est de parler en termes généraux de ses sentiments particuliers, et de conter ses propres aventures sous des noms empruntés. En revenant, il tourna la conversation sur l'amour : il exagéra le plaisir d'être amoureux d'une personne

---

1. Elle ne haïssait pas (litote) : elle aimait.
2. Engager : engager dans une aventure amoureuse.

digne d'être aimée. Il parla des effets bizarres de cette passion
et enfin, ne pouvant renfermer en lui-même l'étonnement que
710 lui donnait l'action de Mme de Clèves, il la conta au vidame,
sans lui nommer la personne, et sans lui dire qu'il y eût
aucune part, mais il la conta avec tant de chaleur et avec tant
d'admiration, que le vidame soupçonna aisément que cette
histoire regardait ce prince. Il le pressa extrêmement de le lui
715 avouer. Il lui dit qu'il connaissait depuis longtemps qu'il avait
quelque passion violente et qu'il y avait de l'injustice de se
défier d'un homme qui lui avait confié le secret de sa vie.
M. de Nemours était trop amoureux pour avouer son amour ;
il l'avait toujours caché au vidame, quoique ce fût l'homme
720 de la cour qu'il aimât le mieux. Il lui répondit qu'un de ses
amis lui avait conté cette aventure et lui avait fait promettre
de n'en point parler, et qu'il le conjurait aussi de garder ce
secret. Le vidame l'assura qu'il n'en parlerait point ; néanmoins M. de Nemours se repentit de lui en avoir tant appris.
725   Cependant M. de Clèves était allé trouver le roi, le cœur
pénétré d'une douleur mortelle. Jamais mari n'avait eu une
passion si violente pour sa femme et ne l'avait tant estimée.
Ce qu'il venait d'apprendre ne lui ôtait pas l'estime, mais elle
lui en donnait d'une espèce différente de celle qu'il avait eue
730 jusqu'alors. Ce qui l'occupait le plus, était l'envie de deviner
celui qui avait su lui plaire. M. de Nemours lui vint d'abord
dans l'esprit, comme ce qu'il y avait de plus aimable[1] à la
cour, et le chevalier de Guise, et le maréchal de Saint-André,
comme deux hommes qui avaient pensé à lui plaire, et qui lui
735 rendaient encore beaucoup de soins, de sorte qu'il s'arrêta à

---

1. Aimable : propre à être aimé.

croire qu'il fallait que ce fût l'un des trois. Il arriva au Louvre, et le roi le mena dans son cabinet, pour lui dire qu'il l'avait choisi pour conduire Madame en Espagne ; qu'il avait cru que personne ne s'acquitterait mieux que lui de cette commission,
740 et que personne aussi ne ferait tant d'honneur à la France que Mme de Clèves. M. de Clèves reçut l'honneur de ce choix comme il le devait, et le regarda même comme une chose qui éloignerait sa femme de la cour, sans qu'il parût de change-ment dans sa conduite. Néanmoins, le temps de ce départ
745 était encore trop éloigné pour être un remède à l'embarras où il se trouvait. Il écrivit à l'heure même à Mme de Clèves pour lui apprendre ce que le roi venait de lui dire, et lui manda encore qu'il voulait absolument qu'elle revînt à Paris. Elle y revint comme il l'ordonnait, et lorsqu'ils se virent, ils se trou-
750 vèrent tous deux dans une tristesse extraordinaire.

M. de Clèves lui parla comme le plus honnête homme du monde et le plus digne de ce qu'elle avait fait.

« Je n'ai nulle inquiétude de votre conduite, lui dit-il, vous avez plus de force et plus de vertu que vous ne pensez. Ce n'est
755 point aussi la crainte de l'avenir qui m'afflige, je ne suis affligé que de vous voir pour un autre des sentiments que je n'ai pu vous donner.

– Je ne sais que vous répondre, lui dit-elle, je meurs de honte en vous en parlant. Épargnez-moi, je vous en conjure, de
760 si cruelles conversations ; réglez ma conduite, faites que je ne voie personne ; c'est tout ce que je vous demande. Mais trouvez bon que je ne vous parle plus d'une chose qui me fait paraître si peu digne de vous, et que je trouve si indigne de moi.

– Vous avez raison, Madame, répliqua-t-il, j'abuse de votre
765 douceur et de votre confiance, mais aussi ayez quelque

compassion de l'état où vous m'avez mis, et songez que, quoi que vous m'ayez dit, vous me cachez un nom qui me donne une curiosité avec laquelle je ne saurais vivre. Je ne vous demande pourtant pas de la satisfaire, mais je ne puis m'em-
770 pêcher de vous dire que je crois que celui que je dois envier[1] est le maréchal de Saint-André, le duc de Nemours ou le chevalier de Guise.

— Je ne vous répondrai rien, lui dit-elle en rougissant, et je ne vous donnerai aucun lieu par mes réponses de diminuer ni
775 de fortifier vos soupçons, mais si vous essayez de les éclaircir en m'observant, vous me donnerez un embarras qui paraîtra aux yeux de tout le monde. Au nom de Dieu, continua-t-elle, trouvez bon que, sur le prétexte de quelque maladie, je ne voie personne.

780 — Non, Madame, répliqua-t-il, on démêlerait bientôt que ce serait une chose supposée ; et, de plus, je ne me veux fier qu'à vous-même ; c'est le chemin que mon cœur me conseille de prendre, et la raison me conseille aussi. De l'humeur dont vous êtes, en vous laissant votre liberté, je vous donne des
785 bornes plus étroites que je ne pourrais vous en prescrire. »

M. de Clèves ne se trompait pas : la confiance qu'il témoi-gnait à sa femme la fortifiait davantage contre M. de Nemours, et lui faisait prendre des résolutions plus austères qu'aucune contrainte n'aurait pu faire. Elle alla donc au
790 Louvre et chez la reine dauphine à son ordinaire, mais elle évitait la présence et les yeux de M. de Nemours avec tant de soin, qu'elle lui ôta quasi toute la joie qu'il avait de se croire aimé d'elle. Il ne voyait rien dans ses actions qui ne lui

---

1. **Envier** : jalouser.

persuadât le contraire. Il ne savait quasi si ce qu'il avait
entendu n'était point un songe, tant il y trouvait peu de vraisemblance. La seule chose qui l'assurait qu'il ne s'était pas
trompé, était l'extrême tristesse de Mme de Clèves, quelque
effort qu'elle fît pour la cacher. Peut-être que des regards et
des paroles obligeantes n'eussent pas tant augmenté l'amour
de M. de Nemours que faisait cette conduite austère.

Un soir que monsieur et Mme de Clèves étaient chez la
reine, quelqu'un dit que le bruit courait que le roi nommerait
encore un grand seigneur de la cour pour aller conduire
Madame en Espagne. M. de Clèves avait les yeux sur sa
femme, dans le temps que l'on ajouta que ce serait peut-être
le chevalier de Guise ou le maréchal de Saint-André. Il
remarqua qu'elle n'avait point été émue de ces deux noms, ni
de la proposition qu'ils fissent ce voyage avec elle. Cela lui fit
croire que pas un des deux n'était celui dont elle craignait la
présence et, voulant s'éclaircir de ses soupçons, il entra dans
le cabinet de la reine où était le roi. Après y avoir demeuré
quelque temps, il revint auprès de sa femme, et lui dit tout
bas, qu'il venait d'apprendre que ce serait M. de Nemours qui
irait avec eux en Espagne.

Le nom de M. de Nemours, et la pensée d'être exposée à le
voir tous les jours pendant un long voyage, en présence de son
mari, donna un tel trouble à Mme de Clèves, qu'elle ne le put
cacher et, voulant y donner d'autres raisons :

« C'est un choix bien désagréable pour vous, répondit-elle,
que celui de ce prince. Il partagera tous les honneurs, et il me
semble que vous devriez essayer de faire choisir quelque autre.

— Ce n'est pas la gloire, Madame, reprit M. de Clèves, qui
vous fait appréhender que M. de Nemours ne vienne avec

moi. Le chagrin que vous en avez vient d'une autre cause. Ce
825   chagrin m'apprend ce que j'aurais appris d'une autre femme,
par la joie qu'elle en aurait eue. Mais ne craignez point ; ce que
je viens de vous dire n'est pas véritable, et je l'ai inventé pour
m'assurer d'une chose que je ne croyais déjà que trop. »

Il sortit après ces paroles, ne voulant pas augmenter par sa
830   présence l'extrême embarras où il voyait sa femme.

M. de Nemours entra dans cet instant et remarqua d'abord
l'état où était Mme de Clèves. Il s'approcha d'elle, et lui dit
tout bas qu'il n'osait, par respect, lui demander ce qui la
rendait plus rêveuse que de coutume. La voix de M. de
835   Nemours la fit revenir, et, le regardant sans avoir entendu ce
qu'il venait de lui dire, pleine de ses propres pensées et de la
crainte que son mari ne le vît auprès d'elle :

« Au nom de Dieu, lui dit-elle, laissez-moi en repos.

— Hélas, Madame, répondit-il, je ne vous y laisse que trop !
840   De quoi pouvez-vous vous plaindre ? Je n'ose vous parler, je
n'ose même vous regarder, je ne vous approche qu'en tremblant. Par où me suis-je attiré ce que vous venez de me dire ?
Et pourquoi me faites-vous paraître que j'ai quelque part au
chagrin où je vous vois ? »

845   Mme de Clèves fut bien fâchée d'avoir donné lieu à M. de
Nemours de s'expliquer plus clairement qu'il n'avait fait en
toute sa vie. Elle le quitta, sans lui répondre, et s'en revint
chez elle, l'esprit plus agité qu'elle ne l'avait jamais eu. Son
mari s'aperçut aisément de l'augmentation de son embarras.
850   Il vit qu'elle craignait qu'il ne lui parlât de ce qui s'était passé.
Il la suivit dans un cabinet où elle était entrée.

« Ne m'évitez point, Madame, lui dit-il, je ne vous dirai
rien qui puisse vous déplaire. Je vous demande pardon de

la surprise que je vous ai faite tantôt. J'en suis assez puni par
ce que j'ai appris. M. de Nemours était de tous les hommes
celui que je craignais le plus. Je vois le péril où vous êtes, ayez
du pouvoir sur vous, pour l'amour de vous-même, et, s'il est
possible, pour l'amour de moi. Je ne vous le demande point
comme un mari, mais comme un homme dont vous faites
tout le bonheur, et qui a pour vous une passion plus tendre et
plus violente que celui que votre cœur lui préfère. »

M. de Clèves s'attendrit en prononçant ces dernières
paroles et eut peine à les achever. Sa femme en fut pénétrée,
et, fondant en larmes, elle l'embrassa avec une tendresse et
une douleur qui le mirent dans un état peu différent du sien.
Ils demeurèrent quelque temps sans se rien dire, et se sépa-
rèrent sans avoir la force de se parler.

Les préparatifs pour le mariage de Madame étaient achevés.
Le duc d'Albe arriva pour l'épouser. Il fut reçu avec toute la
magnificence et toutes les cérémonies qui se pouvaient faire
dans une pareille occasion. Le roi envoya au-devant de lui le
prince de Condé, les cardinaux de Lorraine et de Guise, les
ducs de Lorraine, de Ferrare, d'Aumale, de Bouillon, de Guise
et de Nemours. Ils avaient plusieurs gentilshommes, et grand
nombre de pages vêtus de leurs livrées. Le roi attendit lui-
même le duc d'Albe à la première porte du Louvre, avec les
deux cents gentilshommes servants, et le connétable à leur
tête. Lorsque ce duc fut proche du roi, il voulut lui embrasser
les genoux[1], mais le roi l'en empêcha, et le fit marcher à son
côté jusque chez la reine et chez Madame, à qui le duc d'Albe
apporta un présent magnifique de la part de son maître. Il alla

---

1. En signe de déférence au roi.

ensuite chez Mme Marguerite, sœur du roi, lui faire les compliments de M. de Savoie, et l'assurer qu'il arriverait dans peu de jours. L'on fit de grandes assemblées au Louvre, pour
885 faire voir au duc d'Albe et au prince d'Orange qui l'avait accompagné, les beautés de la cour.

Mme de Clèves n'osa se dispenser de s'y trouver, quelque envie qu'elle en eût, par la crainte de déplaire à son mari, qui lui commanda absolument d'y aller. Ce qui l'y déterminait
890 encore davantage, était l'absence de M. de Nemours. Il était allé au-devant de M. de Savoie ; et, après que ce prince fut arrivé, il fut obligé de se tenir presque toujours auprès de lui pour lui aider à toutes les choses qui regardaient les cérémonies de ses noces. Cela fit que Mme de Clèves ne rencontra pas
895 ce prince aussi souvent qu'elle avait accoutumé, et elle s'en trouvait dans quelque sorte de repos.

Le vidame de Chartres n'avait pas oublié la conversation qu'il avait eue avec M. de Nemours. Il lui était demeuré dans l'esprit que l'aventure que ce prince lui avait contée était la
900 sienne propre, et il l'observait avec tant de soin, que peut-être aurait-il démêlé la vérité, sans que l'arrivée du duc d'Albe et celle de M. de Savoie firent un changement[1] et une occupation dans la cour, qui l'empêcha de voir ce qui aurait pu l'éclairer. L'envie de s'éclaircir, ou plutôt la disposition natu-
905 relle que l'on a de conter tout ce que l'on sait à ce que l'on aime, fit qu'il redit à Mme de Martigues l'action extraordinaire de cette personne qui avait avoué à son mari la passion qu'elle avait pour un autre. Il l'assura que M. de Nemours

---

1. Sans que l'arrivée du duc d'Albe et celle de M. de Savoie firent un changement : si l'arrivée du duc d'Albe et celle de M. de Savoie n'avaient pas fait un changement.

était celui qui avait inspiré cette violente passion, et il la
910 conjura de lui aider à observer ce prince. Mme de Martigues
fut bien aise d'apprendre ce que lui dit le vidame, et la curiosité qu'elle avait toujours vue à Mme la dauphine pour ce qui
regardait M. de Nemours lui donnait encore plus d'envie de
pénétrer cette aventure.

915 Peu de jour avant celui que l'on avait choisi pour la cérémonie du mariage, la reine dauphine donnait à souper au roi
son beau-père et à la duchesse de Valentinois. Mme de Clèves,
qui était occupée à s'habiller, alla au Louvre plus tard que de
coutume. En y allant, elle trouva un gentilhomme qui la venait
920 quérir de la part de Mme la dauphine. Comme elle entrait dans
sa chambre, cette princesse lui cria de dessus son lit, où elle
était, qu'elle l'attendait avec une grande impatience.

« Je crois, Madame, lui répondit-elle, que je ne dois pas
vous remercier de cette impatience, et qu'elle est sans doute
925 causée par quelque autre chose que par l'envie de me voir.

— Vous avez raison, lui répliqua la reine dauphine, mais,
néanmoins, vous devez m'en être obligée car je veux vous
apprendre une aventure que je suis assurée que vous serez bien
aise de savoir. »

930 Mme de Clèves se mit à genoux devant son lit, et par
bonheur pour elle, elle n'avait pas le jour au visage.

« Vous savez, lui dit cette reine, l'envie que nous avions de
deviner ce qui causait le changement qui paraît au duc de
Nemours : je crois le savoir, et c'est une chose qui vous
935 surprendra. Il est éperdument amoureux et fort aimé d'une
des plus belles personnes de la cour. »

Ces paroles, que Mme de Clèves ne pouvait s'attribuer,
puisqu'elle ne croyait pas que personne sût qu'elle aimait

ce prince, lui causèrent une douleur qu'il est aisé de s'imaginer.

« Je ne vois rien en cela, répondit-elle, qui doive surprendre
d'un homme de l'âge de M. de Nemours, et fait comme il est.

— Ce n'est pas aussi, reprit Mme la dauphine, ce qui vous
doit étonner, mais c'est de savoir que cette femme qui aime
M. de Nemours ne lui en a jamais donné aucune marque, et
que la peur qu'elle a eue de n'être pas toujours maîtresse de sa
passion a fait qu'elle l'a avouée à son mari, afin qu'il l'ôtât de
la cour. Et c'est M. de Nemours lui-même qui a conté ce que
je vous dis. »

Si Mme de Clèves avait eu d'abord de la douleur par la
pensée qu'elle n'avait aucune part à cette aventure, les
dernières paroles de Mme la dauphine lui donnèrent du désespoir, par la certitude de n'y en avoir que trop. Elle ne put
répondre, et demeura la tête penchée sur le lit, pendant que
la reine continuait de parler, si occupée de ce qu'elle disait,
qu'elle ne prenait pas garde à cet embarras. Lorsque Mme de
Clèves fut un peu remise :

« Cette histoire ne me paraît guère vraisemblable, Madame,
répondit-elle, et je voudrais bien savoir qui vous l'a contée.

— C'est Mme de Martigues, répliqua Mme la dauphine, qui
l'a apprise du vidame de Chartres. Vous savez qu'il en est
amoureux, il la lui a confiée comme un secret, et il la sait du
duc de Nemours lui-même : il est vrai que le duc de Nemours
ne lui a pas dit le nom de la dame, et ne lui a pas même avoué
que ce fût lui qui en fût aimé, mais le vidame de Chartres n'en
doute point. »

Comme la reine dauphine achevait ces paroles, quelqu'un
s'approcha du lit. Mme de Clèves était tournée d'une sorte qui

l'empêchait de voir qui c'était, mais elle n'en douta pas, lorsque Mme la dauphine se récria avec un air de gaieté et de surprise :

« Le voilà lui-même, et je veux lui demander ce qui en est. »

Mme de Clèves connut bien que c'était le duc de Nemours, comme ce l'était en effet. Sans se tourner de son côté, elle s'avança avec précipitation vers Mme la dauphine, et lui dit tout bas qu'il fallait bien se garder de lui parler de cette aventure, qu'il l'avait confiée au vidame de Chartres, et que ce serait une chose capable de les brouiller. Mme la dauphine lui répondit, en riant, qu'elle était trop prudente, et se retourna vers M. de Nemours. Il était paré pour l'assemblée du soir, et prenant la parole avec cette grâce qui lui était si naturelle :

« Je crois, Madame, dit-il, que je puis penser, sans témérité, que vous parliez de moi quand je suis entré, que vous aviez dessein de me demander quelque chose, et que Mme de Clèves s'y oppose.

— Il est vrai, répondit Mme la dauphine, mais je n'aurai pas pour elle la complaisance que j'ai accoutumé d'avoir. Je veux savoir de vous si une histoire que l'on m'a contée est véritable, et si vous n'êtes pas celui qui êtes amoureux et aimé d'une femme de la cour qui vous cache sa passion avec soin, et qui l'a avouée à son mari. »

Le trouble et l'embarras de Mme de Clèves étaient au-delà de tout ce que l'on peut s'imaginer, et si la mort se fût présentée pour la tirer de cet état, elle l'aurait trouvée agréable. Mais M. de Nemours était encore plus embarrassé, s'il est possible. Le discours de Mme la dauphine, dont il avait eu lieu de croire qu'il n'était pas haï, en présence de Mme de

Clèves, qui était la personne de la cour en qui elle avait le plus
de confiance, et qui en avait aussi le plus en elle, lui donnait
une si grande confusion de pensées bizarres, qu'il lui fut
impossible d'être maître de son visage. L'embarras où il voyait
Mme de Clèves par sa faute, et la pensée du juste sujet qu'il
lui donnait de le haïr, lui causa un saisissement qui ne lui
permit pas de répondre. Mme la dauphine voyant à quel point
il était interdit :

« Regardez-le, regardez-le, dit-elle à Mme de Clèves, et
jugez si cette aventure n'est pas la sienne. »

Cependant, M. de Nemours, revenant de son premier
trouble, et voyant l'importance de sortir d'un pas si dangereux, se rendit maître tout d'un coup de son esprit et de son
visage.

« J'avoue, Madame, dit-il, que l'on ne peut être plus surpris
et plus affligé que je le suis de l'infidélité que m'a faite le
vidame de Chartres, en racontant l'aventure d'un de mes amis
que je lui avais confiée. Je pourrais m'en venger, continua-t-il
en souriant, avec un air tranquille qui ôta quasi à Mme la
dauphine les soupçons qu'elle venait d'avoir. Il m'a confié des
choses qui ne sont pas d'une médiocre importance. Mais, je
ne sais, Madame, poursuivit-il, pourquoi vous me faites l'honneur de me mêler à cette aventure. Le vidame ne peut pas dire
qu'elle me regarde, puisque je lui ai dit le contraire. La qualité
d'un homme amoureux me peut convenir ; mais, pour celle
d'un homme aimé, je ne crois pas, Madame, que vous puissiez
me la donner. »

Ce prince fut bien aise de dire quelque chose à Mme la
dauphine qui eût du rapport à ce qu'il lui avait fait paraître
en d'autres temps, afin de lui détourner l'esprit des pensées

qu'elle avait pu avoir. Elle crut bien aussi entendre[1] ce qu'il
1030 disait, mais, sans y répondre, elle continua à lui faire la guerre
de son embarras.

« J'ai été troublé, Madame, lui répondit-il, pour l'intérêt
de mon ami, et par les justes reproches qu'il me pourrait faire
d'avoir redit une chose qui lui est plus chère que la vie. Il ne
1035 me l'a néanmoins confiée qu'à demi, et il ne m'a pas nommé
la personne qu'il aime. Je sais seulement qu'il est l'homme du
monde le plus amoureux et le plus à plaindre.

— Le trouvez-vous si à plaindre, répliqua Mme la dauphine,
puisqu'il est aimé ?

1040 — Croyez-vous qu'il le soit, Madame, reprit-il, et qu'une
personne qui aurait une véritable passion pût la découvrir à
son mari ? Cette personne ne connaît pas sans doute l'amour,
et elle a pris pour lui une légère reconnaissance de l'attachement que l'on a pour elle. Mon ami ne se peut flatter d'aucune
1045 espérance ; mais, tout malheureux qu'il est, il se trouve
heureux d'avoir du moins donné la peur de l'aimer, et il ne
changerait pas son état contre celui du plus heureux amant du
monde.

— Votre ami a une passion bien aisée à satisfaire, dit Mme la
1050 dauphine, et je commence à croire que ce n'est pas de vous
dont vous parlez. Il ne s'en faut guère, continua-t-elle, que je
ne sois de l'avis de Mme de Clèves, qui soutient que cette
aventure ne peut être véritable.

— Je ne crois pas en effet qu'elle le puisse être, reprit
1055 Mme de Clèves, qui n'avait point encore parlé et, quand il
serait possible qu'elle le fût, par où l'aurait-on pu savoir ?

---

1. **Entendre** : comprendre.

Il n'y a pas d'apparence qu'une femme capable d'une chose si extraordinaire eût la faiblesse de la raconter, apparemment son mari ne l'aurait pas racontée non plus, ou ce serait un mari
1060 bien indigne du procédé que l'on aurait eu avec lui. »

M. de Nemours, qui vit les soupçons de Mme de Clèves sur son mari, fut bien aise de les lui confirmer. Il savait que c'était le plus redoutable rival qu'il eût à détruire.

« La jalousie, répondit-il, et la curiosité d'en savoir peut-
1065 être davantage que l'on ne lui en a dit, peuvent faire faire bien des imprudences à un mari. »

Mme de Clèves était à la dernière épreuve de sa force et de son courage, et, ne pouvant plus soutenir la conversation, elle allait dire qu'elle se trouvait mal, lorsque, par bonheur pour
1070 elle, la duchesse de Valentinois entra, qui dit à Mme la dauphine que le roi allait arriver. Cette reine passa dans son cabinet pour s'habiller. M. de Nemours s'approcha de Mme de Clèves, comme elle la voulait suivre.

« Je donnerais ma vie, Madame, lui dit-il, pour vous parler
1075 un moment, mais, de tout ce que j'aurais d'important à vous dire, rien ne me le paraît davantage que de vous supplier de croire que, si j'ai dit quelque chose où Mme la dauphine puisse prendre part, je l'ai fait par des raisons qui ne la regardent pas. »

1080 Mme de Clèves ne fit pas semblant d'entendre[1] M. de Nemours ; elle le quitta sans le regarder, et se mit à suivre le roi, qui venait d'entrer. Comme il y avait beaucoup de monde, elle s'embarrassa dans sa robe, et fit un faux pas, elle se servit de ce prétexte pour sortir d'un lieu où elle n'avait pas la force

---

1. **Ne fit pas semblant d'entendre** : fit semblant de ne pas comprendre.

1085 de demeurer, et, feignant de ne se pouvoir soutenir, elle s'en
alla chez elle.

M. de Clèves vint au Louvre et fut étonné de n'y pas trouver
sa femme ; on lui dit l'accident qui lui était arrivé. Il s'en
retourna à l'heure même, pour apprendre de ses nouvelles ; il
1090 la trouva au lit, et il sut que son mal n'était pas considérable.
Quand il eut été quelque temps auprès d'elle, il s'aperçut
qu'elle était dans une tristesse si excessive qu'il en fut surpris.

« Qu'avez-vous, Madame, lui dit-il ? Il me paraît que vous
avez quelque autre douleur que celle dont vous vous plaignez.

1095 — J'ai la plus sensible affliction que je pouvais jamais avoir,
répondit-elle. Quel usage avez-vous fait de la confiance extraordinaire ou, pour mieux dire folle, que j'ai eue en vous ? Ne
méritais-je pas le secret ? Et, quand je ne l'aurais pas mérité,
votre propre intérêt ne vous y engageait-il pas ? Fallait-il que
1100 la curiosité de savoir un nom que je ne dois pas vous dire vous
obligeât à vous confier à quelqu'un pour tâcher de le découvrir ? Ce ne peut être que cette seule curiosité qui vous ait fait
faire une si cruelle imprudence. Les suites en sont aussi
fâcheuses qu'elles pouvaient l'être. Cette aventure est sue, et
1105 on me la vient de conter, ne sachant pas que j'y eusse le principal intérêt.

— Que me dites-vous, Madame ? lui répondit-il. Vous
m'accusez d'avoir conté ce qui s'est passé entre vous et moi,
et vous m'apprenez que la chose est sue. Je ne me justifie pas
1110 de l'avoir redite, vous ne le sauriez croire, et il faut, sans
doute, que vous ayez pris pour vous ce que l'on vous a dit de
quelque autre.

— Ah ! Monsieur, reprit-elle, il n'y a pas dans le monde une
autre aventure pareille à la mienne, il n'y a point une autre

1115 femme capable de la même chose. Le hasard ne peut l'avoir fait inventer, on ne l'a jamais imaginée, et cette pensée n'est jamais tombée dans un autre esprit que le mien. Mme la dauphine vient de me conter toute cette aventure ; elle l'a sue par le vidame de Chartres, qui la sait de M. de Nemours.

1120 — M. de Nemours ! s'écria M. de Clèves, avec une action qui marquait du transport et du désespoir. Quoi ! M. de Nemours sait que vous l'aimez, et que je le sais !

— Vous voulez toujours choisir M. de Nemours plutôt qu'un autre, répliqua-t-elle, je vous ai dit que je ne vous 1125 répondrai jamais sur vos soupçons. J'ignore si M. de Nemours sait la part que j'ai dans cette aventure, et celle que vous lui avez donnée ; mais il l'a contée au vidame de Chartres, et lui a dit qu'il la savait d'un de ses amis, qui ne lui avait pas nommé la personne. Il faut que cet ami de M. de Nemours 1130 soit des vôtres, et que vous vous soyez fié à lui pour tâcher de vous éclaircir.

— A-t-on un ami au monde à qui on voulût faire une telle confidence, reprit M. de Clèves, et voudrait-on éclaircir ses soupçons au prix d'apprendre à quelqu'un ce que l'on souhai- 1135 terait de se cacher à soi-même ? Songez plutôt, Madame, à qui vous avez parlé. Il est plus vraisemblable que ce soit par vous que par moi que ce secret soit échappé. Vous n'avez pu soutenir toute seule l'embarras où vous vous êtes trouvée, et vous avez cherché le soulagement de vous plaindre avec 1140 quelque confidente qui vous a trahie.

— N'achevez point de m'accabler, s'écria-t-elle, et n'ayez point la dureté de m'accuser d'une faute que vous avez faite. Pouvez-vous m'en soupçonner, et, puisque j'ai été capable de vous parler, suis-je capable de parler à quelque autre ? »

1145 L'aveu que Mme de Clèves avait fait à son mari était une si grande marque de sa sincérité, et elle niait si fortement de s'être confiée à personne, que M. de Clèves ne savait que penser. D'un autre côté, il était assuré de n'avoir rien redit ; c'était une chose que l'on ne pouvait avoir devinée, elle était sue ; ainsi il fallait
1150 que ce fût par l'un des deux, mais ce qui lui causait une douleur violente, était de savoir que ce secret était entre les mains de quelqu'un, et qu'apparemment il serait bientôt divulgué.

Mme de Clèves pensait à peu près les mêmes choses, elle trouvait également impossible que son mari eût parlé, et qu'il
1155 n'eût pas parlé. Ce qu'avait dit M. de Nemours, que la curiosité pouvait faire faire des imprudences à un mari, lui paraissait se rapporter si juste à l'état de M. de Clèves, qu'elle ne pouvait croire que ce fût une chose que le hasard eût fait dire, et cette vraisemblance la déterminait à croire que M. de
1160 Clèves avait abusé de la confiance qu'elle avait en lui. Ils étaient si occupés l'un et l'autre de leurs pensées, qu'ils furent longtemps sans parler, et ils ne sortirent de ce silence que pour redire les mêmes choses qu'ils avaient déjà dites plusieurs fois, et demeurèrent le cœur et l'esprit plus éloignés et plus altérés
1165 qu'ils ne les avaient encore eus.

Il est aisé de s'imaginer en quel état ils passèrent la nuit. M. de Clèves avait épuisé toute sa constance à soutenir le malheur de voir une femme qu'il adorait touchée de passion pour un autre. Il ne lui restait plus de courage, il croyait
1170 même n'en devoir pas trouver dans une chose où sa gloire et son honneur étaient si vivement blessés. Il ne savait plus que penser de sa femme ; il ne voyait plus quelle conduite il lui devait faire prendre, ni comment il se devait conduire lui-même, et il ne trouvait de tous côtés que des précipices et

1175 des abymes. Enfin, après une agitation et une incertitude très longues, voyant qu'il devait bientôt s'en aller en Espagne, il prit le parti de ne rien faire qui pût augmenter les soupçons ou la connaissance de son malheureux état. Il alla trouver Mme de Clèves, et lui dit qu'il ne s'agissait pas de démêler

1180 entre eux qui avait manqué au secret, mais qu'il s'agissait de faire voir que l'histoire que l'on avait contée était une fable où elle n'avait aucune part, qu'il dépendait d'elle de le persuader à M. de Nemours et aux autres, qu'elle n'avait qu'à agir avec lui avec la sévérité et la froideur qu'elle devait avoir pour un

1185 homme qui lui témoignait de l'amour, que, par ce procédé, elle lui ôterait aisément l'opinion qu'elle eût de l'inclination pour lui, qu'ainsi, il ne fallait point s'affliger de tout ce qu'il aurait pu penser, parce que, si dans la suite elle ne faisait paraître aucune faiblesse, toutes ses pensées se détruiraient

1190 aisément, et que, surtout, il fallait qu'elle allât au Louvre et aux assemblées, comme à l'ordinaire.

Après ces paroles, M. de Clèves quitta sa femme, sans attendre sa réponse. Elle trouva beaucoup de raison dans tout ce qu'il lui dit, et la colère où elle était contre M. de Nemours

1195 lui fit croire qu'elle trouverait aussi beaucoup de facilité à l'exécuter, mais il lui parut difficile de se trouver à toutes les cérémonies du mariage, et d'y paraître avec un visage tranquille et un esprit libre. Néanmoins, comme elle devait porter la robe de Mme la dauphine, et que c'était une chose où elle

1200 avait été préférée à plusieurs autres princesses, il n'y avait pas moyen d'y renoncer, sans faire beaucoup de bruit, et sans en faire chercher des raisons. Elle se résolut donc de faire un effort sur elle-même, mais elle prit le reste du jour pour s'y préparer, et pour s'abandonner à tous les sentiments dont elle était

1205 agitée. Elle s'enferma seule dans son cabinet. De tous ses maux celui qui se présentait à elle avec le plus de violence, était d'avoir sujet de se plaindre de M. de Nemours et de ne trouver aucun moyen de le justifier. Elle ne pouvait douter qu'il n'eût conté cette aventure au vidame de Chartres ; il l'avait avoué,
1210 et elle ne pouvait douter aussi, par la manière dont il avait parlé, qu'il ne sût que l'aventure la regardait. Comment excuser une si grande imprudence, et qu'était devenue l'extrême discrétion de ce prince, dont elle avait été si touchée ?

Il a été discret, disait-elle, tant qu'il a cru être malheureux,
1215 mais une pensée d'un bonheur, même incertain, a fini sa discrétion. Il n'a pu s'imaginer qu'il était aimé, sans vouloir qu'on le sût. Il a dit tout ce qu'il pouvait dire, je n'ai pas avoué que c'était lui que j'aimais, il l'a soupçonné, et il a laissé voir ses soupçons. S'il eût eu des certitudes, il en aurait usé de la même
1220 sorte. J'ai eu tort de croire qu'il y eût un homme capable de cacher ce qui flatte sa gloire. C'est pourtant pour cet homme que j'ai cru si différent du reste des hommes, que je me trouve comme les autres femmes, étant si éloignée de leur ressembler. J'ai perdu le cœur et l'estime d'un mari qui devait faire ma
1225 félicité : je serai bientôt regardée de tout le monde comme une personne qui a une folle et violente passion. Celui pour qui je l'ai ne l'ignore plus, et c'est pour éviter ces malheurs que j'ai hasardé[1] tout mon repos et même ma vie.

Ces tristes réflexions étaient suivies d'un torrent de larmes :
1230 mais quelque douleur dont elle se trouvât accablée, elle sentait bien qu'elle aurait eu la force de les supporter, si elle avait été satisfaite de M. de Nemours.

---

1. **J'ai hasardé** : j'ai risqué.

Ce prince n'était pas dans un état plus tranquille.
L'imprudence qu'il avait faite d'avoir parlé au vidame de
1235 Chartres et les cruelles suites de cette imprudence lui
donnaient un déplaisir mortel. Il ne pouvait se représenter,
sans être accablé, l'embarras, le trouble et l'affliction où il avait
vu Mme de Clèves. Il était inconsolable de lui avoir dit des
choses sur cette aventure, qui, bien que galantes par elles-
1240 mêmes, lui paraissaient dans ce moment grossières et peu
polies, puisqu'elles avaient fait entendre[1] à Mme de Clèves
qu'il n'ignorait pas qu'elle était cette femme qui avait une
passion violente, et qu'il était celui pour qui elle l'avait. Tout
ce qu'il eût pu souhaiter, eût été une conversation avec elle ;
1245 mais il trouvait qu'il la devait craindre plutôt que de la désirer.

Qu'aurais-je à lui dire, s'écriait-il ? Irai-je encore lui
montrer ce que je ne lui ai déjà que trop fait connaître ? Lui
ferai-je voir que je sais qu'elle m'aime, moi qui n'ai jamais
seulement osé lui dire que je l'aimais ? Commencerai-je à lui
1250 parler ouvertement de ma passion, afin de lui paraître un
homme devenu hardi par des espérances ? Puis-je penser
seulement à l'approcher, et oserais-je lui donner l'embarras de
soutenir ma vue ? Par où pourrais-je me justifier ? Je n'ai point
d'excuse, je suis indigne d'être regardé de Mme de Clèves, et
1255 je n'espère pas aussi qu'elle me regarde jamais. Je lui ai donné,
par ma faute, de meilleurs moyens pour se défendre contre
moi que tous ceux qu'elle cherchait, et qu'elle eût peut-être
cherchés inutilement. Je perds, par mon imprudence, le
bonheur et la gloire d'être aimé de la plus aimable et de
1260 la plus estimable personne du monde, mais, si j'avais perdu

---

1. **Entendre** : comprendre.

ce bonheur sans qu'elle en eût souffert, et sans lui avoir donné une douleur mortelle, ce me serait une consolation, et je sens plus dans ce moment le mal que je lui ai fait, que celui que je me suis fait auprès d'elle.

1265   M. de Nemours fut longtemps à s'affliger et à penser les mêmes choses. L'envie de parler à Mme de Clèves lui venait toujours dans l'esprit. Il songea à en trouver les moyens, il pensa à lui écrire, mais enfin, il trouva qu'après la faute qu'il avait faite, et de l'humeur dont elle était, le mieux qu'il pût
1270 faire était de lui témoigner un profond respect, par son affliction et par son silence, de lui faire voir même qu'il n'osait se présenter devant elle, et d'attendre ce que le temps, le hasard et l'inclination qu'elle avait pour lui pourraient faire en sa faveur. Il résolut aussi de ne point faire de reproches au
1275 vidame de Chartres de l'infidélité qu'il lui avait faite, de peur de fortifier ses soupçons.

Les fiançailles de Madame, qui se faisaient le lendemain, et le mariage, qui se faisait le jour suivant, occupaient tellement toute la cour, que Mme de Clèves et M. de Nemours cachèrent
1280 aisément au public leur tristesse et leur trouble. Mme la dauphine ne parla même qu'en passant à Mme de Clèves de la conversation qu'elles avaient eue avec M. de Nemours, et M. de Clèves affecta de ne plus parler à sa femme de tout ce qui s'était passé, de sorte qu'elle ne se trouva pas dans un aussi
1285 grand embarras qu'elle l'avait imaginé.

Les fiançailles se firent au Louvre, et, après le festin et le bal, toute la maison royale alla coucher à l'Évêché, comme c'était la coutume. Le matin, le duc d'Albe, qui n'était jamais vêtu que fort simplement, mit un habit de drap d'or, mêlé de
1290 couleur de feu, de jaune et de noir, tout couvert de pierreries,

et il avait une couronne fermée sur la tête. Le prince d'Orange, habillé aussi magnifiquement, avec ses livrées, et tous les Espagnols suivis des leurs, vinrent prendre le duc d'Albe à l'hôtel de Villeroy, où il était logé, et partirent, marchant
1295 quatre à quatre, pour venir à l'Évêché. Sitôt qu'il fut arrivé, on alla par ordre à l'église ; le roi menait Madame, qui avait aussi une couronne fermée, et sa robe portée par Mlles de Montpensier[1] et de Longueville[2]. La reine marchait ensuite, mais sans couronne. Après elle, venait la reine dauphine,
1300 Madame, sœur du roi, Mme de Lorraine, et la reine de Navarre, leurs robes portées par des princesses. Les reines et les princesses avaient toutes leurs filles magnifiquement habillées des mêmes couleurs qu'elles étaient vêtues, en sorte que l'on connaissait à qui étaient les filles par la couleur de leurs habits.
1305 On monta sur l'échafaud qui était préparé dans l'église, et l'on fit la cérémonie des mariages. On retourna ensuite dîner à l'Évêché ; et, sur les cinq heures, on en partit pour aller au palais, où se faisait le festin, et où le parlement, les cours souveraines et la maison de ville étaient priées d'assister. Le roi, les
1310 reines, les princes et princesses mangèrent sur la table de marbre dans la grande salle du palais, le duc d'Albe assis auprès de la nouvelle reine d'Espagne. Au-dessous des degrés[3] de la table de marbre, et à la main droite du roi, était une table pour les ambassadeurs, les archevêques et les chevaliers de l'ordre[4],
1315 et de l'autre côté une table pour messieurs du parlement.

---

1. Mlle de Montpensier : Anne de Bourbon (1540-1572) est la deuxième fille du duc de Montpensier.

2. Mlle de Longueville : Françoise d'Orléans (1549-1601) est la seconde épouse du prince protestant Louis de Condé.

3. Degrés : escaliers.

4. Il s'agit de l'ordre de Saint-Michel.

Le duc de Guise, vêtu d'une robe de drap d'or frisé, servait le roi[1] de grand-maître[2] ; M. le prince de Condé, de panetier[3] ; et le duc de Nemours, d'échanson[4]. Après que les tables furent levées, le bal commença, il fut interrompu par des ballets et par des machines[5] extraordinaires. On le reprit ensuite, et enfin, après minuit, le roi et toute la cour s'en retournèrent au Louvre. Quelque triste que fût Mme de Clèves, elle ne laissa pas[6] de paraître aux yeux de tout le monde, et surtout aux yeux de M. de Nemours, d'une beauté incomparable. Il n'osa lui parler, quoique l'embarras de cette cérémonie lui en donnât plusieurs moyens, mais il lui fit voir tant de tristesse et une crainte si respectueuse de l'approcher, qu'elle ne le trouva plus si coupable, quoiqu'il ne lui eût rien dit pour se justifier. Il eut la même conduite les jours suivants, et cette conduite fit aussi le même effet sur le cœur de Mme de Clèves.

Enfin, le jour du tournoi arriva. Les reines se rendirent dans les galeries et sur les échafauds[7] qui leur avaient été destinés. Les quatre tenants parurent au bout de la lice, avec une quantité de chevaux et de livrées qui faisaient le plus magnifique spectacle qui eût jamais paru en France.

Le roi n'avait point d'autres couleurs que le blanc et le noir[8], qu'il portait toujours à cause de Mme de Valentinois qui était veuve. M. de Ferrare et toute sa suite avaient du jaune et du rouge.

---

1. **Servait le roi** : servait au roi.
2. **Grand-maître** : serveur.
3. **Panetier** : préposé au pain.
4. **Échanson** : préposé aux boissons.
5. **Machines** : spectacles.
6. **Elle ne laissa pas** : elle ne manqua pas.
7. **Échafauds** : estrades.
8. Ce sont les couleurs de Diane de Poitiers.

M. de Guise parut avec de l'incarnat[1] et du blanc ; on ne savait
1340 d'abord par quelle raison il avait ces couleurs, mais on se souvint
que c'étaient celles d'une belle personne qu'il avait aimée
pendant qu'elle était fille, et qu'il aimait encore, quoiqu'il n'osât
plus le lui faire paraître. M. de Nemours avait du jaune et du
noir, on en chercha inutilement la raison. Mme de Clèves n'eut
1345 pas de peine à la deviner : elle se souvint d'avoir dit devant lui
qu'elle aimait le jaune, et qu'elle était fâchée d'être blonde, parce
qu'elle n'en pouvait mettre. Ce prince crut pouvoir paraître avec
cette couleur, sans indiscrétion, puisque Mme de Clèves n'en
mettant point, on ne pouvait soupçonner que ce fût la sienne.

1350 Jamais on n'a fait voir tant d'adresse que les quatre tenants
en firent paraître. Quoique le roi fût le meilleur homme de
cheval de son royaume, on ne savait à qui donner l'avantage.
M. de Nemours avait un agrément[2] dans toutes ses actions
qui pouvait faire pencher en sa faveur des personnes moins
1355 intéressées que Mme de Clèves. Sitôt qu'elle le vit paraître au
bout de la lice, elle sentit une émotion extraordinaire et, à
toutes les courses de ce prince, elle avait de la peine à cacher
sa joie, lorsqu'il avait heureusement fourni sa carrière[3].

Sur le soir, comme tout était presque fini, et que l'on était
1360 près de se retirer, le malheur de l'État fit que le roi voulut encore
rompre une lance[4]. Il manda au comte de Montgomery[5], qui

---

1. Incarnat : rouge clair et vif.

2. Agrément : grâce.

3. Lorsqu'il avait heureusement fourni sa carrière : lorsqu'il avait bien
combattu.

4. Rompre une lance : se battre à nouveau.

5. Comte de Montgomery : Gabriel de Lorges, comte de Montgomery (1530-
1574), était un brillant militaire, qui combattit par la suite du côté protestant,
pendant les guerres de Religion.

était extrêmement adroit, qu'il se mît sur la lice. Le comte supplia le roi de l'en dispenser, et allégua toutes les excuses dont il put s'aviser, mais le roi, quasi en colère, lui fit dire qu'il le

1365 voulait absolument. La reine manda au roi qu'elle le conjurait de ne plus courir, qu'il avait si bien fait qu'il devait être content, et qu'elle le suppliait de revenir auprès d'elle. Il répondit que c'était pour l'amour d'elle qu'il allait courir encore, et entra dans la barrière. Elle lui renvoya M. de Savoie pour le prier une

1370 seconde fois de revenir, mais tout fut inutile. Il courut, les lances se brisèrent, et un éclat de celle du comte de Montgomery lui donna dans l'œil et y demeura. Ce prince tomba du coup ; ses écuyers et M. de Montmorency, qui était un des maréchaux de camp, coururent à lui. Ils furent étonnés de le voir si blessé,

1375 mais le roi ne s'étonna point. Il dit que c'était peu de chose, et qu'il pardonnait au comte de Montgomery. On peut juger quel trouble et quelle affliction apporta un accident si funeste dans une journée destinée à la joie. Sitôt que l'on eut porté le roi dans son lit, et que les chirurgiens eurent visité sa plaie, ils la trou-

1380 vèrent très considérable. M. le connétable se souvint dans ce moment de la prédiction que l'on avait faite au roi[1], qu'il serait tué dans un combat singulier, et il ne douta point que la prédiction ne fût accomplie.

Le roi d'Espagne, qui était alors à Bruxelles, étant averti de

1385 cet accident, envoya son médecin[2], qui était un homme d'une grande réputation, mais il jugea le roi sans espérance.

Une cour aussi partagée et aussi remplie d'intérêts opposés n'était pas dans une médiocre agitation à la veille d'un si

---

1. Un astrologue avait prédit au roi qu'il mourrait en duel, (tome II, p. 85).
2. Ambroise Paré était le médecin ordinaire de Henri II. Celui de Philippe II était Andreas Vesalius, grand anatomiste de la Renaissance.

grand événement, néanmoins, tous les mouvements étaient
1390 cachés, et l'on ne paraissait occupé que de l'unique inquiétude
de la santé du roi. Les reines, les princes et les princesses ne
sortaient presque point de son antichambre.

Mme de Clèves, sachant qu'elle était obligée d'y être,
qu'elle y verrait M. de Nemours, qu'elle ne pourrait cacher à
1395 son mari l'embarras que lui causait cette vue, connaissant aussi
que la seule présence de ce prince le justifiait à ses yeux, et
détruisait toutes ses résolutions, prit le parti de feindre d'être
malade. La cour était trop occupée pour avoir de l'attention à
sa conduite et pour démêler si son mal était faux ou véritable.
1400 Son mari seul pouvait en connaître la vérité, mais elle n'était
pas fâchée qu'il la connût. Ainsi elle demeura chez elle, peu
occupée du grand changement qui se préparait, et, remplie de
ses propres pensées, elle avait toute la liberté de s'y abandonner. Tout le monde était chez le roi. M. de Clèves venait à
1405 de certaines heures lui en dire des nouvelles. Il conservait avec
elle le même procédé qu'il avait toujours eu, hors que[1], quand
ils étaient seuls, il y avait quelque chose d'un peu plus froid et
de moins libre. Il ne lui avait point reparlé de tout ce qui
s'était passé ; et elle n'avait pas eu la force, et n'avait pas même
1410 jugé à propos de reprendre cette conversation.

M. de Nemours, qui s'était attendu à trouver quelques
moments à parler à Mme de Clèves, fut bien surpris et bien
affligé de n'avoir pas seulement le plaisir de la voir. Le mal du
roi se trouva si considérable que le septième jour il fut déses-
1415 péré des médecins. Il reçut la certitude de sa mort avec une
fermeté extraordinaire, et d'autant plus admirable qu'il perdait

---

1. **Hors que** : hormis que.

la vie par un accident si malheureux, qu'il mourait à la fleur de son âge, heureux, adoré de ses peuples, et aimé d'une maîtresse qu'il aimait éperdument. La veille de sa mort, il fit
1420 faire le mariage de Madame, sa sœur, avec M. de Savoie, sans cérémonie. L'on peut juger en quel état était la duchesse de Valentinois. La reine ne permit point qu'elle vît le roi, et lui envoya demander les cachets[1] de ce prince, et les pierreries de la couronne qu'elle avait en garde. Cette duchesse s'enquit si
1425 le roi était mort ; et, comme on lui eut répondu que non :

« Je n'ai donc point encore de maître, répondit-elle, et personne ne peut m'obliger à rendre ce que sa confiance m'a mis entre les mains. »

Sitôt qu'il fut expiré[2] au château des Tournelles, le duc de
1430 Ferrare, le duc de Guise et le duc de Nemours conduisirent au Louvre la reine mère, le roi et la reine sa femme[3]. M. de Nemours menait la reine mère. Comme ils commençaient à marcher, elle se recula de quelques pas et dit à la reine, sa belle-fille, que c'était à elle à passer la première[4] ; mais il fut
1435 aisé de voir qu'il y avait plus d'aigreur que de bienséance dans ce compliment.

FIN DU TROISIÈME TOME

---

1. **Cachets** : sceaux.
2. Henri II mourut le 10 juillet 1559.
3. **La reine mère, le roi et la reine sa femme** : il s'agit de Catherine de Médicis, de François II et Marie Stuart.
4. Dès que le roi meurt, son successeur devient roi. Catherine de Médicis doit par conséquent céder la place de reine à la femme de François II, Marie Stuart.

Tome quatrième

Le cardinal de Lorraine s'était rendu maître absolu de l'esprit de la reine mère, le vidame de Chartres n'avait plus aucune part dans ses bonnes grâces, et l'amour qu'il avait pour Mme de Martigues et pour la liberté l'avait même empêché de sentir cette perte autant qu'elle méritait d'être sentie. Ce cardinal, pendant les dix jours de la maladie du roi, avait eu le loisir de former ses desseins, et de faire prendre à la reine des résolutions conformes à ce qu'il avait projeté, de sorte que, sitôt que le roi fut mort, la reine ordonna au connétable[1] de demeurer aux Tournelles auprès du corps du feu roi pour faire les cérémonies ordinaires. Cette commission l'éloignait de tout et lui ôtait la liberté d'agir. Il envoya un courrier au roi de Navarre pour le faire venir en diligence, afin de s'opposer ensemble à la grande élévation où il voyait que messieurs de Guise allaient parvenir. On donna le commandement des armées au duc de Guise, et les finances au cardinal de Lorraine. La duchesse de Valentinois fut chassée de la cour; on fit revenir le cardinal de Tournon, ennemi déclaré du connétable, et le chancelier Olivier, ennemi déclaré de la duchesse de Valentinois. Enfin la cour changea entièrement de face. Le duc de Guise prit le même rang que les princes du sang à porter

---

1. **Connétable** : connétable de Montmorency.

le manteau du roi aux cérémonies des funérailles ; lui et ses frères furent entièrement les maîtres, non seulement par le crédit du cardinal sur l'esprit de la reine, mais parce que cette
25 princesse crut qu'elle pourrait les éloigner s'ils lui donnaient de l'ombrage, et qu'elle ne pourrait éloigner le connétable, qui était appuyé des princes du sang.

Lorsque les cérémonies du deuil furent achevées, le connétable vint au Louvre et fut reçu du roi avec beaucoup de froi-
30 deur. Il voulut lui parler en particulier, mais le roi appela messieurs de Guise, et lui dit devant eux qu'il lui conseillait de se reposer ; que les finances et le commandement des armées étaient donnés ; et que, lorsqu'il aurait besoin de ses conseils, il l'appellerait auprès de sa personne. Il fut reçu de la
35 reine mère[1] encore plus froidement que du roi, et elle lui fit même des reproches de ce qu'il avait dit au feu roi que ses enfants ne lui ressemblaient point. Le roi de Navarre arriva et ne fut pas mieux reçu. Le prince de Condé, moins endurant que son frère, se plaignit hautement, ses plaintes furent
40 inutiles, on l'éloigna de la cour sous le prétexte de l'envoyer en Flandre signer la ratification de la paix. On fit voir au roi de Navarre une fausse lettre du roi d'Espagne qui l'accusait de faire des entreprises sur ses places, on lui fit craindre pour ses terres, enfin on lui inspira le dessein de s'en aller en Béarn.
45 La reine lui en fournit un moyen en lui donnant la conduite de Mme Élisabeth, et l'obligea même à partir devant[2] cette princesse, et ainsi il ne demeura personne à la cour qui pût balancer[3] le pouvoir de la maison de Guise.

---

1. Catherine de Médicis est désormais la reine mère.
2. Devant : avant.
3. Balancer : menacer.

Quoique ce fût une chose fâcheuse pour M. de Clèves de ne pas conduire Mme Élisabeth, néanmoins il ne put s'en plaindre par la grandeur de celui qu'on lui préférait, mais il regrettait moins cet emploi par l'honneur qu'il en eût reçu que parce que c'était une chose qui éloignait sa femme de la cour sans qu'il parût qu'il eût dessein de l'en éloigner.

Peu de jours après la mort du roi, on résolut d'aller à Reims pour le sacre[1]. Sitôt qu'on parla de ce voyage, Mme de Clèves, qui avait toujours demeuré chez elle, feignant d'être malade, pria son mari de trouver bon qu'elle ne suivît point la cour et qu'elle s'en allât à Coulommiers prendre l'air et songer à sa santé. Il lui répondit qu'il ne voulait point pénétrer si c'était la raison de sa santé qui l'obligeait à ne pas faire le voyage, mais qu'il consentait qu'elle ne le fît point. Il n'eut pas de peine à consentir à une chose qu'il avait déjà résolue. Quelque bonne opinion qu'il eût de la vertu de sa femme, il voyait bien que la prudence ne voulait pas qu'il l'exposât plus longtemps à la vue d'un homme qu'elle aimait.

M. de Nemours sut bientôt que Mme de Clèves ne devait pas suivre la cour, il ne put se résoudre à partir sans la voir ; et, la veille du départ, il alla chez elle aussi tard que la bienséance le pouvait permettre afin de la trouver seule. La fortune favorisa son intention. Comme il entra dans la cour, il trouva Mme de Nevers et Mme de Martigues qui en sortaient, et qui lui dirent qu'elles l'avaient laissée seule. Il monta avec une agitation et un trouble qui ne se peut comparer qu'à celui qu'eut Mme de Clèves, quand on lui dit que M. de Nemours venait pour la voir. La crainte qu'elle eut qu'il ne lui parlât de

---

1. François II fut sacré le 21 septembre 1559.

sa passion, l'appréhension de lui répondre trop favorablement, l'inquiétude que cette visite pouvait donner à son mari, la peine de lui en rendre compte ou de lui cacher toutes ces choses se présentèrent en un moment à son esprit, et lui firent un si grand embarras qu'elle prit la résolution d'éviter la chose du monde qu'elle souhaitait peut-être le plus. Elle envoya une de ses femmes à M. de Nemours, qui était dans son antichambre, pour lui dire qu'elle venait de se trouver mal et qu'elle était bien fâchée de ne pouvoir recevoir l'honneur qu'il lui voulait faire. Quelle douleur pour ce prince de ne pas voir Mme de Clèves et de ne la pas voir parce qu'elle ne voulait pas qu'il la vît ! Il s'en allait le lendemain, il n'avait plus rien à espérer du hasard. Il ne lui avait rien dit depuis cette conversation de chez Mme la dauphine, et il avait lieu de croire que la faute d'avoir parlé au vidame avait détruit toutes ses espérances, enfin, il s'en allait avec tout ce qui peut aigrir une vive douleur.

Sitôt que Mme de Clèves fut un peu remise du trouble que lui avait donné la pensée de la visite de ce prince, toutes les raisons qui la lui avaient fait refuser disparurent ; elle trouva même qu'elle avait fait une faute ; et, si elle eût osé, ou qu'il eût encore été assez à temps, elle l'aurait fait rappeler.

Mesdames de Nevers et de Martigues, en sortant de chez elle, allèrent chez la reine dauphine ; M. de Clèves y était. Cette princesse leur demanda d'où elles venaient ; elles lui dirent qu'elles venaient de chez M. de Clèves, où elles avaient passé une partie de l'après-dînée avec beaucoup de monde, et qu'elles n'y avaient laissé que M. de Nemours. Ces paroles, qu'elles croyaient si indifférentes, ne l'étaient pas pour M. de Clèves, quoiqu'il dût bien s'imaginer que M. de Nemours pouvait trouver souvent des occasions de parler à sa femme. Néanmoins, la pensée qu'il était chez elle, qu'il y était seul, et qu'il lui pouvait parler de son amour, lui parut dans ce moment une chose si nouvelle et si insupportable que la jalousie s'alluma dans son cœur avec plus de violence qu'elle n'avait encore fait. Il lui fut impossible de demeurer chez la reine, il s'en revint, ne sachant pas même pourquoi il revenait, et s'il avait dessein d'aller interrompre M. de Nemours. Sitôt qu'il approcha de chez lui, il regarda s'il ne verrait rien qui lui pût faire juger si ce prince y était encore, il sentit du soulagement en voyant qu'il n'y était plus, et il trouva de la douceur à penser qu'il ne pouvait y avoir demeuré longtemps. Il s'imagina que ce n'était peut-être pas M. de Nemours dont il devait être jaloux et, quoiqu'il n'en doutât point, il cherchait à en douter, mais tant de choses l'en auraient persuadé qu'il ne demeurait pas longtemps dans cette incertitude qu'il désirait. Il alla d'abord dans la chambre de sa femme ; et, après lui avoir parlé quelque temps de choses indifférentes, il ne put s'empêcher de lui demander ce qu'elle avait fait, et qui elle avait vu ; elle lui en rendit compte. Comme il vit qu'elle ne lui nommait point M. de Nemours, il lui demanda en tremblant si c'était tout ce qu'elle avait vu, afin de lui donner lieu de nommer ce prince, et de n'avoir pas la douleur qu'elle lui en fît une finesse. Comme elle ne l'avait point vu, elle ne le lui nomma point, et M. de Clèves reprenant la parole avec un ton qui marquait son affliction :

« Et M. de Nemours, lui dit-il, ne l'avez-vous point vu ou l'avez-vous oublié ?

— Je ne l'ai point vu, en effet, répondit-elle, je me trouvais mal et j'ai envoyé une de mes femmes lui faire des excuses.

— Vous ne vous trouviez donc mal que pour lui, reprit
M. de Clèves, puisque vous avez vu tout le monde ? Pourquoi
des distinctions pour M. de Nemours ? Pourquoi ne vous
140 est-il pas comme un autre ? Pourquoi faut-il que vous crai-
gniez sa vue ? Pourquoi lui laissez-vous voir que vous la craignez ? Pourquoi lui faites-vous connaître que vous vous servez
du pouvoir que sa passion vous donne sur lui ? Oseriez-vous
refuser de le voir si vous ne saviez bien qu'il distingue vos
145 rigueurs de l'incivilité ? Mais pourquoi faut-il que vous ayez
des rigueurs pour lui ? D'une personne comme vous, Madame,
tout est des faveurs hors l'indifférence.

— Je ne croyais pas, reprit Mme de Clèves, quelque soupçon
que vous ayez sur M. de Nemours, que vous pussiez me faire
150 des reproches de ne l'avoir pas vu.

— Je vous en fais pourtant, Madame, répliqua-t-il, et ils sont
bien fondés. Pourquoi ne le pas voir s'il ne vous a rien dit ? Mais,
Madame, il vous a parlé ; si son silence seul vous avait témoigné
sa passion, elle n'aurait pas fait en vous une si grande impres-
155 sion. Vous n'avez pu me dire la vérité tout entière, vous m'en
avez caché la plus grande partie, vous vous êtes repentie même
du peu que vous m'avez avoué et vous n'avez pas eu la force de
continuer. Je suis plus malheureux que je ne l'ai cru et je suis le
plus malheureux de tous les hommes. Vous êtes ma femme, je
160 vous aime comme ma maîtresse et je vous en vois aimer un
autre ! Cet autre est le plus aimable de la cour, et il vous voit
tous les jours, il sait que vous l'aimez. Et j'ai pu croire, s'écria-
t-il, que vous surmonteriez la passion que vous avez pour lui !
Il faut que j'aie perdu la raison, pour avoir cru qu'il fût possible.
165 — Je ne sais, reprit tristement Mme de Clèves, si vous avez
eu tort de juger favorablement d'un procédé aussi extraordi-

172

naire que le mien, mais je ne sais si je ne me suis trompée
d'avoir cru que vous me feriez justice?

— N'en doutez pas, Madame, répliqua M. de Clèves, vous
vous êtes trompée, vous avez attendu de moi des choses aussi
impossibles que celles que j'attendais de vous. Comment
pouviez-vous espérer que je conservasse de la raison? Vous
aviez donc oublié que je vous aimais éperdument et que j'étais
votre mari? L'un des deux peut porter aux extrémités, que ne
peuvent point les deux ensemble? Eh! Que ne sont-ils point
aussi! continua-t-il. Je n'ai que des sentiments violents et
incertains dont je ne suis pas le maître. Je ne me trouve plus
digne de vous, vous ne me paraissez plus digne de moi. Je vous
adore, je vous hais, je vous offense, je vous demande pardon, je
vous admire, j'ai honte de vous admirer. Enfin, il n'y a plus en
moi ni de calme ni de raison. Je ne sais comment j'ai pu vivre
depuis que vous me parlâtes à Coulommiers, et depuis le jour
que vous apprîtes de Mme la dauphine que l'on savait votre
aventure. Je ne saurais démêler par où elle a été sue, ni ce qui
se passa entre M. de Nemours et vous sur ce sujet : vous ne me
l'expliquerez jamais, et je ne vous demande point de me l'expliquer. Je vous demande seulement de vous souvenir que vous
m'avez rendu le plus malheureux homme du monde. »

M. de Clèves sortit de chez sa femme après ces paroles, et
partit le lendemain sans la voir, mais il lui écrivit une lettre
pleine d'affliction, d'honnêteté et de douceur. Elle y fit
une réponse si touchante et si remplie d'assurances de sa
conduite passée[1], et de celle qu'elle aurait à l'avenir que,

---

1. **Si remplie d'assurances de sa conduite passée** : où elle proclamait avec
tant d'assurance sa bonne conduite passée.

comme ses assurances étaient fondées sur la vérité, et que
c'était en effet ses sentiments, cette lettre fit de l'impression
sur M. de Clèves, et lui donna quelque calme ; joint que[1]
M. de Nemours allant trouver le roi, aussi bien que lui, il
avait le repos de savoir qu'il ne serait pas au même lieu que
Mme de Clèves. Toutes les fois que cette princesse parlait à
son mari, la passion qu'il lui témoignait, l'honnêteté de son
procédé, l'amitié qu'elle avait pour lui, et ce qu'elle lui devait,
faisaient des impressions dans son cœur qui affaiblissaient
l'idée de M. de Nemours, mais ce n'était que pour quelque
temps, et cette idée revenait bientôt plus vive et plus présente
qu'auparavant.

Les premiers jours du départ de ce prince, elle ne sentit
quasi pas son absence ; ensuite elle lui parut cruelle. Depuis
qu'elle l'aimait, il ne s'était point passé de jour qu'elle n'eût
craint ou espéré de le rencontrer, et elle trouva une grande
peine à penser qu'il n'était plus au pouvoir du hasard de faire
qu'elle le rencontrât.

Elle s'en alla à Coulommiers, et, en y allant, elle eut soin
d'y faire porter de grands tableaux qu'elle avait fait copier sur
des originaux qu'avait fait faire Mme de Valentinois pour sa
belle maison d'Anet. Toutes les actions remarquables qui
s'étaient passées du règne du roi étaient dans ces tableaux. Il
y avait entre autres le siège de Metz[2], et tous ceux qui s'y
étaient distingués étaient peints fort ressemblants. M. de
Nemours était de ce nombre, et c'était peut-être ce qui avait
donné envie à Mme de Clèves d'avoir ces tableaux.

---

1. Joint que : en outre.
2. Lors du siège de Metz (1552), le chevalier de Guise dirigea les armées de
Henri II contre celles de Charles Quint.

Mme de Martigues, qui n'avait pu partir avec la cour, lui promit d'aller passer quelques jours à Coulommiers. La faveur de la reine qu'elles partageaient ne leur avait point donné d'envie[1] ni d'éloignement l'une de l'autre ; elles étaient amies, sans néanmoins se confier leurs sentiments. Mme de Clèves savait que Mme de Martigues aimait le vidame ; mais Mme de Martigues ne savait pas que Mme de Clèves aimât M. de Nemours, ni qu'elle en fût aimée. La qualité de nièce du vidame rendait Mme de Clèves plus chère à Mme de Martigues, et Mme de Clèves l'aimait aussi comme une personne qui avait une passion aussi bien qu'elle, et qui l'avait pour l'ami intime de son amant[2].

Mme de Martigues vint à Coulommiers, comme elle l'avait promis à Mme de Clèves, elle la trouva dans une vie fort solitaire. Cette princesse avait même cherché le moyen d'être dans une solitude entière, et de passer les soirs dans les jardins, sans être accompagnée de ses domestiques. Elle venait dans ce pavillon où M. de Nemours l'avait écoutée, elle entrait dans le cabinet qui était ouvert sur le jardin. Ses femmes et ses domestiques demeuraient dans l'autre cabinet ou sous le pavillon, et ne venaient point à elle qu'elle ne les appelât. Mme de Martigues n'avait jamais vu Coulommiers : elle fut surprise de toutes les beautés qu'elle y trouva, et surtout de l'agrément[3] de ce pavillon. Mme de Clèves et elle y passaient tous les soirs. La liberté de se trouver seules, la nuit, dans le plus beau lieu du monde, ne laissait pas finir la conversation entre deux jeunes personnes qui avaient des passions violentes

---

1. Envie : jalousie.
2. Amant : celui qu'elle aime.
3. Agrément : confort, beauté.

dans le cœur ; et, quoiqu'elles ne s'en fissent point de confidence, elles trouvaient un grand plaisir à se parler. Mme de Martigues aurait eu de la peine à quitter Coulommiers, si, en le quittant, elle n'eût dû aller dans un lieu où était le vidame. Elle partit pour aller à Chambord, où la cour était alors.

Le sacre avait été fait à Reims par le cardinal de Lorraine, et l'on devait passer le reste de l'été dans le château de Chambord, qui était nouvellement bâti. La reine témoigna une grande joie de revoir Mme de Martigues ; et, après lui en avoir donné plusieurs marques, elle lui demanda des nouvelles de Mme de Clèves et de ce qu'elle faisait à la campagne. M. de Nemours et M. de Clèves étaient alors chez cette reine. Mme de Martigues, qui avait trouvé Coulommiers admirable, en conta toutes les beautés, et elle s'étendit extrêmement sur la description de ce pavillon de la forêt, et sur le plaisir qu'avait Mme de Clèves de s'y promener seule une partie de la nuit. M. de Nemours, qui connaissait assez le lieu pour entendre ce qu'en disait Mme de Martigues, pensa qu'il n'était pas impossible qu'il y pût voir Mme de Clèves sans être vu que d'elle. Il fit quelques questions à Mme de Martigues, pour s'en éclaircir encore ; et M. de Clèves, qui l'avait toujours regardé pendant que Mme de Martigues avait parlé, crut voir dans ce moment ce qui lui passait dans l'esprit. Les questions que fit ce prince le confirmèrent encore dans cette pensée, en sorte qu'il ne douta point qu'il n'eût dessein d'aller voir sa femme. Il ne se trompait pas dans ses soupçons. Ce dessein entra si fortement dans l'esprit de M. de Nemours, qu'après avoir passé la nuit à songer aux moyens de l'exécuter, dès le lendemain matin, il demanda congé au roi pour aller à Paris, sur quelque prétexte qu'il inventa.

M. de Clèves ne douta point du sujet de ce voyage, mais il résolut de s'éclaircir de la conduite de sa femme, et de ne pas demeurer dans une cruelle incertitude. Il eut envie de partir en même temps que M. de Nemours, et de venir lui-même, caché, découvrir quel succès aurait ce voyage, mais, craignant que son départ ne parût extraordinaire, et que M. de Nemours, en étant averti, ne prît d'autres mesures, il résolut de se fier à un gentilhomme qui était à lui, dont il connaissait la fidélité et l'esprit. Il lui conta dans quel embarras il se trouvait. Il lui dit quelle avait été jusqu'alors la vertu de Mme de Clèves et lui ordonna de partir sur les pas de M. de Nemours, de l'observer exactement, de voir s'il n'irait point à Coulommiers, et s'il n'entrerait point la nuit dans le jardin.

Le gentilhomme, qui était très capable d'une telle commission, s'en acquitta avec toute l'exactitude imaginable. Il suivit M. de Nemours jusqu'à un village, à une demi-lieue de Coulommiers, où ce prince s'arrêta, et le gentilhomme devina aisément que c'était pour y attendre la nuit. Il ne crut pas à propos de l'y attendre aussi, il passa le village, et alla dans la forêt à l'endroit par où il jugeait que M. de Nemours pouvait passer. Il ne se trompa point dans tout ce qu'il avait pensé. Sitôt que la nuit fut venue, il entendit marcher, et, quoiqu'il fît obscur, il reconnut aisément M. de Nemours. Il le vit faire le tour du jardin, comme pour écouter s'il n'y entendrait personne, et pour choisir le lieu par où il pourrait passer le plus aisément. Les palissades étaient fort hautes, et il y en avait encore derrière, pour empêcher qu'on ne pût entrer, en sorte qu'il était assez difficile de se faire passage. M. de Nemours en vint à bout néanmoins; sitôt qu'il fut dans ce jardin, il n'eut pas de peine à démêler où était Mme de Clèves.

Il vit beaucoup de lumières dans le cabinet, toutes les fenêtres en étaient ouvertes et, en se glissant le long des palissades, il s'en approcha avec un trouble et une émotion qu'il est aisé de se représenter. Il se rangea derrière une des fenêtres qui servait de porte pour voir ce que faisait Mme de Clèves. Il vit qu'elle était seule, mais il la vit d'une si admirable beauté, qu'à peine fut-il maître du transport que lui donna cette vue. Il faisait chaud, et elle n'avait rien sur sa tête et sur sa gorge que ses cheveux confusément rattachés. Elle était sur un lit de repos, avec une table devant elle, où il y avait plusieurs corbeilles pleines de rubans, elle en choisit quelques-uns, et M. de Nemours remarqua que c'étaient des mêmes couleurs qu'il avait portées au tournoi. Il vit qu'elle en faisait des nœuds à une canne des Indes fort extraordinaire, qu'il avait portée quelque temps, et qu'il avait donnée à sa sœur, à qui Mme de Clèves l'avait prise sans faire semblant de la reconnaître pour avoir été à M. de Nemours. Après qu'elle eut achevé son ouvrage avec une grâce et une douceur que répandaient sur son visage les sentiments qu'elle avait dans le cœur, elle prit un flambeau et s'en alla proche d'une grande table, vis-à-vis du tableau du siège de Metz, où était le portrait de M. de Nemours, elle s'assit et se mit à regarder ce portrait avec une attention et une rêverie que la passion seule peut donner.

On ne peut exprimer ce que sentit M. de Nemours dans ce moment. Voir, au milieu de la nuit, dans le plus beau lieu du monde, une personne qu'il adorait, la voir sans qu'elle sût qu'il la voyait, et la voir tout occupée de choses qui avaient du rapport à lui et à la passion qu'elle lui cachait, c'est ce qui n'a jamais été goûté ni imaginé par nul autre amant.

Ce prince était aussi tellement hors de lui-même, qu'il demeurait immobile à regarder Mme de Clèves, sans songer que les moments lui étaient précieux. Quand il fut un peu remis, il pensa qu'il devait attendre à lui parler[1] qu'elle allât dans le jardin, il crut qu'il le pourrait faire avec plus de sûreté, parce qu'elle serait plus éloignée de ses femmes, mais, voyant qu'elle demeurait dans le cabinet, il prit la résolution d'y entrer. Quand il voulut l'exécuter, quel trouble n'eut-il point ! Quelle crainte de lui déplaire ! Quelle peur de faire changer ce visage où il y avait tant de douceur et de le voir devenir plein de sévérité et de colère !

Il trouva qu'il y avait eu de la folie, non pas à venir voir Mme de Clèves sans être vu, mais à penser de s'en faire voir ; il vit tout ce qu'il n'avait point encore envisagé. Il lui parut de l'extravagance dans sa hardiesse de venir surprendre, au milieu de la nuit, une personne à qui il n'avait encore jamais parlé de son amour. Il pensa qu'il ne devait pas prétendre qu'elle le voulût écouter, et qu'elle aurait une juste colère du péril où il l'exposait par les accidents qui pouvaient arriver. Tout son courage l'abandonna et il fut prêt plusieurs fois à prendre la résolution de s'en retourner sans se faire voir. Poussé néanmoins par le désir de lui parler, et rassuré par les espérances que lui donnait tout ce qu'il avait vu, il avança quelques pas, mais avec tant de trouble, qu'une écharpe qu'il avait s'embarrassa dans la fenêtre, en sorte qu'il fit du bruit. Mme de Clèves tourna la tête, et, soit qu'elle eût l'esprit rempli de ce prince, ou qu'il fût dans un lieu où la lumière donnait assez pour qu'elle le pût distinguer, elle crut le

---

1. À lui parler : pour lui parler.

reconnaître ; et, sans balancer ni se retourner du côté où il était, elle entra dans le lieu où étaient ses femmes[1]. Elle y entra avec tant de trouble, qu'elle fut contrainte, pour le cacher, de dire qu'elle se trouvait mal ; et elle le dit aussi pour occuper tous ses gens, et pour donner le temps à M. de Nemours de se retirer. Quand elle eut fait quelque réflexion, elle pensa qu'elle s'était trompée et que c'était un effet de son imagination d'avoir cru voir M. de Nemours. Elle savait qu'il était à Chambord, elle ne trouvait nulle apparence qu'il eût entrepris une chose si hasardeuse, elle eut envie plusieurs fois de rentrer dans le cabinet, et d'aller voir dans le jardin s'il y avait quelqu'un. Peut-être souhaitait-elle, autant qu'elle le craignait, d'y trouver M. de Nemours, mais enfin, la raison et la prudence l'emportèrent sur tous ses autres sentiments, et elle trouva qu'il valait mieux demeurer dans le doute où elle était que de prendre le hasard de s'en éclaircir. Elle fut long-temps à se résoudre à sortir d'un lieu dont elle pensait que ce prince était peut-être si proche, et il était quasi jour quand elle revint au château.

M. de Nemours était demeuré dans le jardin tant qu'il avait vu de la lumière, il n'avait pu perdre l'espérance de revoir Mme de Clèves, quoiqu'il fût persuadé qu'elle l'avait reconnu, et qu'elle n'était sortie que pour l'éviter, mais, voyant qu'on fermait les portes, il jugea bien qu'il n'avait plus rien à espérer. Il vint reprendre son cheval tout proche du lieu où attendait le gentilhomme de M. de Clèves. Ce gentilhomme le suivit jusqu'au même village d'où il était parti le soir. M. de Nemours se résolut d'y passer tout le jour, afin de retourner

---

1. **Ses femmes** : les jeunes femmes constituant sa compagnie la plus proche.

la nuit à Coulommiers pour voir si Mme de Clèves aurait
encore la cruauté de le fuir, ou celle de ne se pas exposer à être
vue. Quoiqu'il eût une joie sensible de l'avoir trouvée si
remplie de son idée, il était néanmoins très affligé de lui avoir
vu un mouvement si naturel de le fuir.

La passion n'a jamais été si tendre et si violente qu'elle
l'était alors en ce prince. Il s'en alla sous des saules, le long
d'un petit ruisseau qui coulait derrière la maison où il était
caché. Il s'éloigna le plus qu'il lui fut possible, pour n'être vu
ni entendu de personne ; il s'abandonna aux transports de son
amour et son cœur en fut tellement pressé qu'il fut contraint
de laisser couler quelques larmes, mais ces larmes n'étaient
pas de celles que la douleur seule fait répandre, elles étaient
mêlées de douceur et de ce charme qui ne se trouve que dans
l'amour.

Il se mit à repasser toutes les actions de Mme de Clèves
depuis qu'il en était amoureux, quelle rigueur honnête et
modeste elle avait toujours eue pour lui, quoiqu'elle l'aimât.

« Car, enfin, elle m'aime, disait-il, elle m'aime, je n'en
saurais douter ; les plus grands engagements et les plus
grandes faveurs ne sont pas des marques si assurées que celles
que j'en ai eues. Cependant je suis traité avec la même rigueur
que si j'étais haï. J'ai espéré au temps[1], je n'en dois plus rien
attendre, je la vois toujours se défendre également contre
moi et contre elle-même. Si je n'étais point aimé, je songerais
à plaire, mais je plais, on m'aime, et on me le cache. Que
puis-je donc espérer, et quel changement dois-je attendre

---

1. **J'ai espéré au temps** : j'ai espéré que le temps viendrait à bout de ses
rigueurs.

dans ma destinée ? Quoi ! Je serai aimé de la plus aimable personne du monde, et je n'aurai cet excès d'amour que donnent les premières certitudes d'être aimé que pour mieux sentir la douleur d'être maltraité ! Laissez-moi voir que vous
425   m'aimez, belle princesse, s'écria-t-il, laissez-moi voir vos sentiments pourvu que je les connaisse par vous une fois en ma vie, je consens que vous repreniez pour toujours ces rigueurs dont vous m'accabliez. Regardez-moi du moins avec ces mêmes yeux dont je vous ai vue cette nuit regarder mon
430   portrait. Pouvez-vous l'avoir regardé avec tant de douceur, et m'avoir fui moi-même si cruellement ? Que craignez-vous ? Pourquoi mon amour vous est-il si redoutable ? Vous m'aimez, vous me le cachez inutilement ; vous-même m'en avez donné des marques involontaires. Je sais mon bonheur,
435   laissez m'en jouir, et cessez de me rendre malheureux. Est-il possible, reprenait-il, que je sois aimé de Mme de Clèves, et que je sois malheureux ? Qu'elle était belle cette nuit ! Comment ai-je pu résister à l'envie de me jeter à ses pieds ? Si je l'avais fait, je l'aurais peut-être empêchée de me fuir, mon
440   respect l'aurait rassurée, mais peut-être elle ne m'a pas reconnu, je m'afflige plus que je ne dois, et la vue d'un homme à une heure si extraordinaire l'a effrayée. »

Ces mêmes pensées occupèrent tout le jour M. de Nemours. Il attendit la nuit avec impatience, et quand elle fut venue, il
445   reprit le chemin de Coulommiers. Le gentilhomme de M. de Clèves, qui s'était déguisé afin d'être moins remarqué, le suivit jusqu'au lieu où il l'avait suivi le soir d'auparavant, et le vit entrer dans le même jardin. Ce prince connut bientôt que Mme de Clèves n'avait pas voulu hasarder qu'il essayât encore
450   de la voir : toutes les portes étaient fermées. Il tourna de tous

les côtés pour découvrir s'il ne verrait point de lumières, mais ce fut inutilement.

Mme de Clèves, s'étant doutée que M. de Nemours pourrait revenir, était demeurée dans sa chambre ; elle avait appréhendé de n'avoir pas toujours la force de le fuir, et elle n'avait pas voulu se mettre au hasard de lui parler d'une manière si peu conforme à la conduite qu'elle avait eue jusqu'alors.

Quoique M. de Nemours n'eût aucune espérance de la voir, il ne put se résoudre à sortir sitôt d'un lieu où elle était si souvent. Il passa la nuit entière dans le jardin, et trouva quelque consolation à voir du moins les mêmes objets qu'elle voyait tous les jours. Le soleil était levé devant qu'il[1] pensât à se retirer, mais enfin la crainte d'être découvert l'obligea à s'en aller.

Il lui fut impossible de s'éloigner sans voir Mme de Clèves, et il alla chez Mme de Mercœur, qui était alors dans cette maison qu'elle avait proche de Coulommiers. Elle fut extrêmement surprise de l'arrivée de son frère. Il inventa une cause de son voyage assez vraisemblable pour la tromper, et enfin il conduisit si habilement son dessein qu'il l'obligea à lui proposer d'elle-même d'aller chez Mme de Clèves. Cette proposition fut exécutée dès le même jour, et M. de Nemours dit à sa sœur qu'il la quitterait à Coulommiers pour s'en retourner en diligence trouver le roi. Il fit ce dessein de la quitter à Coulommiers, dans la pensée de l'en laisser partir la première, et il crut avoir trouvé un moyen infaillible de parler à Mme de Clèves.

Comme ils arrivèrent, elle se promenait dans une grande allée qui borde le parterre. La vue de M. de Nemours ne lui

----

1. **Devant qu'il** : avant qu'il.

causa pas un médiocre trouble, et ne lui laissa plus douter que
ce ne fût lui qu'elle avait vu la nuit précédente. Cette certitude lui donna quelque mouvement de colère par la hardiesse
et l'imprudence qu'elle trouvait dans ce qu'il avait entrepris.
Ce prince remarqua une impression de froideur sur son visage
qui lui donna une sensible douleur. La conversation fut de
choses indifférentes, et néanmoins il trouva l'art d'y faire
paraître tant d'esprit, tant de complaisance, et tant d'admiration pour Mme de Clèves, qu'il dissipa malgré elle une partie
de la froideur qu'elle avait eue d'abord.

Lorsqu'il se sentit rassuré de sa première crainte, il témoigna
une extrême curiosité d'aller voir le pavillon de la forêt. Il en
parla comme du plus agréable lieu du monde, et en fit même
une description si particulière que Mme de Mercœur lui dit
qu'il fallait qu'il y eût été plusieurs fois pour en connaître si
bien toutes les beautés.

« Je ne crois pourtant pas, reprit Mme de Clèves, que
M. de Nemours y ait jamais entré, c'est un lieu qui n'est achevé
que depuis peu.

– Il n'y a pas longtemps aussi que j'y ai été, reprit
M. de Nemours en la regardant, et je ne sais si je ne dois point
être bien aise que vous ayez oublié de m'y avoir vu. »

Mme de Mercœur, qui regardait la beauté des jardins, n'avait
point d'attention à ce que disait son frère. Mme de Clèves
rougit, et, baissant les yeux sans regarder M. de Nemours :

« Je ne me souviens point, lui dit-elle, de vous y avoir vu,
et si vous y avez été, c'est sans que je l'aie su.

– Il est vrai, Madame, répliqua M. de Nemours, que j'y ai
été sans vos ordres, et j'y ai passé les plus doux et les plus
cruels moments de ma vie. »

Mme de Clèves entendait[1] trop bien tout ce que disait ce
510 prince ; mais elle n'y répondit point, elle songea à empêcher
Mme de Mercœur d'aller dans ce cabinet, parce que le portrait
de M. de Nemours y était et qu'elle ne voulait pas qu'elle l'y
vît. Elle fit si bien que le temps se passa insensiblement, et
Mme de Mercœur parla de s'en retourner ; mais quand Mme
515 de Clèves vit que M. de Nemours et sa sœur ne s'en allaient
pas ensemble, elle jugea bien à quoi elle allait être exposée :
elle se trouva dans le même embarras où elle s'était trouvée à
Paris, et elle prit aussi le même parti. La crainte que cette
visite ne fût encore une confirmation des soupçons qu'avait
520 son mari ne contribua pas peu à la déterminer ; et, pour éviter
que M. de Nemours ne demeurât seul avec elle, elle dit à Mme
de Mercœur qu'elle l'allait conduire jusques au bord de la
forêt, et elle ordonna que son carrosse la suivît. La douleur
qu'eut ce prince de trouver toujours cette même continuation
525 des rigueurs en Mme de Clèves fut si violente qu'il en pâlit
dans le même moment. Mme de Mercœur lui demanda s'il se
trouvait mal, mais il regarda Mme de Clèves, sans que
personne s'en aperçût, et il lui fit juger, par ses regards, qu'il
n'avait d'autre mal que son désespoir. Cependant il fallut qu'il
530 les laissât partir sans oser les suivre ; et, après ce qu'il avait dit,
il ne pouvait plus retourner avec sa sœur ; ainsi, il revint à
Paris, et en partit le lendemain.

Le gentilhomme de M. de Clèves l'avait toujours observé,
il revint aussi à Paris et, comme il vit M. de Nemours parti
535 pour Chambord, il prit la poste, afin d'y arriver devant lui,
et de rendre compte de son voyage. Son maître attendait

---

1. **Entendait** : comprenait.

son retour comme ce qui allait décider du malheur de toute sa vie.

Sitôt qu'il le vit, il jugea, par son visage et par son silence,
540 qu'il n'avait que des choses fâcheuses à lui apprendre. Il demeura quelque temps saisi d'affliction, la tête baissée sans pouvoir parler ; enfin, il lui fit signe de la main de se retirer.

« Allez, lui dit-il, je vois ce que vous avez à me dire, mais je n'ai pas la force de l'écouter.

545 — Je n'ai rien à vous apprendre, lui répondit le gentilhomme, sur quoi on puisse faire de jugement assuré. Il est vrai que M. de Nemours a entré deux nuits de suite dans le jardin de la forêt, et qu'il a été le jour d'après à Coulommiers avec Mme de Mercœur.

— C'est assez, répliqua M. de Clèves, c'est assez, en lui faisant
550 encore signe de se retirer, et je n'ai pas besoin d'un plus grand éclaircissement. »

Le gentilhomme fut contraint de laisser son maître abandonné à son désespoir. Il n'y en a peut-être jamais eu un plus violent, et peu d'hommes d'un aussi grand courage et d'un
555 cœur aussi passionné que M. de Clèves ont ressenti en même temps la douleur que cause l'infidélité d'une maîtresse, et la honte d'être trompé par une femme.

M. de Clèves ne put résister à l'accablement où il se trouva. La fièvre lui prit dès la nuit même, et avec de si grands acci-
560 dents[1] que dès ce moment sa maladie parut très dangereuse. On en donna avis à Mme de Clèves ; elle vint en diligence[2]. Quand elle arriva, il était encore plus mal, elle lui trouva quelque chose de si froid et de si glacé pour elle, qu'elle en fut

---

1. De si grands accidents : de si grands effets.
2. En diligence : rapidement.

extrêmement surprise et affligée. Il lui parut même qu'il recevait avec peine les services qu'elle lui rendait, mais enfin elle
pensa que c'était peut-être un effet de sa maladie.

D'abord qu'elle[1] fut à Blois, où la cour était alors, M. de
Nemours ne put s'empêcher d'avoir de la joie de savoir qu'elle
était dans le même lieu que lui. Il essaya de la voir, et alla tous
les jours chez M. de Clèves, sur le prétexte de savoir de ses
nouvelles, mais ce fut inutilement. Elle ne sortait point de la
chambre de son mari et avait une douleur violente de l'état où
elle le voyait. M. de Nemours était désespéré qu'elle fût si
affligée ; il jugeait aisément combien cette affliction renouve-
lait l'amitié qu'elle avait pour M. de Clèves, et combien cette
amitié faisait une diversion dangereuse à la passion qu'elle
avait dans le cœur. Ce sentiment lui donna un chagrin mortel
pendant quelque temps, mais l'extrémité du mal de M. de
Clèves lui ouvrit de nouvelles espérances. Il vit que Mme de
Clèves serait peut-être en liberté de suivre son inclination et
qu'il pourrait trouver dans l'avenir une suite de bonheur et de
plaisirs durables. Il ne pouvait soutenir cette pensée, tant elle
lui donnait de trouble et de transports, et il en éloignait son
esprit par la crainte de se trouver trop malheureux, s'il venait
à perdre ses espérances.

Cependant M. de Clèves était presque abandonné des
médecins. Un des derniers jours de son mal, après avoir passé
une nuit très fâcheuse, il dit, sur le matin[2], qu'il voulait
reposer. Mme de Clèves demeura seule dans sa chambre. Il lui
parut qu'au lieu de reposer, il avait beaucoup d'inquiétude.

---

1. **D'abord qu'elle** : dès qu'elle.
2. **Sur le matin** : au matin.

Elle s'approcha, et se vint mettre à genoux devant son lit, le visage tout couvert de larmes. M. de Clèves avait résolu de ne lui point témoigner le violent chagrin qu'il avait contre elle, mais les soins qu'elle lui rendait, et son affliction, qui lui
595 paraissait quelquefois véritable, et qu'il regardait aussi quelquefois comme des marques de dissimulation et de perfidie, lui causaient des sentiments si opposés et si douloureux, qu'il ne les put renfermer en lui-même.

« Vous versez bien des pleurs, Madame, lui dit-il, pour une
600 mort que vous causez, et qui ne vous peut donner la douleur que vous faites paraître. Je ne suis plus en état de vous faire des reproches, continua-t-il avec une voix affaiblie par la maladie et par la douleur, mais je meurs du cruel déplaisir que vous m'avez donné. Fallait-il qu'une action aussi extraordinaire que
605 celle que vous aviez faite de me parler à Coulommiers eût si peu de suite ? Pourquoi m'éclairer sur la passion que vous aviez pour M. de Nemours, si votre vertu n'avait pas plus d'étendue pour y résister ? Je vous aimais jusqu'à être bien aise d'être trompé, je l'avoue à ma honte, j'ai regretté ce faux repos dont vous
610 m'avez tiré. Que ne me laissiez-vous dans cet aveuglement tranquille dont jouissent tant de maris ? J'eusse, peut-être, ignoré, toute ma vie, que vous aimiez M. de Nemours. Je mourrai, ajouta-t-il, mais sachez que vous me rendez la mort agréable, et qu'après m'avoir ôté l'estime et la tendresse que
615 j'avais pour vous, la vie me ferait horreur. Que ferais-je de la vie, reprit-il, pour la passer avec une personne que j'ai tant aimée, et dont j'ai été si cruellement trompé, ou pour vivre séparé de cette même personne, et en venir à un éclat et à des violences si opposées à mon humeur et à la passion que j'avais pour vous ?

620 Elle a été au-delà de ce que vous en avez vu, Madame, je vous
en ai caché la plus grande partie, par la crainte de vous importuner, ou de perdre quelque chose de votre estime, par des
manières qui ne convenaient pas à un mari. Enfin je méritais
votre cœur, encore une fois, je meurs sans regret, puisque je n'ai
625 pu l'avoir, et que je ne puis plus le désirer. Adieu, Madame.
Vous regretterez quelque jour un homme qui vous aimait d'une
passion véritable et légitime. Vous sentirez le chagrin que
trouvent les personnes raisonnables dans ces engagements, et
vous connaîtrez la différence d'être aimée comme je vous
630 aimais, à l'être par des gens qui, en vous témoignant de l'amour,
ne cherchent que l'honneur de vous séduire. Mais ma mort vous
laissera en liberté, ajouta-t-il, et vous pourrez rendre M. de
Nemours heureux, sans qu'il vous en coûte des crimes.
Qu'importe, reprit-il, ce qui arrivera quand je ne serai plus, et
635 faut-il que j'aie la faiblesse d'y jeter les yeux ! »

Mme de Clèves était si éloignée de s'imaginer que son mari
pût avoir des soupçons contre elle qu'elle écouta toutes ces
paroles sans les comprendre, et sans avoir d'autre idée, sinon
qu'il lui reprochait son inclination pour M. de Nemours ;
640 enfin, sortant tout d'un coup de son aveuglement :

« Moi, des crimes ! s'écria-t-elle. La pensée même m'en est
inconnue. La vertu la plus austère ne peut inspirer d'autre
conduite que celle que j'ai eue, et je n'ai jamais fait d'action
dont je n'eusse souhaité que vous eussiez été témoin.

645 — Eussiez-vous souhaité, répliqua M. de Clèves, en la regardant avec dédain, que je l'eusse été des nuits que vous avez
passées avec M. de Nemours ? Ah ! Madame, est-ce vous dont
je parle, quand je parle d'une femme qui a passé des nuits avec
un homme ?

650 — Non, monsieur, reprit-elle, non, ce n'est pas de moi dont vous parlez : je n'ai jamais passé ni de nuits ni de moments avec M. de Nemours. Il ne m'a jamais vue en particulier, je ne l'ai jamais souffert ni écouté, et j'en ferais tous les serments…

— N'en dites pas davantage, interrompit M. de Clèves, de 655 faux serments ou un aveu me feraient peut-être une égale peine. »

Mme de Clèves ne pouvait répondre, ses larmes et sa douleur lui ôtaient la parole ; enfin, faisant un effort :

« Regardez-moi, du moins ; écoutez-moi, lui dit-elle. S'il 660 n'y allait que de mon intérêt, je souffrirais ces reproches, mais il y va de votre vie. Écoutez-moi pour l'amour de vous-même, il est impossible qu'avec tant de vérité, je ne vous persuade mon innocence.

— Plût à Dieu que vous me la puissiez persuader, s'écria-t-665 il, mais que me pouvez-vous dire ? M. de Nemours n'a-t-il pas été à Coulommiers avec sa sœur ? Et n'avait-il pas passé les deux nuits précédentes avec vous dans le jardin de la forêt ?

— Si c'est là mon crime, répliqua-t-elle, il m'est aisé de me justifier. Je ne vous demande point de me croire, mais croyez 670 tous vos domestiques, et sachez si j'allai dans le jardin de la forêt la veille que M. de Nemours vint à Coulommiers, et si je n'en sortis pas le soir d'auparavant deux heures plus tôt que je n'avais accoutumé. »

Elle lui conta ensuite comme elle avait cru voir quelqu'un 675 dans ce jardin. Elle lui avoua qu'elle avait cru que c'était M. de Nemours. Elle lui parla avec tant d'assurance, et la vérité se persuade si aisément, lors même qu'elle n'est pas vraisemblable, que M. de Clèves fut presque convaincu de son innocence.

« Je ne sais, lui dit-il, si je me dois laisser aller à vous croire ? Je me sens si proche de la mort que je ne veux rien voir de ce qui me pourrait faire regretter la vie. Vous m'avez éclairci trop tard, mais ce me sera toujours un soulagement d'emporter la pensée que vous êtes digne de l'estime que j'aie eue pour vous. Je vous prie que je puisse encore avoir la consolation de croire que ma mémoire vous sera chère, et que, s'il eût dépendu de vous, vous eussiez eu pour moi les sentiments que vous avez pour un autre. »

Il voulut continuer ; mais une faiblesse lui ôta la parole. Mme de Clèves fit venir les médecins, ils le trouvèrent presque sans vie. Il languit néanmoins encore quelques jours, et mourut enfin avec une constance admirable.

Mme de Clèves demeura dans une affliction si violente, qu'elle perdit quasi l'usage de la raison. La reine la vint voir avec soin, et la mena dans un couvent, sans qu'elle sût où on la conduisait. Ses belles-sœurs la ramenèrent à Paris, qu'elle n'était pas encore en état de sentir distinctement sa douleur. Quand elle commença d'avoir la force de l'envisager, et qu'elle vit quel mari elle avait perdu, qu'elle considéra qu'elle était la cause de sa mort, et que c'était par la passion qu'elle avait eue pour un autre qu'elle en était cause, l'horreur qu'elle eut pour elle-même et pour M. de Nemours ne se peut représenter.

Ce prince n'osa, dans ces commencements[1], lui rendre d'autres soins que ceux que lui ordonnait la bienséance. Il connaissait assez Mme de Clèves pour croire qu'un plus grand empressement lui serait désagréable, mais ce qu'il apprit

---

1. **Dans ces commencements :** dans ce début du deuil.

ensuite lui fit bien voir qu'il devait avoir longtemps la même conduite.

710 Un écuyer qu'il avait lui conta que le gentilhomme de M. de Clèves, qui était son ami intime, lui avait dit, dans sa douleur de la perte de son maître, que le voyage de M. de Nemours à Coulommiers était cause de sa mort. M. de Nemours fut extrêmement surpris de ce discours ; mais, après

715 y avoir fait réflexion, il devina une partie de la vérité, et il jugea bien quels seraient d'abord les sentiments de Mme de Clèves, et quel éloignement elle aurait de lui, si elle croyait que le mal de son mari eût été causé par la jalousie. Il crut qu'il ne fallait pas même la faire sitôt souvenir de son nom, et

720 il suivit cette conduite, quelque pénible qu'elle lui parût.

Il fit un voyage à Paris, et ne put s'empêcher néanmoins d'aller à sa porte pour apprendre de ses nouvelles. On lui dit que personne ne la voyait, et qu'elle avait même défendu qu'on lui rendît compte de ceux qui l'iraient chercher. Peut-

725 être que ces ordres si exacts étaient donnés en vue de ce prince, et pour ne point entendre parler de lui. M. de Nemours était trop amoureux pour pouvoir vivre si absolument privé de la vue de Mme de Clèves. Il résolut de trouver des moyens, quelque difficiles qu'ils pussent être, de sortir d'un état qui

730 lui paraissait si insupportable.

La douleur de cette princesse passait les bornes de la raison. Ce mari mourant, et mourant à cause d'elle et avec tant de tendresse pour elle, ne lui sortait point de l'esprit. Elle repassait[1] incessamment tout ce qu'elle lui devait, et elle se faisait

735 un crime de n'avoir pas eu de la passion pour lui, comme si

---

1. **Elle repassait** : elle repensait à.

c'eût été une chose qui eût été en son pouvoir. Elle ne trouvait de consolation qu'à penser qu'elle le regrettait autant qu'il méritait d'être regretté, et qu'elle ne ferait, dans le reste de sa vie, que ce qu'il aurait été bien aise qu'elle eût fait, s'il avait vécu.

Elle avait pensé plusieurs fois[1] comment il avait su que M. de Nemours était venu à Coulommiers : elle ne soupçonnait pas ce prince de l'avoir conté, et il lui paraissait même indifférent qu'il l'eût redit, tant elle se croyait guérie et éloignée de la passion qu'elle avait eue pour lui. Elle sentait néanmoins une douleur vive de s'imaginer qu'il était cause de la mort de son mari, et elle se souvenait avec peine de la crainte que M. de Clèves lui avait témoignée en mourant qu'elle ne l'épousât, mais toutes ces douleurs se confondaient dans celle de la perte de son mari, et elle croyait n'en avoir point d'autre.

Après que plusieurs mois furent passés, elle sortit de cette violente affliction où elle était, et passa dans un état de tristesse et de langueur. Mme de Martigues fit un voyage à Paris, et la vit avec soin pendant le séjour qu'elle y fit. Elle l'entretint de la cour et de tout ce qui s'y passait ; et, quoique Mme de Clèves ne parût pas y prendre intérêt, Mme de Martigues ne laissait pas de lui en parler pour la divertir.

Elle lui conta des nouvelles du vidame, de M. de Guise, et de tous les autres qui étaient distingués par leur personne ou par leur mérite.

« Pour M. de Nemours, dit-elle, je ne sais si les affaires ont pris dans son cœur la place de la galanterie, mais il a bien

---

1. **Elle avait pensé plusieurs fois** : elle s'était demandé plusieurs fois.

moins de joie qu'il n'avait accoutumé d'en avoir, il paraît fort
765 retiré du commerce[1] des femmes, il fait souvent des voyages
à Paris, et je crois même qu'il y est présentement. »

Le nom de M. de Nemours surprit Mme de Clèves, et la fit
rougir : elle changea de discours, et Mme de Martigues ne
s'aperçut point de son trouble.

770 Le lendemain, cette princesse, qui cherchait des occupations conformes à l'état où elle était, alla, proche de chez elle,
voir un homme qui faisait des ouvrages de soie d'une façon
particulière ; et elle y fut dans le dessein d'en faire faire de
semblables. Après qu'on les lui eut montrés, elle vit la porte
775 d'une chambre où elle crut qu'il y en avait encore ; elle dit
qu'on la lui ouvrît. Le maître répondit qu'il n'en avait pas la
clef, et qu'elle était occupée par un homme qui y venait quelquefois, pendant le jour, pour dessiner de belles maisons et
des jardins que l'on voyait de ses fenêtres.

780 « C'est l'homme du monde le mieux fait, ajouta-t-il, il n'a
guère la mine d'être réduit à gagner sa vie. Toutes les fois qu'il
vient céans[2], je le vois toujours regarder les maisons et les
jardins, mais je ne le vois jamais travailler. »

Mme de Clèves écoutait ce discours avec une grande atten-
785 tion. Ce que lui avait dit Mme de Martigues, que M. de
Nemours était quelquefois à Paris, se joignit, dans son imagination, à cet homme bien fait qui venait proche de chez elle,
et lui fit une idée de M. de Nemours, et de M. de Nemours
appliqué à la voir, qui lui donna un trouble confus dont elle
790 ne savait pas même la cause. Elle alla vers les fenêtres pour

---

1. **Commerce** : présence.
2. **Céans** : ici.

voir où elles donnaient, elle trouva qu'elles voyaient tout son jardin et la face de son appartement. Et, lorsqu'elle fut dans sa chambre, elle remarqua aisément cette même fenêtre où l'on lui avait dit que venait cet homme. La pensée que c'était M. de Nemours changea entièrement la situation de son esprit ; elle ne se trouva plus dans un certain triste repos qu'elle commençait à goûter, elle se sentit inquiète et agitée ; enfin, ne pouvant demeurer avec elle-même, elle sortit, et alla prendre l'air dans un jardin hors des faubourgs, où elle pensait être seule. Elle crut, en y arrivant, qu'elle ne s'était pas trompée : elle ne vit aucune apparence qu'il y eût quelqu'un, et elle se promena assez longtemps.

Après avoir traversé un petit bois, elle aperçut au bout d'une allée, dans l'endroit le plus reculé du jardin, une manière de cabinet ouvert de tous côtés, où elle adressa ses pas. Comme elle en fut proche, elle vit un homme couché sur des bancs, qui paraissait enseveli dans une rêverie profonde, et elle reconnut que c'était M. de Nemours. Cette vue l'arrêta tout court, mais ses gens, qui la suivaient, firent quelque bruit, qui tira M. de Nemours de sa rêverie. Sans regarder qui avait causé le bruit qu'il avait entendu, il se leva de sa place pour éviter la compagnie qui venait vers lui, et tourna dans une autre allée, en faisant une révérence fort basse, qui l'empêcha même de voir ceux qu'il saluait.

S'il eût su ce qu'il évitait, avec quelle ardeur serait-il retourné sur ses pas ! Mais il continua à suivre l'allée, et Mme de Clèves le vit sortir par une porte de derrière où l'attendait son carrosse. Quel effet produisit cette vue d'un moment dans le cœur de Mme de Clèves ! Quelle passion endormie se ralluma dans son cœur, et avec quelle violence ! Elle s'alla asseoir dans le même endroit d'où venait de sortir M. de Nemours, elle y demeura comme accablée. Ce prince se présenta à son esprit, aimable au-dessus de tout ce qui était au monde, l'aimant depuis longtemps avec une passion pleine de respect et de fidélité, méprisant tout pour elle, respectant même jusqu'à sa douleur, songeant à la voir sans songer à en être vu, quittant la cour, dont il faisait les délices, pour aller regarder les murailles qui la renfermaient, pour venir rêver dans des lieux où il ne pouvait prétendre de la rencontrer, enfin un homme digne d'être aimé par son seul attachement, et pour qui elle avait une inclination si violente, qu'elle l'aurait aimé quand il ne l'aurait pas aimée, mais de plus, un homme d'une qualité élevée et convenable à la sienne. Plus de devoir, plus de vertu, qui s'opposassent à ses sentiments : tous les obstacles étaient levés, et il ne restait de leur état passé que la passion de M. de Nemours pour elle, et que celle qu'elle avait pour lui.

Toutes ces idées furent nouvelles à cette princesse. L'affliction de la mort de M. de Clèves l'avait assez occupée pour avoir empêché qu'elle n'y eût jeté les yeux. La présence de M. de Nemours les amena en foule dans son esprit, mais, quand il en eut été pleinement rempli, et qu'elle se souvint aussi que ce même homme qu'elle regardait comme pouvant l'épouser, était celui qu'elle avait aimé du vivant de son mari, et qui était la cause de sa mort ; que même, en mourant, il lui avait témoigné de la crainte qu'elle ne l'épousât, son austère vertu était si blessée de cette imagination, qu'elle ne trouvait guère moins de crime à épouser M. de Nemours, qu'elle en avait trouvé à l'aimer pendant la vie de son mari. Elle s'abandonna à ces réflexions si contraires à son bonheur ; elle les fortifia encore de plusieurs raisons qui regardaient son repos et les maux qu'elle prévoyait en épousant ce prince. Enfin, après avoir demeuré deux heures dans le lieu où elle était, elle s'en revint chez elle, persuadée qu'elle devait fuir sa vue comme une chose entièrement opposée à son devoir.

855 Mais cette persuasion, qui était un effet de sa raison et de sa vertu, n'entraînait pas son cœur. Il demeurait attaché à M. de Nemours avec une violence qui la mettait dans un état digne de compassion, et qui ne lui laissa plus de repos. Elle passa une des plus cruelles nuits qu'elle eût jamais passées. Le 860 matin, son premier mouvement fut d'aller voir s'il n'y aurait personne à la fenêtre qui donnait chez elle, elle y alla, elle y vit M. de Nemours. Cette vue la surprit, et elle se retira avec une promptitude qui fit juger à ce prince qu'il avait été reconnu. Il avait souvent désiré de l'être, depuis que sa passion 865 lui avait fait trouver ces moyens de voir Mme de Clèves ; et, lorsqu'il n'espérait pas d'avoir ce plaisir, il allait rêver dans le même jardin où elle l'avait trouvé.

Lassé enfin d'un état si malheureux et si incertain, il résolut de tenter quelque voie d'éclaircir sa destinée.

870 « Que veux-je attendre ? disait-il. Il y a longtemps que je sais que j'en suis aimé ; elle est libre, elle n'a plus de devoir à m'opposer. Pourquoi me réduire à la voir sans en être vu et sans lui parler ? Est-il possible que l'amour m'ait si absolu- ment ôté la raison et la hardiesse, et qu'il m'ait rendu si diffé- 875 rent de ce que j'ai été dans les autres passions de ma vie ? J'ai dû respecter la douleur de Mme de Clèves, mais je la respecte trop longtemps, et je lui donne le loisir d'éteindre l'inclina- tion qu'elle a pour moi.

Après ces réflexions, il songea aux moyens dont il devait se 880 servir pour la voir. Il crut qu'il n'y avait plus rien qui l'obligeât à cacher sa passion au vidame de Chartres. Il résolut de lui en parler, et de lui dire le dessein qu'il avait pour sa nièce.

Le vidame était alors à Paris ; tout le monde y était venu donner ordre à son équipage et à ses habits, pour suivre le roi, qui devait conduire la reine d'Espagne. M. de Nemours alla donc chez le vidame, et lui fit un aveu sincère de tout ce qu'il lui avait caché jusques alors, à la réserve des sentiments de Mme de Clèves, dont il ne voulut pas paraître instruit.

Le vidame reçut tout ce qu'il lui dit avec beaucoup de joie, et l'assura que, sans savoir ses sentiments, il avait souvent pensé, depuis que Mme de Clèves était veuve, qu'elle était la seule personne digne de lui. M. de Nemours le pria de lui donner les moyens de lui parler, et de savoir quelles étaient ses dispositions.

Le vidame lui proposa de le mener chez elle, mais M. de Nemours crut qu'elle en serait choquée, parce qu'elle ne voyait encore personne. Ils trouvèrent qu'il fallait que M. le vidame la priât de venir chez lui, sur quelque prétexte, et que M. de Nemours y vînt par un escalier dérobé, afin de n'être vu de personne. Cela s'exécuta comme ils l'avaient résolu ; Mme de Clèves vint, le vidame l'alla recevoir, et la conduisit dans un grand cabinet, au bout de son appartement. Quelque temps après, M. de Nemours entra comme si le hasard l'eût conduit. Mme de Clèves fut extrêmement surprise de le voir ; elle rougit, et essaya de cacher sa rougeur. Le vidame parla d'abord de choses différentes, et sortit, supposant qu'il avait quelque ordre à donner. Il dit à Mme de Clèves qu'il la priait de faire les honneurs de chez lui, et qu'il allait rentrer dans un moment.

L'on ne peut exprimer ce que sentirent M. de Nemours et Mme de Clèves, de se trouver seuls et en état de se parler pour la première fois. Ils demeurèrent quelque temps sans rien dire, enfin, M. de Nemours rompant le silence :

« Pardonnerez-vous à M. de Chartres, Madame, lui dit-il, de m'avoir donné l'occasion de vous voir, et de vous entretenir,
915 que vous m'avez toujours si cruellement ôtée ?

— Je ne lui dois pas pardonner, répondit-elle, d'avoir oublié l'état où je suis et à quoi il expose ma réputation. »

En prononçant ces paroles elle voulut s'en aller, et M. de Nemours la retenant :

920 « Ne craignez rien, Madame, répliqua-t-il, personne ne sait que je suis ici, et aucun hasard n'est à craindre. Écoutez-moi, Madame, écoutez-moi, si ce n'est par bonté, que ce soit du moins pour l'amour de vous-même, et pour vous délivrer des extravagances où m'emporterait infailliblement une passion
925 dont je ne suis plus le maître. »

Mme de Clèves céda pour la première fois au penchant qu'elle avait pour M. de Nemours, et le regardant avec des yeux pleins de douceur et de charmes :

« Mais qu'espérez-vous, lui dit-elle, de la complaisance
930 que vous me demandez ? Vous vous repentirez peut-être, de l'avoir obtenue, et je me repentirai infailliblement de vous l'avoir accordée. Vous méritez une destinée plus heureuse que celle que vous avez eue jusques ici, et que celle que vous pouvez trouver à l'avenir, à moins que vous ne la cherchiez
935 ailleurs.

— Moi, Madame, lui dit-il, chercher du bonheur ailleurs ! Et y en a-t-il d'autre que d'être aimé de vous ! Quoique je ne vous aie jamais parlé, je ne saurais croire, Madame, que vous ignoriez ma passion, et que vous ne la connaissiez pour la plus
940 véritable et la plus violente qui sera jamais. À quelle épreuve

a-t-elle été par des choses qui vous sont inconnues ? Et à quelle épreuve l'avez-vous mise par vos rigueurs ?

— Puisque vous voulez que je vous parle, et que je m'y résous, répondit Mme de Clèves, en s'asseyant, je le ferai avec une sincérité que vous trouverez malaisément dans les personnes de mon sexe. Je ne vous dirai point que je n'aie pas vu l'attachement que vous avez eu pour moi, peut-être ne me croiriez-vous pas quand je vous le dirais. Je vous avoue donc, non seulement que je l'ai vu, mais que je l'ai vu tel que vous pouvez souhaiter qu'il m'ait paru.

— Et si vous l'avez vu, Madame, interrompit-il, est-il possible que vous n'en ayez point été touchée ? Et oserais-je vous demander s'il n'a fait aucune impression dans votre cœur ?

— Vous en avez dû juger par ma conduite, lui répliqua-t-elle, mais je voudrais bien savoir ce que vous en avez pensé.

— Il faudrait que je fusse dans un état plus heureux pour vous l'oser dire, répondit-il, et ma destinée a trop peu de rapport à ce que je vous dirais. Tout ce que je puis vous apprendre, Madame, c'est que j'ai souhaité ardemment que vous n'eussiez pas avoué à M. de Clèves ce que vous me cachiez, et que vous lui eussiez caché ce que vous m'eussiez laissé voir.

— Comment avez-vous pu découvrir, reprit-elle en rougissant, que j'aie avoué quelque chose à M. de Clèves ?

— Je l'ai su par vous-même, Madame, répondit-il, mais, pour me pardonner la hardiesse que j'ai eue de vous écouter, souvenez-vous si j'ai abusé de ce que j'ai entendu, si mes espérances en ont augmenté, et si j'ai eu plus de hardiesse à vous parler. »

Il commença à lui conter comme il avait entendu sa conversation avec M. de Clèves, mais elle l'interrompit avant qu'il eût achevé.

« Ne m'en dites pas davantage, lui dit-elle, je vois présentement par où vous avez été si bien instruit, vous ne me le parûtes déjà que trop chez Mme la dauphine, qui avait su cette aventure par ceux à qui vous l'aviez confiée. »

M. de Nemours lui apprit alors de quelle sorte la chose était arrivée.

« Ne vous excusez point, reprit-elle, il y a longtemps que je vous ai pardonné, sans que vous m'ayez dit de raison, mais, puisque vous avez appris par moi-même ce que j'avais eu dessein de vous cacher toute ma vie, je vous avoue que vous m'avez inspiré des sentiments qui m'étaient inconnus devant que[1] de vous avoir vu, et dont j'avais même si peu d'idée qu'ils me donnèrent d'abord une surprise qui augmentait encore le trouble qui les suit toujours. Je vous fais cet aveu avec moins de honte, parce que je le fais dans un temps où je le puis faire sans crime, et que vous avez vu que ma conduite n'a pas été réglée par mes sentiments.

— Croyez-vous, Madame, lui dit M. de Nemours, en se jetant à ses genoux, que je n'expire pas à vos pieds de joie et de transport.

— Je ne vous apprends, lui répondit-elle en souriant, que ce que vous ne saviez déjà que trop.

— Ah ! Madame, répliqua-t-il, quelle différence de le savoir par un effet du hasard, ou de l'apprendre par vous-même, et de voir que vous voulez bien que je le sache !

---

1. **Devant que** : avant que.

— Il est vrai, lui dit-elle, que je veux bien que vous le
1000 sachiez, et que je trouve de la douceur à vous le dire. Je ne sais
même si je ne vous le dis point plus pour l'amour de moi que
pour l'amour de vous. Car, enfin, cet aveu n'aura point de
suite, et je suivrai les règles austères que mon devoir m'im-
pose.

1005 — Vous n'y songez pas, Madame, répondit M. de Nemours,
il n'y a plus de devoir qui vous lie, vous êtes en liberté, et si
j'osais, je vous dirais même qu'il dépend de vous de faire en
sorte que votre devoir vous oblige un jour à conserver les
sentiments que vous avez pour moi.

1010 — Mon devoir, répliqua-t-elle, me défend de penser jamais
à personne, et moins à vous qu'à qui que ce soit au monde, par
des raisons qui vous sont inconnues.

— Elles ne me le sont peut-être pas, Madame, reprit-il,
mais ce ne sont point de véritables raisons. Je crois savoir que
1015 M. de Clèves m'a cru plus heureux que je n'étais, et qu'il s'est
imaginé que vous aviez approuvé des extravagances que la
passion m'a fait entreprendre sans votre aveu[1].

— Ne parlons point de cette aventure, lui dit-elle, je n'en
saurais soutenir la pensée, elle me fait honte, et elle m'est
1020 aussi trop douloureuse par les suites qu'elle a eues. Il n'est que
trop véritable que vous êtes cause de la mort de M. de Clèves ;
les soupçons que lui a donnés votre conduite inconsidérée lui
ont coûté la vie, comme si vous la lui aviez ôtée de vos propres
mains. Voyez ce que je devrais faire, si vous en étiez venus
1025 ensemble à ces extrémités, et que le même malheur en fût
arrivé. Je sais bien que ce n'est pas la même chose à l'égard

---

1. **Sans votre aveu** : sans votre approbation.

du monde ; mais, au mien, il n'y a aucune différence, puisque je sais que c'est par vous qu'il est mort, et que c'est à cause de moi.

1030 — Ah ! Madame, lui dit M. de Nemours, quel fantôme de devoir opposez-vous à mon bonheur ! Quoi, Madame, une pensée vaine et sans fondement vous empêchera de rendre heureux un homme que vous ne haïssez pas ? Quoi ! J'aurais pu concevoir l'espérance de passer ma vie avec vous, ma

1035 destinée m'aurait conduit à aimer la plus estimable personne du monde, j'aurais vu en elle tout ce qui peut faire une adorable maîtresse, elle ne m'aurait pas haï, et je n'aurais trouvé dans sa conduite que tout ce qui peut être à désirer dans une femme ! Car enfin, Madame, vous êtes peut-être la

1040 seule personne en qui ces deux choses se soient jamais trouvées au degré qu'elles sont en vous. Tous ceux qui épousent des maîtresses dont ils sont aimés, tremblent en les épousant, et regardent avec crainte, par rapport aux autres, la conduite qu'elles ont eue avec eux, mais en vous, Madame, rien n'est à

1045 craindre, et on ne trouve que des sujets d'admiration. N'aurais-je envisagé, dis-je, une si grande félicité, que pour vous y voir apporter vous-même des obstacles ? Ah ! Madame, vous oubliez que vous m'avez distingué du reste des hommes, ou plutôt vous ne m'en avez jamais distingué, vous vous êtes

1050 trompée, et je me suis flatté.

— Vous ne vous êtes point flatté, lui répondit-elle, les raisons de mon devoir ne me paraîtraient peut-être pas si fortes sans cette distinction dont vous vous doutez, et c'est elle qui me fait envisager des malheurs à m'attacher à vous.

1055 — Je n'ai rien à répondre, Madame, reprit-il, quand vous me faites voir que vous craignez des malheurs, mais je vous avoue qu'après tout ce que vous avez bien voulu me dire, je ne m'attendais pas à trouver une si cruelle raison.

— Elle est si peu offensante pour vous, reprit Mme de Clèves, que j'ai même beaucoup de peine à vous l'apprendre.

— Hélas ! Madame, répliqua-t-il, que pouvez-vous craindre qui me flatte trop, après ce que vous venez de me dire ?

— Je veux vous parler encore avec la même sincérité que j'ai déjà commencé, reprit-elle, et je vais passer par-dessus toute la retenue et toutes les délicatesses que je devrais avoir dans une première conversation ; mais je vous conjure de m'écouter sans m'interrompre.

Je crois devoir à votre attachement la faible récompense de ne vous cacher aucun de mes sentiments, et de vous les laisser voir tels qu'ils sont. Ce sera apparemment la seule fois de ma vie que je me donnerai la liberté de vous les faire paraître ; néanmoins, je ne saurais vous avouer sans honte que la certitude de n'être plus aimée de vous comme je le suis me paraît un si horrible malheur, que, quand je n'aurais point des raisons de devoir insurmontables, je doute si je pourrais me résoudre à m'exposer à ce malheur. Je sais que vous êtes libre, que je le suis, et que les choses sont d'une sorte que le public n'aurait peut-être pas sujet de vous blâmer, ni moi non plus, quand nous nous engagerions ensemble pour jamais ; mais les hommes conservent-ils de la passion dans ces engagements éternels ? Dois-je espérer un miracle en ma faveur ? Et puis-je me mettre en état de voir certainement finir cette passion dont je ferais toute ma félicité ? M. de Clèves était peut-être l'unique homme du monde capable de conserver de l'amour dans le mariage. Ma destinée n'a pas voulu que j'aie pu profiter de ce bonheur, peut-être aussi que sa passion n'avait subsisté que parce qu'il n'en aurait pas trouvé en moi ; mais je n'aurais pas le même moyen de conserver la vôtre, je crois même que les obstacles ont fait votre constance ; vous en avez assez trouvé pour vous animer à vaincre ; et mes actions involontaires, ou les choses que le hasard vous a apprises, vous ont donné assez d'espérance pour ne vous pas rebuter.

— Ah ! Madame, reprit M. de Nemours, je ne saurais garder le silence que vous m'imposez, vous me faites trop d'injustice, et vous me faites trop voir combien vous êtes éloignée d'être prévenue en ma faveur.

— J'avoue, répondit-elle, que les passions peuvent me conduire, mais elles ne sauraient m'aveugler. Rien ne me peut empêcher de connaître que vous êtes né avec toutes les dispositions pour la galanterie[1] et toutes les qualités qui sont propres à y donner des succès heureux. Vous avez déjà eu plusieurs passions, vous en auriez encore, je ne ferais plus votre bonheur, je vous verrais pour une autre comme vous auriez été pour moi. J'en aurais une douleur mortelle, et je ne serais pas même assurée de n'avoir point le malheur de la jalousie. Je vous en ai trop dit pour vous cacher que vous me l'avez fait connaître, et que je souffris de si cruelles peines le soir que la reine me donna cette lettre de Mme de Thémines, que l'on disait qui s'adressait à vous, qu'il m'en est demeuré une idée qui me fait croire que c'est le plus grand de tous les maux.

Par vanité ou par goût, toutes les femmes souhaitent de vous attacher. Il y en a peu à qui vous ne plaisiez, mon expérience me ferait croire qu'il n'y en a point à qui vous ne puissiez plaire.

---

1. Galanterie : séduction.

1115 Je vous croirais toujours amoureux et aimé, et je ne me trom-
perais pas souvent. Dans cet état, néanmoins, je n'aurais d'autre
parti à prendre que celui de la souffrance, je ne sais même si
j'oserais me plaindre. On fait des reproches à un amant, mais
en fait-on à un mari quand on n'a qu'à lui reprocher de n'avoir
1120 plus d'amour ? Quand je pourrais m'accoutumer à cette sorte
de malheur, pourrais-je m'accoutumer à celui de croire voir
toujours M. de Clèves vous accuser de sa mort, me reprocher de
vous avoir aimé, de vous avoir épousé, et me faire sentir la
différence de son attachement au vôtre ? Il est impossible,
1125 continua-t-elle, de passer par-dessus des raisons si fortes, il faut
que je demeure dans l'état où je suis, et dans les résolutions que
j'ai prises de n'en sortir jamais.

– Hé ! Croyez-vous le pouvoir, Madame ? s'écria M. de
Nemours. Pensez-vous que vos résolutions tiennent contre un
1130 homme qui vous adore, et qui est assez heureux pour vous
plaire ? Il est plus difficile que vous ne pensez, Madame, de
résister à ce qui nous plaît, et à ce qui nous aime. Vous l'avez
fait par une vertu austère, qui n'a presque point d'exemple,
mais cette vertu ne s'oppose plus à vos sentiments, et j'espère
1135 que vous les suivrez malgré vous.

– Je sais bien qu'il n'y a rien de plus difficile que ce que
j'entreprends, répliqua Mme de Clèves, je me défie de mes
forces, au milieu de mes raisons. Ce que je crois devoir à la
mémoire de M. de Clèves serait faible, s'il n'était soutenu par
1140 l'intérêt de mon repos, et les raisons de mon repos ont besoin
d'être soutenues de celles de mon devoir. Mais, quoique je me
défie de moi-même, je crois que je ne vaincrai jamais mes
scrupules, et je n'espère pas aussi de surmonter l'inclination
que j'ai pour vous. Elle me rendra malheureuse, et je me

1145 priverai de votre vue, quelque violence qu'il m'en coûte. Je
vous conjure, par tout le pouvoir que j'ai sur vous, de ne chercher aucune occasion de me voir. Je suis dans un état qui me
fait des crimes de tout ce qui pourrait être permis dans un
autre temps, et la seule bienséance interdit tout commerce[1]
1150 entre nous. »

M. de Nemours se jeta à ses pieds, et s'abandonna à tous les
divers mouvements dont il était agité. Il lui fit voir, et par ses
paroles et par ses pleurs, la plus vive et la plus tendre passion
dont un cœur ait jamais été touché. Celui de Mme de Clèves
1155 n'était pas insensible, et, regardant ce prince avec des yeux un
peu grossis par les larmes :

« Pourquoi faut-il, s'écria-t-elle, que je vous puisse accuser
de la mort de M. de Clèves ? Que n'ai-je commencé à vous
connaître depuis que je suis libre, ou pourquoi ne vous ai-je
1160 pas connu devant que[2] d'être engagée ? Pourquoi la destinée
nous sépare-t-elle par un obstacle si invincible ?

— Il n'y a point d'obstacle, Madame, reprit M. de Nemours,
vous seule vous opposez à mon bonheur, vous seule vous
imposez une loi que la vertu et la raison ne vous sauraient
1165 imposer.

— Il est vrai, répliqua-t-elle, que je sacrifie beaucoup à un
devoir qui ne subsiste que dans mon imagination. Attendez
ce que le temps pourra faire. M. de Clèves ne fait encore
que d'expirer, et cet objet funeste est trop proche pour me
1170 laisser des vues claires et distinctes. Ayez cependant le plaisir
de vous être fait aimer d'une personne qui n'aurait rien aimé,

---

1. Commerce : rapport.
2. Devant que : avant de.

si elle ne vous avait jamais vu, croyez que les sentiments que j'ai pour vous seront éternels, et qu'ils subsisteront également, quoi que je fasse. Adieu, lui dit-elle, voici une conversation qui me fait honte, rendez-en compte à M. le vidame, j'y consens, et je vous en prie. »

Elle sortit, en disant ces paroles, sans que M. de Nemours pût la retenir. Elle trouva M. le vidame dans la chambre la plus proche. Il la vit si troublée qu'il n'osa lui parler, et il la remit en son carrosse sans lui rien dire. Il revint trouver M. de Nemours, qui était si plein de joie, de tristesse, d'étonnement et d'admiration, enfin, de tous les sentiments que peut donner une passion pleine de crainte et d'espérance, qu'il n'avait pas l'usage de la raison. Le vidame fut longtemps à obtenir qu'il lui rendît compte de sa conversation. Il le fit enfin, et M. de Chartres, sans être amoureux, n'eut pas moins d'admiration pour la vertu, l'esprit et le mérite de Mme de Clèves, que M. de Nemours en avait lui-même. Ils examinèrent ce que ce prince devait espérer de sa destinée ; et, quelques craintes que son amour lui pût donner, il demeura d'accord avec M. le vidame qu'il était impossible que Mme de Clèves demeurât dans les résolutions où elle était. Ils convinrent néanmoins qu'il fallait suivre ses ordres, de crainte que, si le public s'apercevait de l'attachement qu'il avait pour elle, elle ne fît des déclarations et ne prît engagements vers le monde, qu'elle soutiendrait dans la suite, par la peur qu'on ne crût qu'elle l'eût aimé du vivant de son mari.

M. de Nemours se détermina à suivre le roi. C'était un voyage dont il ne pouvait aussi bien se dispenser, et il résolut à s'en aller, sans tenter même de revoir Mme de Clèves du lieu où il l'avait vue quelquefois. Il pria M. le vidame de lui parler.

Que ne lui dit-il point pour lui dire[1] ! Quel nombre infini de raisons pour la persuader de vaincre ses scrupules ! Enfin, une partie de la nuit était passée devant que M. de Nemours
1205 songeât à le laisser en repos.

Mme de Clèves n'était pas en état d'en trouver ; ce lui était une chose si nouvelle d'être sortie de cette contrainte qu'elle s'était imposée, d'avoir souffert, pour la première fois de sa vie, qu'on lui dît qu'on était amoureux d'elle, et d'avoir dit
1210 elle-même qu'elle aimait, qu'elle ne se connaissait plus. Elle fut étonnée de ce qu'elle avait fait, elle s'en repentit, elle en eut de la joie, tous ses sentiments étaient pleins de trouble et de passion. Elle examina encore les raisons de son devoir, qui s'opposaient à son bonheur, elle sentit de la douleur de les
1215 trouver si fortes, et elle se repentit de les avoir si bien montrées à M. de Nemours. Quoique la pensée de l'épouser lui fût venue dans l'esprit sitôt qu'elle l'avait revu dans ce jardin, elle ne lui avait pas fait la même impression que venait de faire la conversation qu'elle avait eue avec lui, et il y avait
1220 des moments où elle avait de la peine à comprendre qu'elle pût être malheureuse en l'épousant. Elle eût bien voulu se pouvoir dire qu'elle était mal fondée, et dans ses scrupules du passé, et dans ses craintes de l'avenir. La raison et son devoir lui montraient, dans d'autres moments, des choses tout oppo-
1225 sées, qui l'emportaient rapidement à la résolution de ne se point remarier, et de ne voir jamais M. de Nemours, mais c'était une résolution bien violente à établir dans un cœur aussi touché que le sien, et aussi nouvellement abandonné

---

1. **Que ne lui dit-il point pour lui dire** : que ne lui dit-il point pour qu'il lui transmette !

aux charmes de l'amour. Enfin, pour se donner quelque calme,
1230 elle pensa qu'il n'était point encore nécessaire qu'elle se fît la
violence de prendre des résolutions ; la bienséance lui donnait
un temps considérable à se déterminer, mais elle résolut de
demeurer ferme à n'avoir aucun commerce[1] avec M. de
Nemours. Le vidame la vint voir, et servit ce prince avec tout
1235 l'esprit et l'application imaginables. Il ne la put faire changer
sur sa conduite, ni sur celle qu'elle avait imposée à M. de
Nemours. Elle lui dit que son dessein était de demeurer dans
l'état où elle se trouvait, qu'elle connaissait que ce dessein
était difficile à exécuter, mais qu'elle espérait d'en avoir la
1240 force. Elle lui fit si bien voir à quel point elle était touchée de
l'opinion que M. de Nemours avait causé la mort à son mari,
et combien elle était persuadée qu'elle ferait une action contre
son devoir en l'épousant, que le vidame craignit qu'il ne fût
malaisé de lui ôter cette impression. Il ne dit pas à ce prince
1245 ce qu'il pensait ; et, en lui rendant compte de sa conversation,
il lui laissa toute l'espérance que la raison doit donner à un
homme qui est aimé.

Ils partirent le lendemain, et allèrent joindre le roi. M. le
vidame écrivit à Mme de Clèves, à la prière de M. de Nemours,
1250 pour lui parler de ce prince ; et, dans une seconde lettre qui
suivit bientôt la première, M. de Nemours y mit quelques
lignes de sa main. Mais Mme de Clèves, qui ne voulait pas
sortir des règles qu'elle s'était imposées, et qui craignait les
accidents qui peuvent arriver par les lettres, manda[2] au
1255 vidame qu'elle ne recevrait plus les siennes, s'il continuait à

---

1. **Commerce :** entretien.
2. **Manda :** fit dire.

lui parler de M. de Nemours, et elle lui manda si fortement, que ce prince le pria même de ne le plus nommer.

La cour alla conduire la reine d'Espagne jusqu'en Poitou. Pendant cette absence, Mme de Clèves demeura à elle-même, et, à mesure qu'elle était éloignée de M. de Nemours, et de tout ce qui l'en pouvait faire souvenir, elle rappelait la mémoire de M. de Clèves, qu'elle se faisait un honneur de conserver. Les raisons qu'elle avait de ne point épouser M. de Nemours lui paraissaient fortes du côté de son devoir, et insurmontables du côté de son repos. La fin de l'amour de ce prince, et les maux de la jalousie, qu'elle croyait infaillibles dans un mariage, lui montraient un malheur certain où elle s'allait jeter, mais elle voyait aussi qu'elle entreprenait une chose impossible, que de résister en présence au plus aimable[1] homme du monde, qu'elle aimait, et dont elle était aimée, et de lui résister sur une chose qui ne choquait ni la vertu ni la bienséance. Elle jugea que l'absence seule et l'éloignement pouvaient lui donner quelque force. Elle trouva qu'elle en avait besoin, non seulement pour soutenir la résolution de ne se pas engager, mais même pour se défendre de voir M. de Nemours, et elle résolut de faire un assez long voyage, pour passer tout le temps que la bienséance l'obligeait à vivre dans la retraite. De grandes terres qu'elle avait vers les Pyrénées lui parurent le lieu le plus propre qu'elle pût choisir. Elle partit peu de jours avant que la cour revînt, et, en partant, elle écrivit à M. le vidame, pour le conjurer que l'on ne songeât point à avoir de ses nouvelles, ni à lui écrire.

---

1. Aimable : propre à être aimé.

M. de Nemours fut affligé de ce voyage, comme un autre
1285 l'aurait été de la mort de sa maîtresse. La pensée d'être privé
pour longtemps de la vue de Mme de Clèves lui était une
douleur sensible, et surtout dans un temps où il avait senti le
plaisir de la voir, et de la voir touchée de sa passion. Cependant
il ne pouvait faire autre chose que s'affliger, mais son affliction
1290 augmenta considérablement. Mme de Clèves, dont l'esprit
avait été si agité, tomba dans une maladie violente sitôt
qu'elle fut arrivée chez elle ; cette nouvelle vint à la cour.
M. de Nemours était inconsolable, sa douleur allait au désespoir et à l'extravagance. Le vidame eut beaucoup de peine à
1295 l'empêcher de faire voir sa passion au public ; il en eut beaucoup aussi à le retenir, et à lui ôter le dessein d'aller lui-même
apprendre de ses nouvelles. La parenté et l'amitié de M. le
vidame fut un prétexte à y envoyer plusieurs courriers ; on sut
enfin qu'elle était hors de cet extrême péril où elle avait été,
1300 mais elle demeura dans une maladie de langueur, qui ne laissait guère d'espérance de sa vie.

Cette vue si longue et si prochaine de la mort fit paraître à
Mme de Clèves les choses de cette vie de cet œil si différent
dont on les voit dans la santé. La nécessité de mourir, dont elle
1305 se voyait si proche, l'accoutuma à se détacher de toutes choses,
et la longueur de sa maladie lui en fit une habitude.
Lorsqu'elle revint de cet état, elle trouva néanmoins que
M. de Nemours n'était pas effacé de son cœur, mais elle appela
à son secours, pour se défendre contre lui, toutes les raisons
1310 qu'elle croyait avoir pour ne l'épouser jamais. Il se passa un
assez grand combat en elle-même. Enfin elle surmonta les
restes de cette passion, qui était affaiblie par les sentiments
que sa maladie lui avait donnés. Les pensées de la mort lui

avaient reproché la mémoire de M. de Clèves. Ce souvenir, qui
s'accordait à son devoir, s'imprima fortement dans son cœur.
Les passions et les engagements du monde lui parurent tels
qu'ils paraissent aux personnes qui ont des vues plus grandes
et plus éloignées. Sa santé, qui demeura considérablement
affaiblie, lui aida à conserver ses sentiments, mais comme elle
connaissait ce que peuvent les occasions sur les résolutions les
plus sages, elle ne voulut pas s'exposer à détruire les siennes,
ni revenir dans les lieux où était ce qu'elle avait aimé. Elle se
retira, sur le prétexte de changer d'air, dans une maison religieuse, sans faire paraître un dessein arrêté de renoncer à la
cour.

À la première nouvelle qu'en eut M. de Nemours, il sentit
le poids de cette retraite, et il en vit l'importance. Il crut, dans
ce moment, qu'il n'avait plus rien à espérer. La perte de ses
espérances ne l'empêcha pas de mettre tout en usage pour
faire revenir Mme de Clèves. Il fit écrire la reine, il fit écrire
le vidame, il l'y fit aller, mais tout fut inutile. Le vidame la
vit, elle ne lui dit point qu'elle eût pris de résolution. Il jugea
néanmoins qu'elle ne reviendrait jamais. Enfin, M. de
Nemours y alla lui-même, sur le prétexte d'aller à des bains.
Elle fut extrêmement troublée et surprise d'apprendre sa
venue. Elle lui fit dire par une personne de mérite qu'elle
aimait, et qu'elle avait alors auprès d'elle, qu'elle le priait de
ne pas trouver étrange si elle ne s'exposait point au péril de le
voir, et de détruire par sa présence, des sentiments qu'elle
devait conserver; qu'elle voulait bien qu'il sût, qu'ayant
trouvé que son devoir et son repos s'opposaient au penchant
qu'elle avait d'être à lui, les autres choses du monde lui
avaient paru si indifférentes qu'elle y avait renoncé pour

jamais, qu'elle ne pensait plus qu'à celles de l'autre vie, et
1345 qu'il ne lui restait aucun sentiment que le désir de le voir dans les mêmes dispositions où elle était.

M. de Nemours pensa expirer de douleur en présence de celle qui lui parlait. Il la pria vingt fois de retourner à Mme de Clèves, afin de faire en sorte qu'il la vît, mais cette personne
1350 lui dit que Mme de Clèves lui avait non seulement défendu de lui aller redire aucune chose de sa part, mais même de lui rendre compte de leur conversation. Il fallut enfin que ce prince repartît, aussi accablé de douleur que le pouvait être un homme qui perdait toutes sortes d'espérances de revoir
1355 jamais une personne qu'il aimait d'une passion la plus violente, la plus naturelle et la mieux fondée qui ait jamais été. Néanmoins il ne se rebuta point encore, et il fit tout ce qu'il put imaginer de capable de la faire changer de dessein. Enfin, des années entières s'étant passées, le temps et l'absence
1360 ralentirent sa douleur et éteignirent sa passion. Mme de Clèves vécut d'une sorte qui ne laissa pas d'apparence qu'elle pût jamais revenir[1]. Elle passait une partie de l'année dans cette maison religieuse, et l'autre chez elle ; mais dans une retraite et dans des occupations plus saintes que celles des
1365 couvents les plus austères ; et sa vie, qui fut assez courte, laissa des exemples de vertu inimitables.

FIN DU QUATRIÈME ET DERNIER TOME

---

1. Comprendre : Mme de Clèves vécut avec une telle austérité que personne n'aurait pu croire qu'elle reviendrait un jour dans le monde.

LA PRINCESSE
DE MONTPENSIER

Présentation

Une première publication

La Princesse de Montpensier est la première nouvelle de Mme de Lafayette, qui paraît de façon anonyme, chez Thomas Jolly, à Paris, en 1662. Comme beaucoup d'œuvres à l'époque, elle circule d'abord de façon manuscrite dans les milieux que fréquente Mme de Lafayette, et pour éviter que des versions non autorisées se diffusent, la comtesse, avec l'aide de Gilles Ménage, décide de la publier de façon anonyme. Il n'est pas en effet très décent pour un aristocrate de faire profession d'écrivain, et encore moins pour une femme.

Une œuvre originale

L'œuvre tranche par sa brièveté avec les longs romans baroques du XVIIᵉ siècle. Elle est également originale en raison de son inscription dans une histoire récente – sous le règne de Charles IX pendant les guerres de Religion – et un espace géographique connu et familier (Angers, Loches, Paris).

Une nouvelle historique

Ainsi *La Princesse de Montpensier* est une nouvelle historique, soit une nouvelle qui a pour toile de fond un moment de l'histoire, mais où l'auteur s'autorise à donner libre cours à son désir de fiction. En réalité, Mme de Lafayette tisse cette dernière avec la réalité en mélangeant une anecdote du XVIIᵉ siècle – l'histoire de la princesse de Montpensier est très probablement inspirée de celle de

Charlotte-Marie de Daillon, demoiselle du Lude, dont Gédéon Tallemant des Réaux (1619-1692) rapporte les déboires dans ses *Historiettes*, recueillies à partir de 1657 – avec la réalité historique (la Saint-Barthélemy par exemple), prêtant à des personnages célèbres (le duc de Guise, Henri d'Anjou) des aventures amoureuses qui n'ont pas existé.

■ Une nouvelle moraliste

La Princesse de Montpensier est une nouvelle sur les dangers de la passion. Malheureuse dans son mariage, la princesse retrouve celui dont elle était amoureuse, le duc de Guise, et ne parvient pas à réfréner son désir. Elle décide donc de lui céder, entraînant irrémédiablement la jalousie et le désir de vengeance de son mari, la fuite de son amant qui l'abandonne lâchement et sa propre mort de dépit. La nouvelle apparaît comme un apologue illustrant la morale finale : la princesse « aurait été sans doute la plus heureuse, si la vertu et la prudence eussent conduit toutes ses actions » (p. 250).

■ Un style précieux

Si la nouvelle tranche avec la mode des romans fleuves de l'époque, elle se rapproche de ces derniers par le style adopté. Certes la nouvelle ne se situe pas dans une Antiquité romaine offrant des noms aux sonorités exotiques, mais un même goût du merveilleux et de l'hyperbole se dévoile dans la caractérisation des personnages, qui sont « dans une extrême jeunesse » (p. 218), « d'une grande beauté » (p. 218), « dans une si grande perfection » (p. 222) ; un même raffinement s'exhale de la peinture de la cour, des chevaliers qui la fréquentent et des fêtes qui s'y donnent.

La Princesse de Montpensier est souvent lue aujourd'hui, comme une nouvelle préparatoire à *La Princesse de Clèves*, plus courte, offrant une intrigue moins originale par certains des aspects, l'adultère étant plus commun que la vertu, mais une morale tout aussi sombre et pessimiste.

La Princesse de Montpensier

Pendant que la guerre civile déchirait la France sous le règne de Charles IX[1], l'amour ne laissait pas de trouver sa place parmi tant de désordres et d'en causer beaucoup dans son empire. La fille unique du marquis de Mézières[2], héritière très considérable, et par ses grands
5 biens, et par l'illustre maison d'Anjou, dont elle était descendue, était promise au duc du Maine[3], cadet du duc de Guise, que l'on a depuis appelé le Balafré[4]. L'extrême jeunesse de cette grande héritière retardait son mariage, et cependant le duc de Guise, qui la voyait souvent, et qui voyait en elle les commencements d'une grande beauté, en
10 devint amoureux, et en fut aimé. Ils cachèrent leur amour avec beaucoup de soin. Le duc de Guise, qui n'avait pas encore autant d'ambition qu'il en a eu depuis, souhaitait ardemment de l'épouser, mais la crainte du cardinal de Lorraine[5], qui lui tenait lieu de père[6],

---

1. Charles IX (1550-1574) régna entre 1560 et 1574. La première guerre de Religion éclata en 1560. Il y en eut huit jusqu'en 1598.
2. La fille unique du marquis de Mézières : Renée d'Anjou (1550-1574), fille unique de Nicolas d'Anjou, marquis de Mézières et de Gabrielle de Mareuil.
3. Duc du Maine : Charles de Lorraine (1554-1611) fut par la suite un des principaux chefs de l'opposition à Henri IV et chef de la Ligue après la mort de son frère, Henri Ier.
4. Le *Balafré* : Henri Ier de Lorraine, duc de Guise (1550-1588), frère du duc du Maine, fut par la suite le chef de la Ligue montée contre Henri III. Il fut blessé au visage en 1575, et en garda une balafre.
5. Le cardinal de Lorraine : Charles de Lorraine (1525-1574) est l'oncle de Henri de Guise. Il devint cardinal en 1547.
6. Le père du duc de Guise, François de Guise, est mort alors que son fils avait tout juste treize ans. Le duc de Guise fut donc placé sous la tutelle de son oncle Charles, cardinal de Lorraine.

l'empêchait de se déclarer. Les choses étaient en cet état, lorsque la
maison de Bourbon, qui ne pouvait voir qu'avec envie l'élévation de
celle de Guise, s'apercevant de l'avantage qu'elle recevrait de ce
mariage, se résolut de le lui ôter et d'en profiter elle-même, en faisant
épouser cette héritière au jeune prince de Montpensier[1]. On travailla
à l'exécution de ce dessein avec tant de succès que les parents de Mlle
de Mézières, contre les promesses qu'ils avaient faites au cardinal de
Lorraine, se résolurent de la donner en mariage à ce jeune prince.
Toute la maison de Guise fut extrêmement surprise de ce procédé,
mais le duc en fut accablé de douleur, et l'intérêt de son amour
lui fit recevoir ce manquement de parole comme un affront insupportable. Son ressentiment éclata bientôt, malgré les réprimandes
du cardinal de Lorraine et du duc d'Aumale[2], ses oncles, qui ne
voulaient pas s'opiniâtrer à une chose qu'ils voyaient ne pouvoir
empêcher, et il s'emporta avec tant de violence, en présence même
du jeune prince de Montpensier, qu'il en naquit entre eux une haine
qui ne finit qu'avec leur vie. Mlle de Mézières, tourmentée par ses
parents d'épouser ce prince[3], voyant d'ailleurs qu'elle ne pouvait
épouser le duc de Guise, et connaissant par sa vertu qu'il était
dangereux d'avoir pour beau-frère un homme qu'elle eût souhaité
pour mari, se résolut enfin de suivre le sentiment de ses proches et
conjura M. de Guise de ne plus apporter d'obstacle à son mariage.
Elle épousa donc le prince de Montpensier qui, peu de temps
après, l'emmena à Champigny[4], séjour ordinaire des princes de
sa maison, pour l'ôter de Paris où apparemment tout l'effort de la
guerre allait tomber. Cette grande ville était menacée d'un siège par

---

1. François de Bourbon (1542-1592), prince du sang de la maison de Bourbon,
ne devint en réalité prince de Montpensier qu'en 1582.
2. Claude II de Lorraine (1526-1573) fut marquis de Mayenne et duc d'Aumale
à partir de 1550.
3. Tourmentée par ses parents d'épouser ce prince : tourmentée par ses
parents pour la faire épouser ce prince.
4. Champigny : il s'agit du château de Champigny-sur-Veude, près de Chinon.

40   l'armée des huguenots, dont le prince de Condé[1] était le chef, et qui
venait de déclarer la guerre au roi pour la seconde fois[2]. Le prince de
Montpensier, dans sa plus tendre jeunesse, avait fait une amitié très
particulière avec le comte de Chabannes[3], qui était un homme d'un
âge beaucoup plus avancé que lui, et d'un mérite extraordinaire. Ce
45   comte avait été si sensible à l'estime et à la confiance de ce jeune
prince, que, contre les engagements qu'il avait avec le prince de
Condé, qui lui faisait espérer des emplois considérables dans le parti
des huguenots, il se déclara pour les catholiques, ne pouvant se
résoudre à être opposé en quelque chose à un homme qui lui était si
50   cher. Ce changement de parti n'ayant point d'autre fondement, l'on
douta qu'il fût véritable, et la reine mère, Catherine de Médicis[4], en
eut de si grands soupçons que, la guerre étant déclarée par les huguenots, elle eut dessein de le faire arrêter, mais le prince de Montpensier
l'en empêcha et emmena Chabannes à Champigny en s'y en allant
55   avec sa femme. Le comte, ayant l'esprit fort doux et fort agréable,
gagna bientôt l'estime de la princesse de Montpensier, et en peu de
temps, elle n'eut pas moins de confiance et d'amitié pour lui, qu'en
avait le prince son mari. Chabannes, de son côté, regardait avec
admiration tant de beauté, d'esprit et de vertu qui paraissaient en
60   cette jeune princesse ; et, se servant de l'amitié qu'elle lui témoignait
pour lui inspirer des sentiments d'une vertu extraordinaire et digne
de la grandeur de sa naissance, il la rendit en peu de temps une des
personnes du monde les plus achevées. Le prince étant revenu à la
cour, où la continuation de la guerre l'appelait, le comte demeura
65   seul avec la princesse, et continua d'avoir pour elle un respect et une
amitié proportionnés à sa qualité et à son mérite. La confiance s'aug-

---

1. Le prince de Condé : Louis Ier de Bourbon-Condé (1530-1569), le principal
chef protestant pendant les trois premières guerres de Religion.

2. La seconde guerre de Religion se déroula entre 1567 et 1568.

3. Le comte de Chabannes : personnage inventé par Mme de Lafayette.

4. Catherine de Médicis : elle naît en 1519 et meurt en 1589. Elle est l'épouse
du roi Henri II et à sa mort, en 1559, devient la reine mère.

menta de part et d'autre, et à tel point du côté de la princesse de
Montpensier, qu'elle lui apprit l'inclination qu'elle avait eue pour
M. de Guise, mais elle lui apprit aussi en même temps qu'elle était
70 presque éteinte, et qu'il ne lui en restait que ce qui était nécessaire
pour défendre l'entrée de son cœur à une autre inclination, et que, la
vertu se joignant à ce reste d'impression, elle n'était capable que
d'avoir du mépris pour ceux qui oseraient avoir de l'amour pour elle.
Le comte, qui connaissait la sincérité de cette belle princesse, et qui
75 lui voyait d'ailleurs des dispositions si opposées à la faiblesse de la
galanterie, ne douta point de la vérité de ses paroles, et néanmoins il
ne put se défendre de tant de charmes qu'il voyait tous les jours de
si près. Il devint passionnément amoureux de cette princesse, et,
quelque honte qu'il trouvât à se laisser surmonter, il fallut céder et
80 l'aimer de la plus violente et de la plus sincère passion qui fut jamais.
S'il ne fut pas maître de son cœur, il le fut de ses actions. Le changement de son âme n'en apporta point dans sa conduite, et personne
ne soupçonna son amour. Il prit un soin exact, pendant une année
entière, de le cacher à la princesse, et il crut qu'il aurait toujours le
85 même désir de le lui cacher. L'amour fit en lui ce qu'il fait en tous les
autres ; il lui donna l'envie de parler, et, après tous les combats qui
ont accoutumé de se faire en pareilles occasions[1], il osa lui dire qu'il
l'aimait, s'étant bien préparé à essuyer les orages dont la fierté de
cette princesse le menaçait. Mais il trouva en elle une tranquillité et
90 une froideur pires mille fois que toutes les rigueurs à quoi[2] il s'était
attendu. Elle ne prit pas la peine de se mettre en colère contre lui.
Elle lui représenta en peu de mots la différence de leurs qualités[3] et
de leur âge, la connaissance particulière qu'il avait de sa vertu et de
l'inclination qu'elle avait eue pour le duc de Guise, et surtout ce qu'il

---

1. Après tous les combats qui ont accoutumé de se faire en pareilles
occasions : après toutes les hésitations qui sont habituelles dans ce genre de
situation.
2. À quoi : auxquelles.
3. Qualités : titres de noblesse.

95 devait à l'amitié et à la confiance du prince son mari. Le comte pensa
mourir à ses pieds de honte et de douleur. Elle tâcha de le consoler
en l'assurant qu'elle ne se souviendrait jamais de ce qu'il venait de
lui dire, qu'elle ne se persuaderait jamais une chose qui lui était si
désavantageuse et qu'elle ne le regarderait jamais que comme son
100 meilleur ami. Ces assurances consolèrent le comte, comme on se le
peut imaginer. Il sentit le mépris des paroles de la princesse dans
toute leur étendue, et, le lendemain, la revoyant avec visage aussi
ouvert que de coutume, son affliction en redoubla de la moitié. Le
procédé de la princesse ne la diminua pas. Elle vécut avec lui avec la
105 même bonté qu'elle avait accoutumé. Elle lui reparla, quand l'occasion en fit naître le discours, de l'inclination quelle avait eue pour le
duc de Guise ; et, la renommée commençant alors à publier[1] les
grandes qualités qui paraissaient en ce prince, elle lui avoua qu'elle
en sentait de la joie, et qu'elle était bien aise de voir qu'il méritait
110 les sentiments qu'elle avait eus pour lui. Toutes ces marques de
confiance, qui avaient été si chères au comte, lui devinrent insupportables. Il n'osait pourtant le témoigner à la princesse, quoiqu'il osât
bien la faire souvenir quelquefois de ce qu'il avait eu la hardiesse de
lui dire. Après deux années d'absence, la paix étant faite[2], le prince
115 de Montpensier revint trouver la princesse sa femme, tout couvert
de la gloire qu'il avait acquise au siège de Paris et à la bataille de
Saint-Denis[3]. Il fut surpris de voir la beauté de cette princesse dans
une si grande perfection, et, par le sentiment d'une jalousie qui lui
était naturelle, il en eut quelque chagrin, prévoyant bien qu'il ne
120 serait pas seul à la trouver belle. Il eut beaucoup de joie de revoir le
comte de Chabannes, pour qui son amitié n'était point diminuée. Il
lui demanda confidemment des nouvelles de l'esprit et de l'humeur

---

1. Publier : rendre publiques.
2. La paix fut conclue à Longjumeau le 23 mars 1568, mais elle ne dura que
jusqu'en septembre.
3. Bataille de Saint-Denis : le 10 novembre 1567 eut lieu une bataille entre
protestants et catholiques. Le connétable de Montmorency remporta une victoire partielle sur les protestants mais fut mortellement blessé.

de sa femme, qui lui était quasi une personne inconnue, par le peu de temps qu'il avait demeuré avec elle. Le comte, avec une sincérité
125 aussi exacte que s'il n'eût point été amoureux, dit au prince tout ce qu'il connaissait en cette princesse capable de la lui faire aimer, et il avertit aussi Mme de Montpensier de toutes les choses qu'elle devait faire pour achever de gagner le cœur et l'estime de son mari.

Enfin, la passion du comte le portait si naturellement à ne songer qu'à
130 ce qui pouvait augmenter le bonheur et la gloire de cette princesse, qu'il oubliait sans peine l'intérêt qu'ont les amants à empêcher que les personnes qu'ils aiment ne soient dans une parfaite intelligence[1] avec leurs maris. La paix ne fit que paraître. La guerre recommença aussitôt, par le dessein qu'eut le roi de faire arrêter à Noyers le prince de Condé[2]
135 et l'amiral de Châtillon[3], et, ce dessein ayant été découvert, l'on commença de nouveau les préparatifs de la guerre, et le prince de Montpensier fut contraint de quitter sa femme, pour se rendre où son devoir l'appelait. Chabannes le suivit à la cour, s'étant entièrement justifié auprès de la reine. Ce ne fut pas sans une douleur extrême qu'il
140 quitta la princesse, qui, de son côté, demeura fort triste des périls où la guerre allait exposer son mari. Les chefs des huguenots s'étaient retirés à La Rochelle. Le Poitou et la Saintonge étant dans leur parti, la guerre s'y alluma fortement, et le roi y rassembla toutes ses troupes. Le duc d'Anjou[4], son frère, qui fut depuis Henri III, y acquit beaucoup de gloire
145 par plusieurs belles actions, et entre autres par la bataille de Jarnac[5], où

---

1. Intelligence : entente.

2. Le prince de Condé : principal chef protestant pendant les trois premières guerres de Religion.

3. L'amiral de Châtillon : Gaspard II de Coligny (1519-1572), chef des protestants, fut la première victime de la Saint-Barthélemy, le 24 août 1572 au matin.

4. Le duc d'Anjou : Alexandre-Édouard (1551-1589), fils de Henri II et de Catherine de Médicis, devint roi de France sous le nom de Henri III le 30 mai 1574.

5. La bataille de Jarnac se déroula le 13 mai 1569 et opposa l'armée royale dirigée par le duc d'Anjou à l'armée protestante dirigée par le prince de Condé. Ce dernier fut tué, les catholiques remportèrent la victoire et se livrèrent à des représailles cruelles sur les protestants.

le prince de Condé fut tué[1]. Ce fut dans cette guerre que le duc de Guise commença à avoir des emplois considérables et à faire connaître qu'il passait[2] de beaucoup les grandes espérances qu'on avait conçues de lui. Le prince de Montpensier, qui le haïssait, et comme son ennemi particulier, et comme celui de sa maison, ne voyait qu'avec peine la gloire de ce duc, aussi bien que l'amitié que lui témoignait le duc d'Anjou. Après que les deux armées se furent fatiguées par beaucoup de petits combats, d'un commun consentement on licencia les troupes pour quelque temps. Le duc d'Anjou demeura à Loches, pour donner ordre à toutes les places qui eussent pu être attaquées. Le duc de Guise y demeura avec lui, et le prince de Montpensier, accompagné du comte de Chabannes, s'en retourna à Champigny, qui n'était pas fort éloigné de là. Le duc d'Anjou allait souvent visiter les places qu'il faisait fortifier. Un jour qu'il revenait à Loches par un chemin peu connu de ceux de sa suite, le duc de Guise, qui se vantait de le savoir, se mit à la tête de la troupe pour servir de guide. Mais, après avoir marché quelque temps, il s'égara et se trouva sur le bord d'une petite rivière, qu'il ne reconnut pas lui-même. Le duc d'Anjou lui fit la guerre de les avoir si mal conduits, et, étant arrêtés en ce lieu, aussi disposés à la joie qu'ont accoutumé de l'être de jeunes princes, ils aperçurent un petit bateau qui était arrêté au milieu de la rivière, et, comme elle n'était pas large, ils distinguèrent aisément dans ce bateau trois ou quatre femmes, et une entre autres qui leur sembla fort belle, qui était habillée magnifiquement, et qui regardait avec attention deux hommes qui pêchaient auprès d'elles. Cette aventure donna une nouvelle joie à ces jeunes princes et à tous ceux de leur suite. Elle leur parut une chose de roman. Les uns disaient au duc de Guise qu'il les avait égarés exprès pour leur faire voir cette belle personne, les autres, qu'il fallait, après ce qu'avait fait le hasard, qu'il en devînt

---

1. Il fut assassiné le 13 mai 1569 alors qu'il était sur le point de se rendre.

2. Passait : dépassait.

amoureux ; et le duc d'Anjou soutenait que c'était lui qui devait être son amant. Enfin, voulant pousser l'aventure à bout, ils firent avancer dans la rivière de leurs gens à cheval, le plus avant qu'il se pût pour crier à cette dame que c'était monsieur d'Anjou qui eût bien voulu
180 passer de l'autre côté de l'eau et qui priait qu'on le vînt prendre. Cette dame, qui était la princesse de Montpensier, entendant dire que le duc d'Anjou était là et ne doutant point, à la quantité des gens qu'elle voyait au bord de l'eau, que ce ne fût lui, fit avancer son bateau pour aller du côté où il était. Sa bonne mine le lui fit bientôt
185 distinguer des autres, mais elle distingua encore plutôt le duc de Guise. Sa vue lui apporta un trouble qui la fit un peu rougir et qui la fit paraître aux yeux de ces princes dans une beauté qu'ils crurent surnaturelle. Le duc de Guise la reconnut d'abord[1], malgré le changement avantageux qui s'était fait en elle depuis les trois années qu'il
190 ne l'avait vue. Il dit au duc d'Anjou qui elle était, qui fut honteux d'abord de la liberté qu'il avait prise, mais, voyant Mme de Montpensier si belle, et cette aventure lui plaisant si fort, il se résolut de l'achever, et, après mille excuses et mille compliments, il inventa une affaire considérable, qu'il disait avoir au-delà de la rivière, et
195 accepta l'offre qu'elle lui fit de le passer dans son bateau. Il y entra seul avec le duc de Guise, donnant ordre à tous ceux qui les suivaient d'aller passer la rivière à un autre endroit, et de les venir joindre à Champigny, que Mme de Montpensier leur dit qui n'était qu'à deux lieues de là[2]. Sitôt qu'ils furent dans le bateau, le duc d'Anjou lui
200 demanda à quoi ils devaient une si agréable rencontre, et ce qu'elle faisait au milieu de la rivière. Elle lui répondit, qu'étant partie de Champigny avec le prince son mari, dans le dessein de le suivre à la chasse, s'étant trouvée trop lasse, elle était venue sur le bord de la rivière où la curiosité de voir prendre un saumon qui avait donné

---

1. D'abord : tout de suite.
2. De les venir joindre à Champigny, que Mme de Montpensier leur dit qui n'était qu'à deux lieues de là : de les rejoindre à Champigny, qui selon Mme de Montpensier, n'était qu'à deux lieues de là.

205 dans un filet, l'avait fait entrer dans ce bateau. M. de Guise ne se
mêlait point dans la conversation ; mais, sentant réveiller vivement
dans son cœur tout ce que cette princesse y avait autrefois fait naître,
il pensait en lui-même qu'il sortirait difficilement de cette aventure
sans rentrer dans ses liens[1]. Ils arrivèrent bientôt au bord, où ils
210 trouvèrent les chevaux et les écuyers de Mme de Montpensier, qui
l'attendaient. Le duc d'Anjou et le duc de Guise lui aidèrent[2] à
monter à cheval, où elle se tenait avec une grâce admirable. Pendant
tout le chemin, elle les entretint agréablement de diverses choses. Ils
ne furent pas moins surpris des charmes de son esprit, qu'ils l'avaient
215 été de sa beauté ; et ils ne purent s'empêcher de lui faire connaître
qu'ils en étaient extraordinairement surpris. Elle répondit à leurs
louanges avec toute la modestie imaginable, mais un peu plus froidement à celles du duc de Guise, voulant garder une fierté qui
l'empêchait de fonder aucune espérance sur l'inclination qu'elle avait
220 eue pour lui. En arrivant dans la première cour de Champigny, ils
trouvèrent le prince de Montpensier, qui ne faisait que de revenir de
la chasse. Son étonnement fut grand de voir marcher deux hommes
à côté de sa femme, mais il fut extrême, quand, s'approchant de plus
près, il reconnut que c'était le duc d'Anjou et le duc de Guise. La
225 haine qu'il avait pour le dernier se joignant à sa jalousie naturelle lui
fit trouver quelque chose de si désagréable à voir ces princes avec sa
femme, sans savoir comment ils s'y étaient trouvés, ni ce qu'ils
venaient faire en sa maison, qu'il ne put cacher le chagrin qu'il en
avait. Il en rejeta adroitement la cause sur la crainte[3] de ne pouvoir
230 recevoir un si grand prince selon sa qualité, et comme il l'eût bien
souhaité. Le comte de Chabannes avait encore plus de chagrin[4] de
voir M. de Guise auprès de Mme de Montpensier, que M. de

---

1. **Sans rentrer dans ses liens** : sans retomber amoureux de la princesse.
2. **Lui aidèrent** : l'aidèrent.
3. **Il en rejeta adroitement la cause sur la crainte** : il fit aisément croire que son chagrin était dû à sa crainte.
4. **Chagrin** : contrariété.

Montpensier n'en avait lui-même. Ce que le hasard avait fait pour
rassembler ces deux personnes lui semblait de si mauvais augure,
235 qu'il pronostiquait aisément que ce commencement de roman ne
serait pas sans suite. Mme de Montpensier fit le soir les honneurs de
chez elle avec le même agrément[1] qu'elle faisait toutes choses. Enfin
elle ne plut que trop à ses hôtes. Le duc d'Anjou, qui était fort galant
et fort bien fait, ne put voir une fortune si digne de lui sans la
240 souhaiter ardemment. Il fut touché du même mal que M. de Guise ;
et, feignant toujours des affaires extraordinaires, il demeura deux
jours à Champigny, sans être obligé d'y demeurer que par les
charmes de Mme de Montpensier, le prince son mari ne faisant point
de violence pour l'y retenir. Le duc de Guise ne partit pas sans faire
245 entendre[2] à Mme de Montpensier qu'il était pour elle ce qu'il avait
été autrefois, et, comme sa passion n'avait été sue de personne, il lui
dit plusieurs fois devant tout le monde, sans être entendu que d'elle,
que son cœur n'était point changé. Et lui et le duc d'Anjou partirent
de Champigny avec beaucoup de regret. Ils marchèrent longtemps
250 tous deux dans un profond silence. Mais enfin le duc d'Anjou, s'ima-
ginant tout d'un coup que ce qui faisait sa rêverie pouvait bien causer
celle du duc de Guise, lui demanda brusquement s'il pensait aux
beautés de la princesse de Montpensier. Cette demande si brusque,
jointe à ce qu'avait déjà remarqué le duc de Guise des sentiments du
255 duc d'Anjou, lui fit voir qu'il serait infailliblement son rival, et qu'il
lui était très important de ne pas découvrir son amour à ce prince.
Pour lui en ôter tout soupçon, il lui répondit, en riant, qu'il paraissait lui-même si occupé de la rêverie dont il l'accusait, qu'il n'avait
pas jugé à propos de l'interrompre, que les beautés de la princesse de
260 Montpensier n'étaient pas nouvelles pour lui, qu'il s'était accoutumé
à en supporter l'éclat du temps qu'elle était destinée à être sa belle-
sœur, mais qu'il voyait bien que tout le monde n'en était pas si peu

---

1. Agrément : façon de rendre agréable.
2. Entendre : comprendre.

ébloui[1]. Le duc d'Anjou lui avoua qu'il n'avait encore rien vu qui lui
parût comparable à cette jeune princesse, et qu'il sentait bien que sa
265　vue lui pourrait être dangereuse, s'il y était souvent exposé. Il voulut
faire convenir le duc de Guise qu'il sentait la même chose, mais ce
duc, qui commençait à se faire une affaire sérieuse de son amour, n'en
voulut rien avouer. Ces princes s'en retournèrent à Loches, faisant
souvent leur agréable conversation de l'aventure qui leur avait
270　découvert la princesse de Montpensier. Ce ne fut pas un sujet de si
grand divertissement dans Champigny. Le prince de Montpensier
était mal content de tout ce qui était arrivé, sans qu'il en pût dire le
sujet. Il trouvait mauvais que sa femme se fût trouvée dans ce bateau.
Il lui semblait qu'elle avait reçu trop agréablement ces princes, et,
275　ce qui lui déplaisait le plus, était d'avoir remarqué que le duc de
Guise l'avait regardée attentivement. Il en conçut dès ce moment
une jalousie furieuse, qui le fit ressouvenir de l'emportement qu'il
avait témoigné lors de son mariage, et il eut quelque pensée que, dès
ce temps-là même, il en était amoureux. Le chagrin que tous ses
280　soupçons lui causèrent donna de mauvaises heures[2] à la princesse de
Montpensier. Le comte de Chabannes, selon sa coutume, prit soin
d'empêcher qu'ils ne se brouillassent tout à fait, afin de persuader
par-là à la princesse combien la passion qu'il avait pour elle était
sincère et désintéressée. Il ne put s'empêcher de lui demander quel
285　effet avait produit en elle la vue du duc de Guise. Elle lui apprit
qu'elle en avait été troublée, par la honte du souvenir de l'inclination
qu'elle lui avait autrefois témoignée ; quelle l'avait trouvé beaucoup
mieux fait qu'il n'était en ce temps-là ; et que même il lui avait paru
qu'il voulait lui persuader[3] qu'il l'aimait encore ; mais elle l'assura
290　en même temps que rien ne pouvait ébranler la résolution qu'elle
avait prise de ne s'engager jamais. Le comte de Chabannes eut bien

---

1. Comprendre : beaucoup de gens étaient particulièrement éblouis par la princesse (c'est une litote).

2. Lui donna de mauvaises heures : lui fit passer de mauvais moments.

3. Lui persuader : la persuader.

de la joie d'apprendre cette résolution, mais rien ne le pouvait rassurer sur le duc de Guise. Il témoigna à la princesse qu'il appré-hendait extrêmement que les premières impressions ne revinssent

295 bientôt, et il lui fit comprendre la mortelle douleur qu'il aurait, pour leur intérêt commun, s'il la voyait un jour changer de senti-ments. La princesse de Montpensier, continuant toujours son procédé avec lui, ne répondait presque pas à ce qu'il lui disait de sa passion, et ne considérait toujours en lui que la qualité du meilleur

300 ami du monde, sans lui vouloir faire l'honneur de prendre garde à celle d'amant[1].

Les armées étant remises sur pied, tous les princes y retournèrent ; et le prince de Montpensier trouva bon que sa femme s'en vînt à Paris, pour n'être plus si proche des lieux où se faisait la guerre. Les

305 huguenots assiégèrent la ville de Poitiers[2]. Le duc de Guise s'y jeta pour la défendre, et il y fit des actions qui suffiraient seules pour rendre glorieuse une autre vie que la sienne. Ensuite la bataille de Moncontour[3] se donna. Le duc d'Anjou, après avoir pris Saint-Jean-d'Angely[4], tomba malade, et quitta en même temps l'armée, soit par

310 la violence de son mal, soit par l'envie qu'il avait de revenir goûter le repos et les douceurs de Paris, où la présence de la princesse de Montpensier n'était pas la moindre raison qui l'attirât. L'armée demeura sous le commandement du prince de Montpensier ; et, peu de temps après, la paix étant faite[5], toute la cour se trouva à Paris.

315 La beauté de la princesse effaça toutes celles qu'on avait admirées jusque alors. Elle attira les yeux de tout le monde par les charmes de

---

1. Comprendre : la princesse fait semblant de ne pas comprendre qu'il l'aime.
2. En 1569, l'amiral de Coligny met le siège devant la ville de Poitiers où le duc de Guise s'est enfermé.
3. La bataille de Montcontour (3 octobre 1569) opposa les troupes de Henri d'Anjou à celles de Gaspard de Coligny. Les catholiques, à nouveau, remportent la victoire.
4. Saint-Jean d'Angély fut assiégée par le duc d'Anjou d'octobre à décembre 1569.
5. Il s'agit de la paix de Saint-Germain, signée le 8 août 1570.

son esprit et de sa personne. Le duc d'Anjou ne changea pas à Paris les sentiments qu'il avait conçus pour elle à Champigny, il prit un soin extrême de le lui faire connaître par toutes sortes de soins,
320 prenant garde, toutefois, à ne lui en pas rendre des témoignages trop éclatants, de peur de donner de la jalousie au prince son mari. Le duc de Guise acheva d'en devenir violemment amoureux ; et, voulant, par plusieurs raisons, tenir sa passion cachée, il se résolut de la lui déclarer d'abord, afin de s'épargner tous ces commencements qui
325 font toujours naître le bruit et l'éclat. Étant un jour chez la reine, à une heure où il y avait très peu de monde, la reine s'étant retirée pour parler d'affaire avec le cardinal de Lorraine, la princesse de Montpensier y arriva. Il se résolut de prendre ce moment pour lui parler, et s'approchant d'elle :
330   « Je vais vous surprendre, Madame, lui dit-il, et vous déplaire, en vous apprenant que j'ai toujours conservé cette passion qui vous a été connue autrefois, mais qui s'est si fort augmentée en vous revoyant, que ni votre sévérité, ni la haine de M. le prince de Montpensier, ni la concurrence du premier prince du royaume[1], ne sauraient lui ôter
335 un moment de sa violence. Il aurait été plus respectueux de vous la faire connaître par mes actions que par mes paroles, mais, Madame, mes actions l'auraient apprise à d'autres aussi bien qu'à vous, et je souhaite que vous sachiez seule que je suis assez hardi pour vous adorer. »
340   La princesse fut d'abord si surprise et si troublée de ce discours, qu'elle ne songea pas à l'interrompre, mais ensuite, étant revenue à elle, et commençant à lui répondre[2], le prince de Montpensier entra. Le trouble et l'agitation étaient peints sur le visage de la princesse, la vue de son mari acheva de l'embarrasser, de sorte qu'elle lui en
345 laissa plus entendre que le duc de Guise ne lui en venait de dire. La

---

1. Il s'agit de Henri d'Anjou, frère du roi Charles IX, qui doit régner si ce dernier vient à mourir sans héritier mâle, comme ce sera le cas en 1574.
2. **Étant revenue à elle, et commençant à lui répondre :** alors qu'elle était revenue à elle et qu'elle commençait à lui répondre.

reine sortit de son cabinet, et le duc se retira pour guérir[1] la jalousie de ce prince. La princesse de Montpensier trouva, le soir, dans l'esprit de son mari tout le chagrin imaginable. Il s'emporta contre elle avec des violences épouvantables, et lui défendit de parler jamais au duc de Guise, Elle se retira bien triste dans son appartement, et bien occupée des aventures qui lui étaient arrivées ce jour-là. Le jour suivant, elle revit le duc de Guise chez la reine ; mais il ne l'aborda pas, et se contenta de sortir un peu après elle, pour lui faire voir qu'il n'y avait que faire quand elle n'y était pas. Il ne se passait point de jour qu'elle ne reçût mille marques cachées de la passion de ce duc, sans qu'il essayât de lui en parler, que lorsqu'il ne pouvait être vu de personne. Comme elle était bien persuadée de cette passion, elle commença, nonobstant[2] toutes les résolutions qu'elle avait faites à Champigny, à sentir, dans le fond de son cœur, quelque chose de ce qui y avait été autrefois.

Le duc d'Anjou, de son côté, n'oubliait rien pour lui témoigner son amour en tous les lieux où il la pouvait voir, et il la suivait continuellement chez la reine sa mère. La princesse sa sœur, de qui il était aimé, en était traitée avec une rigueur capable de guérir toute autre passion que la sienne. On découvrit, en ce temps-là, que cette princesse, qui fut depuis la reine de Navarre[3], eut quelque attachement pour le duc de Guise ; et ce qui le fit découvrir davantage fut le refroidissement qui parut du duc d'Anjou pour le duc de Guise. La princesse de Montpensier apprit cette nouvelle, qui ne lui fut pas indifférente, et qui lui fit sentir qu'elle prenait plus d'intérêt au duc de Guise qu'elle ne pensait. M. de Montpensier, son beau-père, épousant alors Mlle de Guise[4], sœur de ce duc, elle était contrainte

---

1. Pour guérir : pour ne pas attiser.

2. Nonobstant : cependant.

3. La reine de Navarre : Marguerite de Valois (1553-1615) épousa Henri de Navarre, le futur Henri IV, le 18 août 1572.

4. Mlle de Guise : Catherine-Marie de Lorraine (1552-1596) épousa Louis de Bourbon, duc de Montpensier, en 1570.

de le voir souvent dans les lieux où les cérémonies des noces les appelaient l'un et l'autre. La princesse de Montpensier ne pouvant

375 plus souffrir qu'un homme que toute la France croyait amoureux de Madame, osât lui dire qu'il l'était d'elle, et se sentant offensée, et quasi affligée de s'être trompée elle-même, un jour que le duc de Guise la rencontra chez sa sœur, un peu éloignée des autres, et qu'il lui voulut parler de sa passion, elle l'interrompit brusquement, et lui

380 dit d'un ton de voix qui marquait sa colère :

« Je ne comprends pas qu'il faille, sur le fondement d'une faiblesse dont on a été capable à treize ans, avoir l'audace de faire l'amoureux d'une personne comme moi, et surtout quand on l'est d'une autre à la vue de toute la cour. »

385 Le duc de Guise, qui avait beaucoup d'esprit et qui était fort amoureux, n'eut besoin de consulter personne pour entendre[1] tout ce que signifiaient[2] les paroles de la princesse. Il lui répondit avec beaucoup de respect :

« J'avoue, Madame, que j'ai eu tort de ne pas mépriser l'honneur

390 d'être beau-frère de mon roi, plutôt que de vous laisser soupçonner un moment que je pouvais désirer un autre cœur que le vôtre, mais, si vous voulez me faire la grâce de m'écouter, je suis assuré de me justifier auprès de vous. »

La princesse de Montpensier ne répondit point, mais elle ne

395 s'éloigna pas, et le duc de Guise, voyant qu'elle lui donnait l'audience qu'il souhaitait, lui apprit que, sans s'être attiré les bonnes grâces de Madame par aucun soin, elle l'en avait honoré, que, n'ayant nulle passion pour elle, il avait très mal répondu à l'honneur qu'elle lui faisait, jusqu'à ce qu'elle lui eût donné quelque espérance de

400 l'épouser ; qu'à la vérité, la grandeur où ce mariage pouvait l'élever l'avait obligé de lui rendre plus de devoirs, et que c'était ce qui avait donné lieu au soupçon qu'en avaient eu le roi et le duc d'Anjou, que

---

1. **Entendre** : comprendre.
2. **Tout ce que signifiaient** : accord non grammatical, mais avec le sens.

l'opposition de l'un ni de l'autre ne le dissuadait pas de son dessein, mais que, si ce dessein lui déplaisait, il l'abandonnait, dès l'heure même, pour n'y penser de sa vie. Le sacrifice que le duc de Guise faisait à la princesse lui fit oublier toute la rigueur et toute la colère avec laquelle elle avait commencé de lui parler. Elle changea de discours, et se mit à l'entretenir de la faiblesse qu'avait eue Madame de l'aimer la première, et de l'avantage considérable qu'il recevrait en l'épousant. Enfin, sans rien dire d'obligeant au duc de Guise, elle lui fit revoir mille choses agréables, qu'il avait trouvées autrefois en Mlle de Mézières. Quoiqu'ils ne se fussent point parlé depuis longtemps, ils se trouvèrent accoutumés l'un à l'autre, et leurs cœurs se remirent aisément dans un chemin qui ne leur était pas inconnu. Ils finirent cette agréable conversation, qui laissa une sensible joie dans l'esprit du duc de Guise. La princesse n'en eut pas une petite[1] de connaître qu'il l'aimait véritablement. Mais, quand elle fut dans son cabinet, quelles réflexions ne fit-elle point sur la honte de s'être laissée fléchir si aisément aux excuses du duc de Guise, sur l'embarras où elle s'allait plonger en s'engageant dans une chose qu'elle avait regardée avec tant d'horreur, et sur les effroyables malheurs où la jalousie de son mari la pouvait jeter! Ces pensées lui firent faire de nouvelles résolutions, mais qui se dissipèrent dès le lendemain par la vue du duc de Guise. Il ne manquait point de lui rendre un compte exact de ce qui se passait entre Madame et lui. La nouvelle alliance de leurs maisons lui donnait occasion de lui parler souvent, mais il n'avait pas peu de peine à la guérir de la jalousie que lui donnait la beauté de Madame, contre laquelle il n'y avait point de serment qui la pût rassurer. Cette jalousie servait à la princesse de Montpensier à défendre le reste de son cœur contre les soins du duc de Guise, qui en avait déjà gagné la plus grande partie. Le mariage du roi avec la fille de l'empereur Maximilien[2] remplit la cour de fêtes et de réjouissances.

---

1. Comprendre : une petite joie.
2. Charles IX épousa Élisabeth d'Autriche (1554-1592) en novembre 1570. Élisabeth d'Autriche est la fille de l'empereur Maximilien II et de Marie d'Autriche.

Le roi fit un ballet, où dansaient Madame et toutes les princesses. La princesse de Montpensier pouvait seule lui disputer le prix de la beauté. Le duc d'Anjou dansait une entrée de Maures, et le duc de
435 Guise, avec quatre autres, était de son entrée. Leurs habits étaient tous pareils, comme le sont d'ordinaire les habits de ceux qui dansent une même entrée. La première fois que le ballet se dansa, le duc de Guise, devant que[1] de danser, n'ayant pas encore son masque, dit quelques mots en passant à la princesse de Montpensier. Elle
440 s'aperçut bien que le prince son mari y avait pris garde, ce qui la mit en inquiétude. Quelque temps après, voyant le duc d'Anjou avec son masque et son habit de Maure, qui venait pour lui parler, troublée de son inquiétude, elle crut que c'était encore le duc de Guise, et s'approchant de lui :
445 « N'ayez des yeux ce soir que pour Madame, lui dit-elle, je n'en serai point jalouse, je vous l'ordonne, on m'observe, ne m'approchez plus. »

Elle se retira sitôt qu'elle eut achevé ces paroles. Le duc d'Anjou en demeura accablé comme d'un coup de tonnerre. Il vit,
450 dans ce moment, qu'il avait un rival aimé. Il comprit, par le nom de Madame, que ce rival était le duc de Guise, et il ne put douter que la princesse sa sœur ne fût le sacrifice qui avait rendu la princesse de Montpensier favorable aux vœux de son rival. La jalousie, le dépit et la rage, se joignant à la haine qu'il avait déjà pour lui,
455 firent dans son âme tout ce qu'on peut imaginer de plus violent, et il eût donné sur l'heure quelque marque sanglante de son désespoir, si la dissimulation, qui lui était naturelle, ne fût venue à son secours, et ne l'eût obligé, par des raisons puissantes, en l'état qu'étaient les choses, à ne rien entreprendre contre le duc de
460 Guise. Il ne put toutefois se refuser le plaisir de lui apprendre qu'il savait le secret de son amour, et l'abordant en sortant de la salle où l'on avait dansé :

---

1. Devant que : avant que.

« C'est trop, lui dit-il, d'oser lever les yeux jusqu'à ma sœur et de m'ôter ma maîtresse. La considération du roi m'empêche d'éclater, mais souvenez-vous que la perte de votre vie sera peut-être la moindre chose dont je punirai quelque jour votre témérité. »

La fierté du duc de Guise n'était pas accoutumée à de telles menaces ; il ne put néanmoins y répondre, parce que le roi, qui sortait dans ce moment, les appela tous deux ; mais elles gravèrent dans son cœur un désir de vengeance qu'il travailla toute sa vie à satisfaire[1]. Dès le même soir, le duc d'Anjou lui rendit toutes sortes de mauvais offices auprès du roi. Il lui persuada que jamais Madame ne consentirait d'être mariée avec le roi de Navarre, avec qui on proposait de la marier, tant que l'on souffrirait que le duc de Guise l'approchât ; et qu'il était honteux de souffrir qu'un de ses sujets, pour satisfaire à sa vanité, apportât de l'obstacle à une chose qui devait donner la paix à la France. Le roi avait déjà assez d'aigreur contre le duc de Guise[2]. Ce discours l'augmenta si fort, que, le voyant le lendemain, comme il se présentait pour entrer au bal chez la reine, paré d'un nombre infini de pierreries, mais plus paré encore de sa bonne mine, il se mit à l'entrée de la porte, et lui demanda brusquement où il allait. Le duc, sans s'étonner, lui dit qu'il venait pour lui rendre ses très humbles services, à quoi le roi répliqua, qu'il n'avait pas besoin de ceux qu'il lui rendait, et se tourna, sans le regarder. Le duc de Guise ne laissa pas[3] d'entrer dans la salle, outré, dans le cœur, et contre le roi et contre le duc d'Anjou. Mais sa douleur augmenta sa fierté naturelle, et, par une manière de dépit, il s'approcha beaucoup plus de Madame qu'il n'avait accoutumé ; joint que ce que[4] lui avait dit le duc d'Anjou de la princesse de Montpensier l'empêchait de jeter les yeux sur elle. Le duc d'Anjou

---

1. Mme de Lafayette laisse ainsi entendre que cet affront serait à l'origine de la constitution de la Ligue en 1576.
2. L'ambition du duc de Guise menaçait la couronne.
3. **Ne laissa pas** : ne manqua pas.
4. **Joint que ce que** : en outre, ce que.

les observait soigneusement l'un et l'autre. Les yeux de cette princesse laissaient voir, malgré elle, quelque chagrin, lorsque le duc de Guise parlait à Madame. Le duc d'Anjou, qui avait compris, par ce qu'elle lui avait dit, en le prenant pour M. de Guise, qu'elle avait de
495 la jalousie, espéra de les brouiller, et, se mettant auprès d'elle :

« C'est pour votre intérêt, Madame, plutôt que pour le mien, lui dit-il, que je m'en vais vous apprendre que le duc de Guise ne mérite pas que vous l'ayez choisi à mon préjudice. Ne m'interrompez point, je vous prie, pour me dire le contraire d'une vérité que je ne sais que
500 trop. Il vous trompe, Madame, et vous sacrifie à ma sœur, comme il vous l'a sacrifiée. C'est un homme qui n'est capable que d'ambition, mais, puisqu'il a eu le bonheur de vous plaire, c'est assez. Je ne m'opposerai pas à une fortune que je méritais sans doute mieux que lui. Je m'en rendrais indigne si je m'opiniâtrais davantage à la
505 conquête d'un cœur qu'un autre possède. C'est trop de n'avoir pu attirer que votre indifférence. Je ne veux pas y faire succéder la haine, en vous importunant plus longtemps de la plus fidèle passion qui fut jamais. »

Le duc d'Anjou, qui était effectivement touché d'amour et de
510 douleur, put à peine achever ces paroles, et, quoiqu'il eût commencé son discours dans un esprit de dépit et de vengeance, il s'attendrit, en considérant la beauté de la princesse, et la perte qu'il faisait, en perdant l'espérance d'en être aimé ; de sorte que, sans attendre sa réponse, il sortit du bal, feignant de se trouver mal, et s'en alla chez
515 lui rêver à son malheur. La princesse de Montpensier demeura affligée et troublée, comme on se le peut imaginer. Voir sa réputation et le secret de sa vie entre les mains d'un prince qu'elle avait maltraité, et apprendre par lui, sans pouvoir en douter, qu'elle était trompée par son amant, étaient des choses peu capables de lui laisser
520 la liberté d'esprit que demandait un lieu destiné à la joie. Il fallut pourtant demeurer en ce lieu, et aller souper ensuite chez la duchesse de Montpensier, sa belle-mère, qui l'emmena avec elle. Le duc de Guise, qui mourait d'impatience de lui conter ce qu'avait dit le duc

d'Anjou le jour précédent, la suivit chez sa sœur. Mais quel fut son
étonnement, lorsque, voulant entretenir cette belle princesse, il
trouva qu'elle ne lui parlait que pour lui faire des reproches épouvantables ; et le dépit lui faisait faire ces reproches si confusément,
qu'il n'y pouvait rien comprendre, sinon qu'elle l'accusait d'infidélité et de trahison. Accablé de désespoir de trouver une si grande
augmentation de douleur où il avait espéré de se consoler de tous ses
ennuis, et aimant cette princesse avec une passion qui ne pouvait
plus le laisser vivre dans l'incertitude d'en être aimé, il se détermina
tout d'un coup :

« Vous serez satisfaite, Madame, lui dit-il. Je m'en vais faire pour
vous ce que toute la puissance royale n'aurait pu obtenir de moi. Il m'en
coûtera ma fortune ; mais c'est peu de chose pour vous satisfaire. »

Sans demeurer davantage chez la duchesse sa sœur il s'en alla
trouver, à l'heure même, les cardinaux ses oncles [1] et, sur le prétexte
du mauvais traitement qu'il avait reçu du roi, il leur fit voir une si
grande nécessité pour sa fortune à faire paraître qu'il n'avait aucune
pensée d'épouser Madame, qu'il les obligea à conclure son mariage
avec la princesse de Portien [2], duquel on avait déjà parlé. La nouvelle
de ce mariage fut aussitôt sue par tout Paris. Tout le monde fut
surpris, et la princesse de Montpensier en fut touchée de joie et de
douleur. Elle fut bien aise de voir par là le pouvoir qu'elle avait sur
le duc ; et elle fut fâchée, en même temps, de lui avoir fait abandonner une chose aussi avantageuse que le mariage de Madame. Le
duc de Guise, qui voulait au moins que l'amour le récompensât de
ce qu'il perdait du côté de la fortune, pressa la princesse de lui donner
une audience particulière pour s'éclaircir des reproches injustes
qu'elle lui avait faits. Il obtint qu'elle se trouverait chez la duchesse
de Montpensier, sa sœur, à une heure que cette duchesse n'y serait

---

1. Louis Ier de Lorraine (1527-1578), cardinal de Guise, et Charles de Lorraine
(1524-1574), cardinal de Lorraine.

2. La princesse de Portien : Catherine de Clèves (1548-1633), veuve d'Antoine de Croy, prince de Porcien, épousa le duc de Guise en octobre 1670.

pas, et qu'il pourrait l'entretenir en particulier. Le duc de Guise eut la joie de se pouvoir jeter à ses pieds, de lui parler en liberté de sa passion, et de lui dire ce qu'il avait souffert de ses soupçons. La princesse ne pouvait s'ôter de l'esprit ce que lui avait dit le duc d'Anjou, quoique le procédé du duc de Guise la dût absolument rassurer. Elle lui apprit le juste sujet qu'elle avait de croire qu'il l'avait trahie, puisque le duc d'Anjou savait ce qu'il ne pouvait avoir appris que de lui. Le duc de Guise ne savait par où se défendre, et était aussi embarrassé que la princesse de Montpensier à deviner ce qui avait pu découvrir leur intelligence[1]. Enfin, dans la suite de leur conversation, comme elle lui remontrait[2] qu'il avait eu tort de précipiter son mariage avec la princesse de Portien, et d'abandonner celui de Madame, qui lui était si avantageux, elle lui dit qu'il pouvait bien juger qu'elle n'en eût eu aucune jalousie, puisque, le jour du ballet, elle-même l'avait conjuré de n'avoir des yeux que pour Madame. Le duc de Guise lui dit qu'elle avait eu intention de lui faire ce commandement, mais qu'assurément elle ne le lui avait pas fait. La princesse lui soutint le contraire. Enfin, à force de disputer et d'approfondir, ils trouvèrent qu'il fallait qu'elle se fût trompée dans la ressemblance des habits, et qu'elle-même eût appris au duc d'Anjou ce qu'elle accusait le duc de Guise de lui avoir appris. Le duc de Guise, qui était presque justifié dans son esprit par son mariage, le fut entièrement par cette conversation. Cette belle princesse ne put refuser son cœur à un homme qui l'avait possédé autrefois, et qui venait de tout abandonner pour elle. Elle consentit donc à recevoir ses vœux, et lui permit de croire qu'elle n'était pas insensible à sa passion. L'arrivée de la duchesse de Montpensier, sa belle-mère, finit cette conversation, et empêcha le duc de Guise de lui faire voir les

---

1. Le duc de Guise ne savait par où se défendre, et était aussi embarrassé que la princesse de Montpensier à deviner ce qui avait pu découvrir leur intelligence : aucun des deux ne comprenait qui avait pu dévoiler au duc d'Anjou la nature de leur relation.

2. Remontrait : reprochait.

transports de sa joie. Quelque temps après, la cour s'en allant à Blois, où la princesse de Montpensier la suivit, le mariage de Madame avec le roi de Navarre y fut conclu. Le duc de Guise, ne connaissant plus de grandeur ni de bonne fortune que celle d'être aimé de la prin-585 cesse[1], vit avec joie la conclusion de ce mariage, qui l'aurait comblé de douleur dans un autre temps. Il ne pouvait si bien cacher son amour, que le prince de Montpensier n'en entrevît quelque chose, lequel, n'étant plus maître de sa jalousie, ordonna à la princesse sa femme de s'en aller à Champigny. Ce commandement lui fut bien 590 rude : il fallut pourtant obéir. Elle trouva moyen de dire adieu en particulier au duc de Guise, mais elle se trouva bien embarrassée à lui donner des moyens sûrs pour lui écrire. Enfin, après avoir bien cherché, elle jeta les yeux sur le comte de Chabannes, qu'elle comptait toujours pour son ami, sans considérer qu'il était son amant[2]. Le 595 duc de Guise, qui savait à quel point ce comte était ami du prince de Montpensier, fut épouvanté qu'elle le choisît pour son confident ; mais elle lui répondit si bien de sa fidélité, qu'elle le rassura. Il se sépara d'elle avec toute la douleur que peut causer l'absence d'une personne que l'on aime passionnément. Le comte de Chabannes, qui 600 avait toujours été malade à Paris pendant le séjour de la princesse de Montpensier à Blois, sachant qu'elle s'en allait à Champigny, la fut trouver sur le chemin, pour s'en aller avec elle. Elle lui fit mille caresses[3] et mille amitiés, et lui témoigna une impatience extraordinaire de s'entretenir en particulier[4], dont[5] il fut d'abord charmé. 605 Mais quels furent son étonnement et sa douleur, quand il trouva que cette impatience n'allait[6] qu'à lui conter qu'elle était passionnément

---

1. Ne connaissant plus de grandeur ni de bonne fortune que celle d'être aimé de la princesse : le duc de Guise ne connaissant rien de plus grand que l'amour de la princesse de Montpensier, ou qui lui fût préférable.

2. Amant : amoureux.

3. Caresses : marques de sympathie, pas nécessairement physiques.

4. Particulier : privé.

5. Dont : ce dont.

6. N'allait : ne visait.

aimée du duc de Guise, et qu'elle l'aimait de la même sorte ! Son étonnement et sa douleur ne lui permirent pas de répondre. La princesse, qui était pleine de sa passion, et qui trouvait un soulagement extrême à lui en parler, ne prit pas garde à son silence, et se mit à lui conter jusqu'aux plus petites circonstances de son aventure. Elle lui dit comme le duc de Guise et elle étaient convenus [1] de recevoir, par son moyen, les lettres qu'ils devaient s'écrire. Ce fut le dernier coup pour le comte de Chabannes, de voir que sa maîtresse voulait qu'il servît son rival, et qu'elle lui en faisait la proposition comme d'une chose qui lui devait être agréable. Il était si absolument maître de lui-même, qu'il lui cacha tous ses sentiments. Il lui témoigna seulement la surprise où il était de voir en elle un si grand changement. Il espéra d'abord que ce changement, qui lui ôtait toute espérance, lui ôterait aussi toute sa passion ; mais il trouva cette princesse si charmante, sa beauté naturelle étant encore beaucoup augmentée par une certaine grâce que lui avait donnée l'air de la cour, qu'il sentit qu'il l'aimait plus que jamais. Toutes les confidences qu'elle lui faisait sur la tendresse et sur la délicatesse de ses sentiments pour le duc de Guise lui faisaient voir le prix du cœur de cette princesse, et lui donnaient un vif désir de le posséder. Comme sa passion était la plus extraordinaire du monde, elle produisit l'effet du monde le plus extraordinaire, car elle le fit résoudre de porter à sa maîtresse les lettres de son rival. L'absence du duc de Guise donnait un chagrin mortel à la princesse de Montpensier, et, n'espérant de soulagement que par ses lettres, elle tourmentait incessamment le comte de Chabannes, pour savoir s'il n'en recevait point, et se prenait quasi à lui de n'en avoir pas assez tôt. Enfin, il en reçut par un gentilhomme du duc de Guise, et il les lui apporta à l'heure même, pour ne lui retarder pas sa joie d'un moment. Celle qu'elle eut de les recevoir fut extrême. Elle ne prit pas le soin de la lui cacher, et lui fit avaler à longs traits tout le poison [2] imaginable,

---

1. **Étaient convenus** : avaient convenu.
2. **Poison** : douleur.

en lui lisant ces lettres et la réponse tendre et galante qu'elle y faisait.
Il porta cette réponse au gentilhomme, avec la même fidélité avec
laquelle il avait rendu la lettre à la princesse, mais avec plus de
640   douleur. Il se consola pourtant un peu, dans la pensée que cette
princesse ferait quelque réflexion sur ce qu'il faisait pour elle, et
qu'elle lui en témoignerait de la reconnaissance. La trouvant de jour
en jour plus rude pour lui, par le chagrin qu'elle avait d'ailleurs, il
prit la liberté de la supplier de penser un peu à ce qu'elle lui[1] faisait
645   souffrir. La princesse, qui n'avait dans la tête que le duc de Guise, et
qui ne trouvait que lui seul digne de l'adorer, trouva si mauvais
qu'un autre que lui osât penser à elle, qu'elle maltraita bien plus le
comte de Chabannes en cette occasion, qu'elle n'avait fait la première
fois qu'il lui avait parlé de son amour. Quoique sa passion, aussi bien
650   que sa patience, fût extrême, et à toute épreuve, il quitta la princesse
et s'en alla chez un de ses amis dans le voisinage de Champigny, d'où
il lui écrivit avec toute la rage que pouvait lui causer un si étrange
procédé, mais néanmoins avec tout le respect qui était dû à sa
qualité ; et, par sa lettre, il lui disait un éternel adieu. La princesse
655   commença à se repentir d'avoir si peu ménagé un homme sur qui elle
avait tant de pouvoir ; et, ne pouvant se résoudre à le perdre, non
seulement à cause de l'amitié qu'elle avait pour lui, mais aussi par
l'intérêt de son amour, pour lequel il lui était tout à fait nécessaire,
elle lui manda[2] qu'elle voulait absolument lui parler encore une fois,
660   et, après cela, qu'elle le laissait libre de faire ce qu'il lui plairait. L'on
est bien faible quand on est amoureux. Le comte revint, et, en moins
d'une heure, la beauté de la princesse de Montpensier, son esprit et
quelques paroles obligeantes, le rendirent plus soumis qu'il n'avait
jamais été, et il lui donna même des lettres du duc de Guise, qu'il
665   venait de recevoir. Pendant ce temps, l'envie qu'on eut à la cour d'y
faire venir les chefs du parti huguenot, pour cet horrible dessein

---

1. Lui : le.
2. Manda : fit dire.

qu'on exécuta le jour de la Saint-Barthélemy[1], fit que le roi, pour les mieux tromper, éloigna de lui tous les princes de la maison de Bourbon et tous ceux de la maison de Guise. Le prince de
670 Montpensier s'en retourna à Champigny, pour achever d'accabler la princesse sa femme par sa présence. Le duc de Guise s'en alla à la campagne, chez le cardinal de Lorraine, son oncle. L'amour et l'oisiveté mirent dans son esprit un si violent désir de voir la princesse de Montpensier, que, sans considérer ce qu'il hasardait[2] pour elle et
675 pour lui, il feignit un voyage, et, laissant tout son train[3] dans une petite ville, il prit avec lui ce seul gentilhomme qui avait déjà fait plusieurs voyages à Champigny, et il s'y en alla en poste[4]. Comme il n'avait point d'autre adresse que celle du comte de Chabannes, il lui fit écrire un billet par ce même gentilhomme, par lequel ce gentil-
680 homme le priait de le venir trouver en un lieu qu'il lui marquait. Le comte de Chabannes, croyant que c'était seulement pour recevoir des lettres du duc de Guise, l'alla trouver ; mais il fut extrêmement surpris, quand il vit le duc de Guise, et il n'en fut pas moins affligé. Ce duc, occupé de son dessein, ne prit non plus garde à l'embarras
685 du comte que la princesse de Montpensier avait fait à son silence lorsqu'elle lui avait conté son amour. Il se mit à lui exagérer sa passion, et à lui faire comprendre qu'il mourrait infailliblement, s'il ne lui faisait obtenir de la princesse la permission de la voir. Le comte de Chabannes lui répondit froidement qu'il dirait à cette princesse
690 tout ce qu'il souhaitait qu'il lui dît, et qu'il viendrait lui en rendre réponse. Il s'en retourna à Champigny, combattu de ses propres

---

1. À l'occasion du mariage de Marguerite de Valois et de Henri de Navarre, le 18 août 1572, les chefs protestants étaient réunis à Paris. Quelques jours plus tard, dans la nuit du 23 au 24 août, démarra le massacre de la Saint-Barthélemy, au cours duquel des dizaines de milliers de protestants furent assassinés. On n'a pas de certitude sur l'instigateur de ce massacre, mais de forts soupçons pèsent sur la Couronne, qui l'aurait – du moins en partie – prémédité.

2. Hasardait : risquait.

3. Train : entourage.

4. En poste : en voiture ordinaire. Par amour, le duc de Guise accepte de s'abaisser et voyager avec le peuple.

sentiments, mais avec une violence qui lui ôtait quelquefois toute
sorte de connaissance. Souvent il prenait la résolution de renvoyer le
duc de Guise sans le dire à la princesse de Montpensier ; mais la
695   fidélité exacte qu'il lui avait promise changeait aussitôt sa résolution.
Il arriva auprès d'elle, sans savoir ce qu'il devait faire ; et, apprenant
que le prince de Montpensier était à la chasse, il alla droit à l'appartement de la princesse, qui, le voyant troublé, fit retirer aussitôt ses
femmes pour savoir le sujet de ce trouble. Il lui dit, en se modérant
700   le plus qu'il lui fut possible, que le duc de Guise était à une lieue de
Champigny, et qu'il souhaitait passionnément de la voir. La princesse fit un grand cri à cette nouvelle, et son embarras ne fut guère
moindre que celui du comte. Son amour lui présenta d'abord la joie
qu'elle aurait de voir un homme qu'elle aimait si tendrement : mais,
705   quand elle pensa combien cette action était contraire à sa vertu, et
qu'elle ne pouvait voir son amant qu'en le faisant entrer la nuit chez
elle, à l'insu de son mari, elle se trouva dans une extrémité épouvan-
table. Le comte de Chabannes attendait sa réponse comme une chose
qui allait décider de sa vie ou de sa mort. Jugeant de l'incertitude de
710   la princesse par son silence, il prit la parole pour lui représenter tous
les périls où[1] elle s'exposerait par cette entrevue ; et, voulant lui faire
voir qu'il ne lui tenait pas ce discours pour ses intérêts, il lui dit :

« Si, après tout ce que je viens de vous représenter, Madame, votre
passion est la plus forte, et que vous désiriez voir le duc de Guise,
715   que ma considération ne vous en empêche point, si celle de votre
intérêt ne le fait pas. Je ne veux point priver d'une si grande satisfac-
tion une personne que j'adore, ni être cause qu'elle cherche des
personnes moins fidèles que moi pour se la procurer. Oui, madame,
si vous le voulez, j'irai quérir le duc de Guise dès ce soir, car il est
720   trop périlleux de le laisser plus longtemps où il est, et je l'amènerai
dans votre appartement.

— Mais par où et comment ? interrompit la princesse.

---

1. Où : auxquels.

   — Ah! Madame, s'écria le comte, c'en est fait, puisque vous ne délibérez plus que sur les moyens. Il viendra, Madame, ce bienheu-
725 reux amant. Je l'amènerai par le parc ; donnez ordre seulement à celle de vos femmes à qui vous vous fiez le plus, qu'elle baisse, précisé-ment à minuit, le petit pont-levis, qui donne de votre antichambre dans le parterre, et ne vous inquiétez pas du reste. »

   En achevant ces paroles, il se leva ; et, sans attendre d'autre
730 consentement de la princesse de Montpensier, il remonta à cheval, et vint trouver le duc de Guise, qui l'attendait avec une impatience extrême. La princesse de Montpensier demeura si troublée, qu'elle fut quelque temps sans revenir à elle. Son premier mouvement fut de faire rappeler le comte de Chabannes, pour lui défendre d'amener
735 le duc de Guise, mais elle n'en eut pas la force. Elle pensa que, sans le rappeler, elle n'avait qu'à ne point faire abaisser le pont. Elle crut qu'elle continuerait dans cette résolution. Quand l'heure de l'assi-gnation[1] approcha, elle ne put résister davantage à l'envie de voir un amant qu'elle croyait si digne d'elle, et elle instruisit une de ses
740 femmes de tout ce qu'il fallait faire pour introduire le duc de Guise dans son appartement. Cependant[2], et ce duc et le comte de Chabannes approchaient de Champigny ; mais dans un état bien différent : le duc abandonnait son âme à la joie et à tout ce que l'espé-rance inspire de plus agréable, et le comte s'abandonnait à un déses-
745 poir et à une rage qui le poussèrent mille fois à donner de son épée au travers du corps de son rival. Enfin ils arrivèrent au parc de Champigny, où ils laissèrent leurs chevaux à l'écuyer du duc de Guise ; et, passant par des brèches qui étaient aux murailles, ils vinrent dans le parterre. Le comte de Chabannes, au milieu de son
750 désespoir, avait toujours quelque espérance que la raison reviendrait à la princesse de Montpensier, et qu'elle prendrait enfin la résolution de ne point voir le duc de Guise. Quand il vit ce petit pont abaissé,

---

1. Assignation : comparution.
2. Cependant : pendant ce temps.

ce fut alors qu'il ne put douter du contraire, et ce fut aussi alors qu'il fut tout prêt à se porter aux dernières extrémités ; mais, venant à penser que, s'il faisait du bruit, il serait ouï apparemment du prince de Montpensier, dont l'appartement donnait sur le même parterre, et que tout ce désordre tomberait ensuite sur la personne qu'il aimait le plus, sa rage se calma à l'heure même, et il acheva de conduire le duc de Guise aux pieds de sa princesse. Il ne put se résoudre à être témoin de leur conversation, quoique la princesse lui témoignât le souhaiter, et qu'il l'eût bien souhaité lui-même. Il se retira dans un petit passage, qui était du côté de l'appartement du prince de Montpensier, ayant dans l'esprit les plus tristes pensées qui aient jamais occupé l'esprit d'un amant. Cependant, quelque peu de bruit qu'ils eussent fait en passant sur le pont, le prince de Montpensier, qui par malheur était éveillé dans ce moment, l'entendit, et fit lever un de ses valets de chambre pour voir ce que c'était. Le valet de chambre mit la tête à la fenêtre, et, au travers de l'obscurité de la nuit, il aperçut que le pont était abaissé. Il en avertit son maître, qui lui commanda en même temps d'aller dans le parc voir ce que ce pouvait être. Un moment après, il se leva lui-même, étant inquiet de ce qu'il lui semblait avoir ouï marcher quelqu'un, et s'en vint droit à l'appartement de la princesse sa femme, qui répondait sur le pont. Dans le moment qu'il approchait de ce petit passage où était le comte de Chabannes, la princesse de Montpensier, qui avait quelque honte de se trouver seule avec le duc de Guise, pria plusieurs fois le comte d'entrer dans sa chambre. Il s'en excusa toujours, et, comme elle l'en pressait davantage, possédé de rage et de fureur, il lui répondit si haut qu'il fut ouï du prince de Montpensier ; mais si confusément que ce prince entendit seulement la voix d'un homme, sans distinguer celle du comte. Une pareille aventure eût donné de l'emportement à un esprit et plus tranquille et moins jaloux : aussi mit-elle d'abord l'excès de la rage et de la fureur dans celui du prince. Il heurta aussitôt à la porte avec impétuosité, et, criant pour se faire ouvrir, il donna la plus cruelle surprise du monde à la princesse, au duc de Guise et au comte de Chabannes. Ce dernier, entendant la voix du prince, comprit d'abord qu'il était impossible de l'empêcher de croire qu'il n'y eût quelqu'un dans la chambre de la princesse sa femme, et, la grandeur de sa passion lui montrant en ce moment, que, s'il y trouvait le duc de Guise, Mme de Montpensier aurait la douleur de le voir tuer à ses yeux, et que la vie même de cette princesse ne serait pas en sûreté, il résolut, par une générosité sans exemple, de s'exposer pour sauver une maîtresse ingrate et un rival aimé. Pendant que le prince de Montpensier donnait mille coups à la porte, il vint au duc de Guise, qui ne savait quelle résolution prendre, et il le mit entre les mains de cette femme de Mme de Montpensier qui l'avait fait entrer par le pont, pour le faire sortir par le même lieu, pendant qu'il s'exposerait à la fureur du prince. À peine le duc était hors l'antichambre, que le prince, ayant enfoncé la porte du passage, entra dans la chambre comme un homme possédé de fureur et qui cherchait sur qui la faire éclater. Mais quand il ne vit que le comte de Chabannes, et qu'il le vit immobile, appuyé sur la table, avec un visage où la tristesse était peinte, il demeura immobile lui-même : et la surprise de trouver, et seul et la nuit, dans la chambre de sa femme l'homme du monde qu'il aimait le mieux, le mit hors d'état de pouvoir parler. La princesse était à demi-évanouie sur des carreaux[1], et jamais peut-être la fortune n'a mis trois personnes en des états si pitoyables. Enfin, le prince de Montpensier, qui ne croyait pas voir ce qu'il voyait, et qui voulait démêler ce chaos où il venait de tomber, adressant la parole au comte, d'un ton qui faisait voir qu'il avait encore de l'amitié pour lui :

« Que vois-je ? lui dit-il. Est-ce une illusion ou une vérité ? Est-il possible qu'un homme que j'ai aimé si chèrement choisisse ma femme entre toutes les autres femmes, pour la séduire ? Et vous, Madame, dit-il à la princesse, en se tournant de son côté, n'était-ce

---

1. Carreaux : grands coussins disposés au sol dans les chambres de nuit pour s'asseoir ou s'allonger.

point assez de m'ôter votre cœur et mon honneur, sans m'ôter le seul homme qui me pouvait consoler de ces malheurs ? Répondez-moi l'un ou l'autre, leur dit-il, et éclaircissez-moi d'une aventure que je ne puis croire telle qu'elle me paraît. »

820 La princesse n'était pas capable de répondre, et le comte de Chabannes ouvrit plusieurs fois la bouche sans pouvoir parler.

« Je suis criminel à votre égard, lui dit-il enfin, et indigne de l'amitié que vous avez eue pour moi ; mais ce n'est pas de la manière que vous pouvez l'imaginer. Je suis plus malheureux que vous, et 825 plus désespéré ; je ne saurais vous en dire davantage. Ma mort vous vengera, et, si vous voulez me la donner tout à l'heure[1], vous me donnerez la seule chose qui peut m'être agréable. »

Ces paroles, prononcées avec une douleur mortelle et avec un air qui marquait son innocence, au lieu d'éclaircir le prince de 830 Montpensier, lui persuadaient de plus en plus qu'il y avait quelque mystère dans cette aventure, qu'il ne pouvait deviner ; et, son désespoir s'augmentant par cette incertitude :

« Ôtez-moi la vie vous-même, lui dit-il, ou donnez-moi l'éclaircissement de vos paroles ; je n'y comprends rien ; vous devez 835 cet éclaircissement à mon amitié, vous le devez à ma modération ; car tout autre que moi aurait déjà vengé sur votre vie un affront si sensible.

— Les apparences sont bien fausses, interrompit le comte.

— Ah ! c'est trop, répliqua le prince, il faut que je me venge, et 840 puis je m'éclaircirai à loisir. »

En disant ces paroles, il s'approcha du comte de Chabannes avec l'action d'un homme emporté de rage. La princesse, craignant quelque malheur (ce qui ne pouvait pourtant pas arriver, son mari n'ayant point d'épée), se leva pour se mettre entre deux. La faiblesse 845 où elle était la fit succomber à cet effort, et, comme elle approchait de son mari, elle tomba évanouie à ses pieds. Le prince fut encore

---

1. **Tout à l'heure** : dès cette heure.

plus touché de cet évanouissement qu'il n'avait été de la tranquillité où il avait trouvé le comte, lorsqu'il s'était approché de lui ; et, ne pouvant plus soutenir la vue de deux personnes qui lui donnaient
850 des mouvements si tristes, il tourna la tête de l'autre côté, et se laissa tomber sur le lit de sa femme, accablé d'une douleur incroyable. Le comte de Chabannes, pénétré de repentir d'avoir abusé d'une amitié dont il recevait tant de marques, et, ne trouvant pas qu'il pût jamais réparer ce qu'il venait de faire, sortit brusquement de la chambre, et,
855 passant par l'appartement du prince, dont il trouva les portes ouvertes, il descendit dans la cour ; il se fit donner des chevaux, et s'en alla dans la campagne, guidé par son seul désespoir. Cependant, le prince de Montpensier, qui voyait que la princesse ne revenait point de son évanouissement, la laissa entre les mains de ses femmes,
860 et se retira dans sa chambre avec une douleur mortelle. Le duc de Guise, qui était sorti heureusement du parc, sans savoir quasi ce qu'il faisait, tant il était troublé, s'éloigna de Champigny de quelques lieues ; mais il ne put s'éloigner davantage, sans savoir des nouvelles de la princesse. Il s'arrêta dans une forêt, et envoya son écuyer pour
865 apprendre du comte de Chabannes ce qui était arrivé de cette terrible aventure. L'écuyer ne trouva point le comte de Chabannes ; mais il apprit d'autres personnes que la princesse de Montpensier était extraordinairement malade. L'inquiétude du duc de Guise fut augmentée par ce que lui dit son écuyer ; et, sans la pouvoir soulager,
870 il fut contraint de s'en retourner trouver ses oncles, pour ne pas donner de soupçon par un plus long voyage. L'écuyer du duc de Guise lui avait rapporté la vérité, en lui disant que Mme de Montpensier était extrêmement malade ; car il était vrai que, sitôt que ses femmes l'eurent mise dans son lit, la fièvre lui prit si violem-
875 ment, et avec des rêveries[1] si horribles, que, dès le second jour, l'on craignit pour sa vie. Le prince feignit d'être malade, afin qu'on ne s'étonnât pas de ce qu'il n'entrait pas dans la chambre de sa femme.

---

1. **Rêveries** : cauchemars voire songes délirants.

L'ordre qu'il reçut de s'en retourner à la cour, où l'on rappelait tous les princes catholiques pour exterminer les huguenots, le tira de l'embarras où il était. Il s'en alla à Paris, ne sachant ce qu'il avait à espérer ou à craindre du mal de la princesse sa femme. Il n'y fut pas sitôt arrivé, qu'on commença d'attaquer les huguenots en la personne d'un de leurs chefs, l'amiral de Châtillon ; et, deux jours après, l'on fit cet horrible massacre[1] si renommé par toute l'Europe. Le pauvre comte de Chabannes, qui s'était venu cacher dans l'extrémité de l'un des faubourgs de Paris, pour s'abandonner entièrement à sa douleur, fut enveloppé dans la ruine des huguenots. Les personnes chez qui il s'était retiré l'ayant reconnu, et s'étant souvenues qu'on l'avait soupçonné d'être de ce parti, le massacrèrent cette même nuit qui fut si funeste à tant de gens. Le matin, le prince de Montpensier, allant donner quelques ordres hors la ville, passa dans la rue où était le corps de Chabannes. Il fut d'abord saisi d'étonnement à ce pitoyable spectacle ; ensuite, son amitié se réveillant, elle lui donna de la douleur ; mais le souvenir de l'offense qu'il croyait avoir reçue du comte lui donna enfin de la joie, et il fut bien aise de se voir vengé par les mains de la fortune. Le duc de Guise, occupé du désir de venger la mort de son père[2], et, peu après, rempli de la joie de l'avoir vengée, laissa peu à peu éloigner de son âme le soin d'apprendre des nouvelles de la princesse de Montpensier ; et, trouvant la marquise de Noirmoutier[3], personne de beaucoup d'esprit et de beauté, et qui donnait plus d'espérance que cette princesse, il s'y attacha entièrement et l'aima avec une passion démesurée, et qui lui dura jusqu'à sa mort. Cependant, après que le mal de Mme de

---

1. Massacre de la Saint-Barthélemy.

2. C'est le duc de Guise qui débuta le massacre en assassinant l'amiral de Coligny. Il voulait ainsi venger son père, qui fut assassiné par Jean de Poltrot de Méré au siège d'Orléans, en 1563. Les Guises accusèrent le chef Gaspard de Coligny d'avoir été l'instigateur de ce meurtre.

3. La marquise de Noirmoutier : Charlotte de Sauve (1551-1617), dame d'honneur de Catherine de Médicis, fut la maîtresse de Henri de Guise, mais aussi celle de François d'Anjou et de Henri de Navarre.

Montpensier fut venu au dernier point, il commença à diminuer : la
raison lui revint ; et, se trouvant un peu soulagée par l'absence du
prince son mari, elle donna quelque espérance de sa vie. Sa santé
revenait pourtant avec grand peine, par le[1] mauvais état de son
esprit ; et son esprit fut travaillé[2] de nouveau, quand elle se souvint
qu'elle n'avait eu aucune nouvelle du duc de Guise pendant toute sa
maladie. Elle s'enquit de ses femmes si elles n'avaient vu personne,
si elles n'avaient point de lettres ; et, ne trouvant rien de ce qu'elle
eût souhaité, elle se trouva la plus malheureuse du monde, d'avoir
tout hasardé pour un homme qui l'abandonnait. Ce lui fut encore un
nouvel accablement d'apprendre la mort du comte de Chabannes,
qu'elle sut bientôt par les soins du prince son mari. L'ingratitude du
duc de Guise lui fit sentir plus vivement la perte d'un homme dont
elle connaissait si bien la fidélité. Tant de déplaisirs si pressants la
remirent bientôt dans un état aussi dangereux que celui dont elle
était sortie : et, comme Mme de Noirmoutier était une personne qui
prenait autant de soin de faire éclater ses galanteries que les autres
en prennent de les cacher, celles du duc de Guise et d'elle étaient si
publiques, que, toute éloignée et toute malade qu'était la princesse
de Montpensier, elle les apprit de tant de côtés, qu'elle n'en put
douter. Ce fut le coup mortel pour sa vie : elle ne put résister à la
douleur d'avoir perdu l'estime de son mari, le cœur de son amant, et
le plus parfait ami qui fut jamais. Elle mourut en peu de jours, dans
la fleur de son âge, une des plus belles princesses du monde, et qui
aurait été sans doute la plus heureuse, si la vertu et la prudence
eussent conduit toutes ses actions.

---

1. Par le : en raison du.
2. Travaillé : torturé.

Le contexte historique et culturel

Depuis l'âge de seize ans, Mme de Lafayette fréquente la cour de Louis XIV et les salons littéraires. Mais c'est plus d'un siècle en arrière, à la cour de Henri II, que se déroule *La Princesse de Clèves*, ce qui permet à l'auteur d'éviter une critique trop directe du Roi-Soleil et de donner à son histoire le charme du passé. Le roman se situe plus précisément entre la fin de l'année 1558 et le début de l'année 1559, soit les derniers mois du règne de Henri II et le tout début du règne de François II.

DES SITUATIONS POLITIQUES PROCHES

● Quand paraît *La Princesse de Clèves* en 1678, **Louis XIV** poursuit ses conquêtes européennes et **remporte la guerre de Hollande**, la paix de Nimègue est celée le 10 août 1678. D'autre part, se développe en France le **classicisme**.

● Mme de Lafayette préfère évoquer 1559, année durant laquelle Henri II signe la **paix du Cateau-Cambresis mettant fin aux guerres d'Italie**. C'est donc un moment de trêve puisque la France n'est pas encore entrée dans les guerres de Religion opposant les protestants et les catholiques. Enfin, 1559 est marquée par la **mort spectaculaire de Henri II** des suites d'une blessure reçue lors d'un tournoi.

LA VIE À LA COUR

● Mme de Lafayette est une femme très en vue dans les salons comme à la cour du roi. Aussi, en témoin privilégié, elle a pu observer la manière dont les courtisans se comportaient au sein de la cour.

● Or, dans *La Princesse de Clèves*, l'auteur restitue cette ambiance et les échanges mondains. Elle décrit les festivités propices aux intrigues amoureuses, à commencer par la passion de Henri II pour sa maîtresse, Diane de Poitiers. Mme de Lafayette dépeint un cadre fastueux à travers l'évocation des fêtes et des tournois, une **cour luxueuse où la galanterie est partout** et ressemble fortement à la cour de Louis XIV. L'auteur propose «une parfaite imitation du monde de la cour et la manière dont on y vit», c'est-à-dire, où tout est tromperie et dissimulation. En effet, *La Princesse de Clèves* décrit un monde clos où les différents personnages manœuvrent et agissent en secret.

LES PASSIONS DES GRANDS

• Dans *La Princesse de Clèves*, Mme de Lafayette **lie les événements historiques**, connus du lecteur du XVIIᵉ siècle, **et l'intrigue principale de la passion** de la princesse pour de M. de Nemours. Trois femmes se distinguent particulièrement : Diane de Poitiers, Marie Stuart et sa mère, Anne Boylen.

• **Diane de Poitiers**, qui a bénéficié toute sa vie de la passion qu'elle inspirait à Henri II, est déchue à la mort du roi : seule, elle doit affronter les douleurs du deuil et celles de la chute sociale irréversible.

• **Marie Stuart**, femme du dauphin, est un personnage central de la cour et du roman de Mme de La Fayette, et le lecteur du XVIIᵉ siècle sait que ses aventures amoureuses la conduisent à sa perte[1]. Son funeste destin est évoqué dans les « tristes pressentiments » de cette reine (p. 31).

• **Anne Boleyn** enfin, dont la dauphine conte justement l'histoire, connaît un sort tragique, conséquence logique de sa propension à mêler les affaires amoureuses et les affaires politiques (voir p. 88).

Ainsi Mme de Lafayette choisit avec la cour de Henri II l'environnement idéal pour situer l'histoire d'une passion impossible et pour dresser le portrait d'une femme hors du commun. Les différents personnages, dans cette période trouble, illustrent la fragilité de la condition humaine.

---

1. Si la reine d'Écosse fut condamnée à mort en raison de ses prétentions sur le trône d'Angleterre, sa liaison avec le comte de Bothwell et ses suites – Henri Stuart, dit lord Darnley, fut retrouvé assassiné – contribuèrent à précipiter sa chute.

Biographie de Mme de Lafayette (1634-1693)

LA FORMATION D'UNE PRÉCIEUSE

• Marie-Madeleine Pioche de La Vergne naît à Paris le 18 mars 1634 au sein d'une famille de petite noblesse. Son père, simple écuyer du roi, est l'ami d'écrivains précieux comme Mlle de Scudéry ou Vincent Voiture et fréquente occasionnellement l'hôtel de Rambouillet.

• La jeune fille perd son père à l'âge de quinze ans, en 1649. Sa mère épouse l'année suivante le chevalier René-Renaud de Sévigné, oncle de la célèbre épistolière[1] qui devient son amie. Grâce à la protection de sa marraine, la duchesse d'Aiguillon, elle est nommée demoiselle d'honneur de la reine-mère Anne d'Autriche, ce qui lui permet de fréquenter les beaux esprits. De plus, Mlle de Scudéry[2] lui ouvre les portes de son salon, où elle rencontre La Rochefoucauld[3] et Gilles Ménage[4]. C'est ce dernier qui lui transmet une partie de son savoir et lui fait lire les poètes latins et italiens, les ouvrages d'histoire, de morale et surtout des romans.

LE MARIAGE, LA VIE AUVERGNATE ET LE RETOUR À PARIS

• En 1655, elle épouse François Motier, comte de Lafayette, avec qui elle a deux fils, Louis (1658-1729) qui entrera dans les Ordres, et Armand-Renaud (1659-1694) qui sera militaire.

• Comme son mari préfère la campagne, Mme de Lafayette quitte Paris pour l'Auvergne et prend goût à la retraite rurale. Mais, elle fait de fréquentes visites à ses amis parisiens et finit par délaisser totalement les terres de son mari pour rester au plus près de l'émulation intellectuelle de la capitale.

1. Marie de Rabutin-Chantal (1626-1696), dite la marquise de Sévigné, est l'auteur de lettres à sa fille et à ses amis, qui furent publiées au XVIIIe siècle. Cette correspondance, d'un style assez précieux, est une mine d'informations sur les mœurs et les goûts de la noblesse sous Louis XIV.
2. Madeleine de Scudéry (1607-1701) est l'auteur d'ouvrages précieux comme *Artamène* ou *Le Grand Cyrus* ou *Clélie*. Elle tient l'un des salons littéraires les plus fréquentés de l'époque.
3. François VI, duc de La Rochefoucauld, prince de Marcillac (1613-1680) est un célèbre moraliste connu pour ses *Maximes*. Il n'aurait pas été complètement étranger à la conception de *La Princesse de Clèves*.
4. Gilles Ménage (1613-1692) est un grammairien, historien et écrivain français.

• Vers 1661, elle écrit en collaboration avec Ménage *La Princesse de Montpensier*. Mais ne se considérant pas comme un écrivain, Mme de Lafayette décide de publier le texte de façon anonyme après avoir appris qu'il circulait dans les salons littéraires.

LES ANNÉES D'ÉCRITURE ET LA RETRAITE

• C'est en 1662 pourtant que Mme de Lafayette se brouille avec Ménage, dont l'amitié « augmentait si fort ». Elle se rapproche du moraliste La Rochefoucauld avec qui elle entretient des liens étroits.

• Grâce au soutien et à l'aide de La Rochefoucauld, Mme de Lafayette continue à écrire. Elle rédige *L'Histoire de Madame Henriette d'Angleterre*[1], *Zaïde* et *La Princesse de Clèves*. Paraîtront de façon posthume des *Romans et nouvelles*, la *Comtesse de Tende*, et enfin des *Mémoires de la cour de France pour les années 1688 et 1689*.

• Comme les autres livres de Mme de Lafayette, **La Princesse de Clèves paraît anonymement**. On a longtemps soupçonné La Rochefoucauld d'en être l'auteur, mais les critiques s'accordent aujourd'hui pour lui attribuer un rôle de conseiller et de correcteur.

• Malgré ses succès littéraires et ses relations, Mme de Lafayette mène une fin de vie solitaire. Elle perd son ami le plus fidèle La Rochefoucauld en 1680, puis son mari en 1683. Elle décide alors de se retirer loin de Paris et de se convertir au jansénisme[2].

---

1. Henriette d'Angleterre (1644-1670) est la femme de Monsieur, le frère de Louis XIV. C'est également une amie de Mme de Lafayette.

2. Le jansénisme, s'inspirant de Cornelius Jansen (1585-1638), met la grâce divine au centre de sa théologie. Les jansénistes mènent une vie austère, à l'écart du monde.

Les influences de Mme de Lafayette

Mme de Lafayette côtoie les salons littéraires à la mode, et notamment celui que Catherine de Vivonne tient à l'Hôtel de Rambouillet, où l'«incomparable Arthénice» (anagramme de «Catherine», selon la mode précieuse) reçoit les plus beaux esprits de son temps. Elle-même ne tarde pas à ouvrir son propre salon, si bien que l'émulation est constante. Mme de Lafayette a toujours été tiraillée entre son incontestable goût pour ces réunions mondaines et son désir de se retirer dans ses terres pour trouver le calme. Cette tension, trait de son caractère et composante d'une foi en évolution, a des répercussions considérables sur son œuvre.

L'INFLUENCE DES CERCLES PRÉCIEUX

• Mme de Lafayette appartient au milieu précieux. En réaction à une certaine violence des mœurs et de l'époque, encore très marquée par les troubles civils, des femmes de la haute noblesse, tournées en ridicule par Molière[1], ont voulu **réformer les manières et le style pour les rendre plus élégants**, par le biais de périphrases et de métaphores, et par le bannissement de mots ou de syllabes jugés impudiques.

• La littérature type des précieuses est illustrée notamment par Mlle de Scudéry, l'auteur de romans fleuves, galants et héroïques comme *Artamène ou le grand Cyrus* (1649-1653) ou *Clélie, histoire romaine* (1654-1660). **L'amour et l'analyse des sentiments sont le cœur de l'intrigue et l'objet central de toutes les conversations**.

Dans les salons que fréquentait Mme de Lafayette, les précieuses côtoyaient les moralistes, qui opposaient à la longueur de ces œuvres la brièveté de leur style.

L'INFLUENCE DES MORALISTES

• Le XVIIe siècle est connu comme le «siècle des moralistes», celui de **Jean de La Fontaine** (1621-1695), de **Jean de La Bruyère** (1645-1696), qui croque dans *Les Caractères* (1688) de cinglants portraits, incarnations des vices de son temps, ou encore celui de **François de La Rochefoucauld** (1613-1680), l'auteur des célèbres *Maximes* (1664).

• Si la comtesse feint dans un billet qu'elle écrit à Mme de Sablé d'être scandalisée par la noirceur de la pensée de La Rochefoucauld – «Quelle corruption il faut

---

1. Molière (1622-1673) se moqua des précieuses dans *Les Femmes savantes* et *Les Précieuses ridicules*.

avoir dans l'esprit et dans le cœur pour être capable d'imaginer tout cela ! » –, elle n'en est pas moins très marquée par son influence. La **réflexion morale sur la vertu** a dans son œuvre une place prépondérante. La **densité de son style** fait songer aux *Maximes*, et pour cause, La Rochefoucauld aurait été le correcteur de *La Princesse de Clèves*.

La rigueur des moralistes les rapproche bien souvent du courant janséniste, qui se développe également au XVIIe siècle.

L'INFLUENCE DU JANSÉNISME SUR *LA PRINCESSE DE CLÈVES*

• La doctrine du jansénisme est issue de la pensée de Cornelius Jansen (1585-1638), dit Jansénius, auteur de l'*Augustinus* (1640). Elle propose une **interprétation très sombre du christianisme**, selon laquelle l'homme, entaché par la faute originelle d'Adam et Eve, est prisonnier de ses passions, et ne peut choisir sa destinée.

Jansénistes et jésuites

Au XVIIe siècle, une question oppose les jansénistes et les jésuites : la prédestination. Tandis que les premiers, se réclamant d'une morale stricte, affirment que l'homme ne peut obtenir son Salut sans la grâce de Dieu, les jésuites, au contraire, pensent que l'homme est responsable, à travers ses actes, du Salut divin, quitte à trouver des arrangements avec la morale.

• Ce sentiment tragique de l'existence est sensible tout au long de *La Princesse de Clèves*, livre dans lequel l'amour d'un mari le mène à sa perte, la passion est nécessairement destructrice, et la cour hypocrite avilit tout individu. Pourtant, Mme de Clèves apparaît comme un être exceptionnel. Sa mère, Mme de Chartres, l'a éduquée dans la **morale janséniste**, une morale rigoureuse et exigeante. Pour vivre selon cette morale, la princesse est prête à tous les sacrifices, et pour ne pas céder à la tentation, elle préfère fuir la cour et M. de Nemours. Elle suit les préceptes jansénistes en trouvant refuge dans sa maison de Coulommiers. Enfin, après la mort de son mari, plutôt que de succomber à la passion, elle se retire dans les Pyrénées pour y mener une existence austère.

La place de *La Princesse de Clèves* dans l'œuvre de Mme de Lafayette

CHRONOLOGIE DES ŒUVRES DE MME DE LAFAYETTE

La Princesse de Clèves est l'œuvre la plus connue de Mme de Lafayette et c'est sûrement la plus aboutie, mais la comtesse est également l'auteur de deux nouvelles, *La Princesse de Montpensier* (1662) et *La Comtesse de Tende* (parution posthume en 1723), d'un roman à la mode espagnole, écrit à plusieurs mains, avec La Rochefoucauld et Segrais, *Zaïde* (signé Segrais et édité entre 1669 et 1671), ainsi que de deux ouvrages d'histoire : *L'Histoire d'Henriette d'Angleterre* (parution posthume en 1720) et *Mémoires de la cour de France* (parution posthume en 1731).

La Princesse de Clèves est ainsi la dernière œuvre publiée du vivant de Mme de Lafayette. Apogée de son style, elle entre en résonance avec ses autres écrits, qui manifestent un grand intérêt pour l'histoire et les dangers de la passion à la cour.

DES THÈMES RÉCURRENTS DANS L'ŒUVRE DE MME DE LAFAYETTE

● Dans chacun de ses livres, Mme de Lafayette montre son goût pour l'histoire. Dans *La Princesse de Clèves*, *La Princesse de Montpensier* et *La Comtesse de Tende*, si le cadre est historique, l'intrigue principale est fictive. Ces œuvres présentent à la fois des personnages réels et imaginaires. Tous cependant sont situés dans une période historique précise, peu avant les guerres de Religion (*La Princesse de Clèves*, *La Comtesse de Tende*), ou au cœur même des troubles (*La Princesse de Montpensier*). Mme de Lafayette se montre assez fidèle à l'histoire et prend même la fonction de mémorialiste notamment lorsqu'elle rédige *L'Histoire d'Henriette d'Angleterre* ou les *Mémoires de la cour de France*.

● Toutefois, quand elle s'attache à décrire un siècle passé, Mme de Lafayette s'inspire de ce qu'elle observe autour d'elle, de ce qui la fascine et qu'elle connaît le mieux : ses œuvres dépeignent la haute noblesse, présentent un monde de princesses et de rois semblable à celui qu'elle fréquente à Versailles.

● Mme de Lafayette écrit aussi sur ce qui lui fait peur et la passion est au premier rang de ses craintes. Ainsi, à 20 ans, elle écrivait : « Je suis si persuadée que l'amour est une chose incommode que j'ai de la joie que mes amis et moi en soyons exempts. » **L'amour est toujours violent** dans ses œuvres, et lorsqu'il est conjugal, il n'est pas partagé, ce qui conduit les personnages à une **issue généralement fatale**. Mme de Clèves, qui a refusé de céder à la passion, mène une vie « assez courte », et les femmes qui y succombent (la princesse de Montpensier et la comtesse de Tende) ont une mort violente.

• Plus qu'à l'intrigue amoureuse en elle-même, Mme de Lafayette s'attache à l'**analyse poussée des sentiments amoureux**. Toutes ses œuvres traduisent sa finesse psychologique rendue dans un style précieux, châtié, épousant les circonvolutions de la pensée torturée des personnages.

La Princesse de Clèves, une œuvre inclassable

La Princesse de Clèves n'est pas un de ces romans-fleuves dont la mode se développe au XVIIe siècle et auquel Mme de Lafayette elle-même s'est essayée avec *Zaïde*. Le terme de «nouvelle» convient mieux à son époque, mais celui de «roman» sied mieux à la nôtre ; assumons-en l'anachronisme et tâchons de voir les différentes réalités qui se cachent sous ce terme.

UN ROMAN PRÉCIEUX

Le désir de multiplier les voix narratrices par les récits enchâssés et l'introduction de lettres dans le récit est typique des romans précieux.

• *La Princesse de Clèves* pourrait faire l'objet d'une nouvelle de la taille de *La Princesse de Montpensier* mais elle intègre **quatre récits enchâssés ininterrompus**, qui sont donc des histoires à part entière dans l'histoire. Mme de Chartres commence par expliquer à sa fille la relation de la duchesse de Valentinois et du roi (p. 42 à 48) ; à la mort de la mère de la princesse, M. de Clèves éclaire sa femme sur la nature véritable de Mme de Tournon, maîtresse de deux hommes à la fois (p. 64 à 74) ; plus tard la dauphine lui conte l'histoire d'Anne Boleyn (p. 87 à 92). C'est au duc de Nemours en revanche que le vidame de Chartres expose enfin les aléas de son aventure amoureuse avec Mme de Thémines (p. 108 à 117).

Cette structure a un sens puisque chaque aventure amoureuse tragique est entendue par les personnages principaux et évoque les **conséquences désastreuses de la passion**. Ces récits montrant la duplicité des amants et le malheur qu'apportent les amours illégitimes permettent à Mme de Clèves d'analyser sa propre situation.

• Mme de Lafayette insère **au cœur de l'intrigue principale une lettre de Mme de Thémines** au vidame de Chartres qui a une fonction fondamentale. Cette lettre contribue à donner plus de diversité au roman, mais aussi à lier de façon encore plus étroite **le récit enchâssé et le récit principal**. En découvrant l'existence de cette missive qu'elle croit être de M. de Nemours, Mme de Clèves ressent les pointes de la jalousie de façon très aiguë (p. 104) et c'est en la réécrivant de mémoire avec le duc, une fois détrompée, qu'elle goûte la joie intense d'une telle proximité non coupable avec l'être aimé.

ROMAN HISTORIQUE ? ROMAN HÉROÏQUE ?
ROMAN D'APPRENTISSAGE ?

• On peut considérer *La Princesse de Clèves* comme un **roman historique**, et plus précisément, comme « **des mémoires** » selon la définition de Mme de Lafayette. L'auteur s'est effectivement documenté pour écrire son roman, a choisi une période bien circonscrite dans l'histoire de France, en évoquant le destin tragique de personnages célèbres comme Marie Stuart, Catherine de Médicis ou Diane de Poiriers. Pourtant, *La Princesse de Clèves* n'est pas véritablement un roman historique puisque nombre de personnages, dont Madame de Clèves elle-même, sont de pures fictions. Aussi, l'histoire n'est que la **toile de fond du roman**.

• Mais *La Princesse de Clèves* est aussi un roman de son temps : vers le milieu du XVIIe siècle, la mode est au **roman héroïque**, illustré notamment par Madeleine de Scudéry avec *Clélie, histoire romaine* (1654-1661). Le roman héroïque se définit par la description d'actions hors du commun, mettant en scène des personnages d'exception aux sentiments élevés. Ainsi, un personnage tel que M. de Nemours relève du roman héroïque puisqu'il est capable de surmonter de nombreux obstacles pour conquérir Mme de Clèves. Il participe notamment, comme dans les romans de chevalerie, à un tournoi en portant les couleurs de la princesse (voir p. 163).

> **Clélie, histoire romaine**
> **de Mlle de Scudéry**
> Ce roman-fleuve de Madeleine de Scudéry a été publié en dix volumes entre 1654 et 1660. Il s'agit du type même du roman précieux, baroque et héroïque, illustrant la force de l'amour dans une intrigue pleine d'aventures vécues par des personnages nobles, exprimant des sentiments purs dans une langue châtiée.

• *La Princesse de Clèves* est également un **roman d'apprentissage**, au cours duquel une jeune héroïne ignorante du monde de la cour doit en intégrer les codes, en connaître les dangers et savoir les contourner. Sa mère, au cours de son existence, a tenté de la détourner de la passion, en vain. Se retrouvant orpheline, Mme de Clèves doit échapper à la passion et ses souffrances. Pour y parvenir, elle a recours aux examens de conscience lui permettant de réfléchir à ses choix et à ses agissements. À l'issue de son apprentissage, Mme de Clèves décide de ne pas céder à la tentation et de se retirer du monde.

UNE NOUVELLE GALANTE ? UN ROMAN D'ANALYSE ?

● Lors de sa parution, on désignait *La Princesse de Clèves* comme une « **nouvelle galante** » en raison du **mélange des genres et du style.** Le niveau de langue doit être soutenu et naturel à la fois, enjoué et délicat. Le **procédé de la litote**[1], cher à Mme de Lafayette, fait avec grâce deviner la violence des sentiments sans la dire, répondant à cet impératif courtois. Les personnages doivent eux-mêmes avoir des **sentiments délicats et violents, un amour idéalisé.** Le caractère extraordinaire de la passion réciproque de M. de Nemours et de Mme de Clèves, la grande rigueur éthique de la princesse et la noblesse d'attitude de M. de Clèves contribuent à inscrire *La Princesse de Clèves* dans le courant de la nouvelle galante.

● *La Princesse de Clèves* se définit aussi comme un **roman d'analyse.** La narratrice épouse la conscience de la princesse avec précision et interprète des gestes que cette dernière ne saurait elle-même comprendre. **Toute l'action est psychologique** et la pureté minutieuse de la langue très châtiée de l'auteur rend compte de l'élégance des sentiments. La narratrice accompagne l'avancée des réflexions de la princesse, et sa découverte de l'amour qui la transforme. Le lecteur en vient à suivre les étapes de la progression de la passion : la prise de conscience des sentiments de Mme de Clèves advient au moment où la narratrice les livre au lecteur, comme dans cette phrase : « L'on ne peut exprimer la douleur qu'elle sentit de connaître, par ce que lui venait de dire sa mère, l'intérêt qu'elle prenait à M. de Nemours, elle n'avait encore osé se l'avouer à elle-même » (p. 56).

Il arrive également que la narratrice décrypte des attitudes que la princesse elle-même ne sait pas bien analyser car elle ne connaît pas encore toutes les étapes de la passion. C'est la narratrice qui décèle dans la réaction de la princesse lisant la lettre comme un sentiment de jalousie : « elle se trompait elle-même ; et ce mal qu'elle trouvait si insupportable était la jalousie avec toutes les horreurs dont elle peut être accompagnée. » (p.104).

---

1. Litote : procédé qui consiste à en dire moins pour en exprimer davantage. Par exemple, quand le duc de Nemours demande à la princesse de Clèves : « Quoi, Madame, une pensée vaine et sans fondement vous empêchera de rendre heureux un homme que vous ne haïssez pas ? » (l. 1031, p. 203), il sous-entend que la princesse l'aime passionnément.

La princesse, portrait d'une femme amoureuse

La princesse de Clèves est devenue un **mythe littéraire,** parce qu'elle est le symbole de la passion extraordinaire, de la lutte non moins extraordinaire contre cette passion et du tragique lié à cet amour impossible. C'est un personnage de la tentation, une princesse augustinienne[1] se débattant contre les émotions qui l'assaillent, marques de sa faiblesse humaine, une femme enfin qui doit constamment dissimuler son amour.

UN PERSONNAGE DE LA TENTATION

• La princesse est un personnage de la tentation parce qu'elle est incroyablement belle et désirable. Tous les hommes sont séduits par sa grâce : « Il parut alors une beauté à la cour, qui attira les yeux de tout le monde, et l'on doit croire que c'était une beauté parfaite, puisqu'elle donna de l'admiration dans un lieu où l'on était si accoutumé à voir de belles personnes » (voir p. 18). Elle est surtout l'**objet d'une passion puissante** pour les deux hommes dont elle causera le malheur, son mari M. de Clèves, qu'elle n'a jamais réussi à aimer, et l'homme qu'elle aime d'une passion irrépressible, M. de Nemours, à qui elle n'a jamais voulu se donner.

• La princesse est également un personnage de la tentation parce qu'elle est fortement attirée par le duc de Nemours. La tentation est d'autant plus forte qu'elle refuse d'y céder, pour des raisons morales et par peur de souffrir. Sa mère meurt trop tôt pour être un rempart contre son désir, et « quoique la tendresse et la reconnaissance y eussent la plus grande part [dans son chagrin], le besoin qu'elle sentait qu'elle avait de sa mère pour se défendre contre M. de Nemours ne laissait pas d'y en avoir beaucoup » (p. 61). Son mari, en mourant, la laisse seule (p. 191) face à une tentation à laquelle elle estime ne pas être en droit de se livrer.

---

1. La pensée du père de l'Église saint Augustin (354-430) a donné naissance à une doctrine qui a eu une influence considérable sur la Réforme religieuse au XVIe siècle et sur le jansénisme au XVIIe siècle. Les protestants comme les jansénistes durcissent les théories de saint Augustin sur la présence en l'homme du péché originel et sur la nécessité de la grâce divine pour obtenir le salut. Ils contribuent ainsi à réduire à néant la liberté de l'homme. La princesse de Clèves lutte contre la fatalité mais ne peut empêcher la passion de faire son malheur.

UNE PRINCESSE AUGUSTINIENNE

Dans la doctrine augustinienne qui a eu une grande influence sur tout le XVIIe siècle, et notamment sur le jansénisme[1], les hommes, prisonniers de leur passion, sont guidés par l'amour qui mène fatalement à la déchéance.

● Alors qu'elle a été élevée dans la recherche de la tranquillité voire de l'apathie, Mme de Clèves se découvre capable de sentiments puissants. Selon sa mère, la **passion est malhonnête**, non vertueuse, tandis que l'absence d'émotions est marquée d'un signe positif et doit être recherchée.

● C'est donc contre ses propres valeurs que Mme de Clèves tombe amoureuse, et elle ne peut l'accepter tout de suite, car la **reconnaissance de l'amour est en soi une marque de résignation**. La princesse comprend qu'elle aime M. de Nemours au moment où elle éprouve la jalousie et le manque : «ce mal qu'elle trouvait si insupportable était la jalousie avec toutes les horreurs dont elle peut être accompagnée» (p. 104).

● Néanmoins, **Mme de Clèves continue de s'aveugler sur son véritable état**, refusant de devenir vulnérable à la passion, comme toutes les femmes dont sa mère lui a si souvent narré les malheurs. Ainsi par exemple elle «se tromp[e] elle-même» lorsqu'elle analyse les sentiments qu'elle ressent à la lecture de la lettre de Mme de Thémines (p. 104) ; elle pense éprouver de l'aigreur d'avoir laissé croire à M. de Nemours qu'elle l'aime mais elle est en réalité jalouse. C'est la **lutte tragique de la conscience contre la violence de la passion** que Mme de Lafayette explore : la passion est dévorante et Mme de Clèves s'étiole et se consume, puisqu'elle ne peut maîtriser ce sentiment.

UNE PASSION DISSIMULÉE ?

L'amour passionnel est l'objet de *La Princesse de Clèves* : tous les personnages sont frappés (le chevalier de Guise, M. de Clèves, Mme de Clèves, M. de Nemours, Henri II, le vidame de Chartres, Catherine de Médicis...) ou s'en font les analystes (Mme de Chartres, la dauphine). Tous cèdent ou voudraient faire céder l'autre.

---

1. Le jansénisme est un mouvement religieux du XVIIe siècle, proposant une doctrine sévère du catholicisme, héritée de saint Augustin et visant à insister sur l'incapacité de l'homme à se laver seul du péché originel, sans l'aide arbitraire de Dieu. Les jansénistes devinrent une force politique gênante pour l'Église instituée car ils étaient soutenus par des gens influents et critiquaient le pouvoir religieux en place.

• M. de Nemours parvient par une volonté extraordinaire, par souci de préserver l'honneur de la princesse de Clèves et par désir de ne pas la blesser, à cacher à la cour l'objet de sa passion. Les conjectures vont bon train pour tenter de déceler qui est sa maîtresse (« il est certain que M. de Nemours est passionnément amoureux, et que ses amis les plus intimes, non seulement ne sont point dans sa confidence, mais qu'ils ne peuvent deviner qui est la personne qu'il aime », p. 75). Si M. de Nemours dissimule aux autres l'identité de la princesse, c'est justement parce qu'il l'aime passionnément. Mais **il laisse deviner son amour** à l'objet de son cœur lorsqu'il ose dérober son portrait sous ses yeux (p. 93), lorsqu'il ne cesse de venir la voir et de trouver des occasions pour la rencontrer seule (p. 80).

• Mme de Clèves en revanche pense d'abord **lutter contre sa passion en refusant de l'avouer aux autres**, à M. de Nemours et **à elle-même**. En cela, elle joue de tout l'art du paraître pour montrer son indifférence par exemple lorsqu'elle évoque l'amour de M. de Nemours pour la dauphine, ou qu'elle fait tout pour ne pas voir le duc (« Au nom de Dieu, continua-t-elle, trouvez bon que, sur le prétexte de quelque maladie, je ne voie personne. », p. 143).

• Cependant la **princesse est trop sincère, a un cœur trop pur pour pouvoir dissimuler totalement**. Elle veut se confier à sa mère (p. 57), puis elle dévoile à son mari les sentiments qu'elle a pour un autre homme. Cette action extraordinaire, que nulle autre femme n'aurait faite, naît certes de son désarroi et de sa volonté de se protéger, mais elle est également issue d'un mouvement de sincérité à l'opposé du paraître[1].

• C'est finalement dans un mouvement réfléchi qu'elle expose ses sentiments ouvertement à M. de Nemours, lui dévoilant un cœur qui, à force d'être caché et protégé n'a pas été corrompu et n'a pas goûté les joies de l'artifice. Pourtant, « la seule fois de [sa] vie [où elle se donne] la liberté de faire paraître » ses sentiments (p. 204) est aussi la fois où elle les enfouit à tout jamais dans une retraite relative, dont elle refuse catégoriquement de sortir pour accepter les jouissances et les bonheurs de la passion, au risque d'en supporter les malheurs. La **dissimulation de la princesse est très vertueuse et très sage**.

---

1. Cet aveu extraordinaire fit couler beaucoup d'encre au XVIIe siècle (voir p. 269).

La Princesse de Montpensier, une ébauche de *La Princesse de Clèves* ?

La Princesse de Montpensier est un court récit, publié en 1662 après avoir circulé sous forme manuscrite. Il semble être préparatoire à *La Princesse de Clèves* que Mme de Lafayette écrit une quinzaine d'années plus tard et fait paraître en 1678. On retrouve en effet dans cette œuvre de nombreux éléments qui étaient en germe dans *La Princesse de Montpensier*.

UN RÔLE DÉTERMINANT DE L'HISTOIRE

• *La Princesse de Montpensier* se déroule également dans le milieu de la cour de France, non plus sous Henri II mais quelques années plus tard, **pendant les guerres de Religion, sous Charles IX**. En 1563, quand débute la nouvelle de Mme de Lafayette, le royaume est déchiré entre catholiques et protestant ; les guerres armées durent près de quarante ans, jusqu'à l'édit de Nantes en 1598, mais les tensions sont loin d'être totalement apaisées dans la deuxième moitié du XVIIᵉ siècle, quand Mme de Lafayette écrit cette nouvelle.

• On trouve dans *La Princesse de Montpensier*, comme ce sera le cas dans *La Princesse de Clèves*, les **personnages les plus importants du royaume** : au premier plan le duc de Guise[1] et le duc d'Anjou[2], futur Henri III, en arrière-plan Marguerite de Valois[3], la future reine Margot. L'histoire, ses drames et ses tragédies servent de toile de fond. La galanterie de la cour de Henri II et la mort du roi rythment *La Princesse de Clèves* ; l'horreur des guerres de Religion et de la Saint-Barthélemy donnent le ton de *La Princesse de Montpensier*.

• Dans les deux œuvres, la **grande histoire sert la tension narrative**. La mort de Henri II dans *La Princesse de Clèves* conduit M. de Clèves à s'éloigner momentanément de sa femme lors du sacre de François II, et à la laisser seule face à M. de Nemours ; d'une façon similaire, le massacre de la Saint-Barthélemy permet de

---

1. Duc de Guise (1550-1588) : frère du duc du Maine, fut par la suite le chef de la Ligue montée contre Henri III.

2. Le duc d'Anjou : Alexandre-Édouard (1551-1589), fils d'Henri II et de Catherine de Médicis, devint roi de France sous le nom de Henri III le 30 mai 1574.

3. Marguerite de Valois (1553-1615) : fille d'Henri II et de Catherine de Médicis, elle épousa Henri de Navarre, le futur Henri IV, le 18 août 1572.

donner une résolution tragique à *La Princesse de Montpensier*, expliquant la mort du comte de Chabannes et le changement de destin de M. de Guise, responsable du déclenchement du massacre des protestants.

DES PERSONNAGES AUGUSTINIENS

• La doctrine augustinienne en vogue dans les milieux fréquentés par Mme de Lafayette insiste sur l'**absence de liberté de l'homme**. De la même façon que l'homme n'est pas libre dans son rapport à Dieu, il est contraint au sein de la société. Le milieu de la cour est un univers clos duquel les individus sont prisonniers.

• Comme Mlle de Chartres dans *La Princesse de Clèves*, la fille du marquis de Mézières ne choisit pas son mari dans *La Princesse de Montpensier*. Si Mme de Clèves ne découvre la passion qu'après son mariage, elle a également été amenée à épouser un homme qu'elle n'aimait pas.

• **Cette erreur funeste du mauvais mariage est la cause de la passion illégitime**. Dans *La Princesse de Montpensier*, l'amour violent de la jeune femme pour le frère de celui qu'elle devait à l'origine épouser – le duc de Guise – ne s'est jamais éteint et renaît à la première occasion.

DES AMANTS MALHEUREUX

• Autour de la princesse de Montpensier, comme plus tard autour de la princesse de Clèves, gravitent de nombreux hommes amoureux. Si la valeur du prince de Montpensier et la tendresse de son cœur sont bien inférieures à celles du prince de Clèves, le comte de Chabannes en revanche fait preuve d'un amour inconditionnel à l'égard de la princesse, d'une largesse d'esprit et de cœur qui l'apparentent par bien des aspects à M. de Clèves.

• Le **destin de cet amour pur**, qui le conduit même à accepter de jouer le rôle de l'entremetteur pour faciliter l'entrevue du duc de Guise et de Mme de Montpensier (p. 242), **est voué au malheur**. Non seulement le comte de Chabannes n'est pas aimé et doit souffrir que son amante en aime un autre, mais en plus il accepte de mettre en péril la forte amitié qui le lie au prince de Montpensier pour sauver l'honneur de l'ingrate et il se laisse mourir (n'ayant pas cherché à échapper au massacre de la Saint-Barthélemy) de désespoir.

• Comme dans *La Princesse de Clèves*, un autre amant malheureux apparaît. Ce sera le chevalier de Guise dans *La Princesse de Clèves*, c'est le **duc d'Anjou**, dans

La Princesse de Montpensier. Si le chevalier de Guise se retire avec élégance du jeu de séduction, le duc d'Anjou conserve envers le duc de Guise un ressentiment, qui, selon une relecture de l'histoire par Mme de Lafayette, a pour conséquence funeste son assassinat en 1588 : «souvenez-vous, dit-il, que la perte de votre vie sera peut-être la moindre chose dont je punirai quelque jour votre témérité» (p. 235).

UNE PASSION MORTELLE

• Surprise par son mari alors qu'elle a cédé à sa passion pour le duc de Guise, acceptant une entrevue privée avec lui la nuit, Mme de Montpensier subit les conséquences de sa faiblesse. Non seulement elle est abandonnée par son amant qui trouve la situation trop périlleuse, mais elle est également déchue ; ne supportant pas sa condition, elle en meurt.

• Les deux œuvres semblent apporter des morales différentes, mais le **pessimisme fondamental** de Mme de Lafayette est sans doute la clef de ce paradoxe apparent. Si Mme de Clèves a une force de caractère et une destinée exceptionnelles, elle n'en est pas moins malheureuse, et si la princesse de Montpensier accepte au contraire de se laisser porter par sa passion, celle-ci est également cause de son malheur.

• Les destinées des deux héroïnes sont finalement très semblables et illustrent la **misère de l'être humain**, et *a fortiori* de la femme : Mme de Montpensier et Mme de Clèves meurent toutes deux de leur passion, la première pour y avoir cédé, l'autre pour avoir refusé d'y donner libre cours.

• La passion des amants illégitimes et aimés ne connaît pas en revanche le même sort que celle des femmes. Certes M. de Nemours devient un autre homme sous l'effet de la vertu de la princesse de Clèves et il donnerait sa vie plutôt que de mettre celle de son amante en péril, mais il finit malgré tout par l'oublier. Le duc de Guise quant à lui est bien moins constant encore : après avoir compromis celle qu'il aimait, il l'abandonne lâchement pour une autre femme dont la fréquentation est moins risquée (p. 250).

Ainsi *La Princesse de Montpensier* semble être une étape dans l'évolution de l'écriture de Mme de Lafayette. *La Princesse de Montpensier* offre le spectacle de la déchéance d'une femme malheureuse ; *La Princesse de Clèves* est l'œuvre sublime du renoncement. Ces nouvelles néanmoins ont pour sujet la passion et les malheurs qu'elle occasionne.

La réception de *La Princesse de Clèves*

La Princesse de Clèves n'a jamais cessé de provoquer des réactions indignées devant l'invraisemblance de l'action de Mme de Clèves, les procédés précieux jugés factices ou le style de Mme de Lafayette, mais c'est surtout au XVIIe siècle et au XXIe siècle que le roman suscita de véritables querelles.

LA QUERELLE DU XVIIe SIÈCLE OU LA PRINCESSE DANS LA PRESSE

• Quelques mois après la parution de *La Princesse de Clèves*, le **directeur du *Mercure galant***, Jean Donneau de Visé[1], **invite les lecteurs à donner leur opinion sur l'épisode de l'aveu**. Les avis qui déferlent pendant près de trois mois sont généralement hostiles puisque les « honnêtes gens » estiment que l'aveu est **extravagant** et ne peut faire l'objet d'une histoire inventée : il n'est **pas vraisemblable**, s'il peut être vrai. Fontenelle[2] cependant le trouve « beau et héroïque ». Le débat en réalité plaisait à l'esprit mondain des salons qui voulait démêler si une femme pouvait décemment faire un tel aveu à son mari.

• La querelle n'en resta pas là. Un **volume anonyme** de *Lettres à Mme la marquise de *** sur le sujet de la Princesse de Clèves* **critique sévèrement l'action du roman et les sentiments des personnages invraisemblables** ainsi que le style.

• L'abbé de Charnes fait une réponse à cette attaque dans ses *Conversations sur la Critique de la princesse de Clèves* qui paraissent en 1679 et défend la justesse du ton et de la narration. En mondain, il affirme le droit de juger et d'écrire sans avoir appris à le faire.

La Princesse de Clèves est parue de façon anonyme mais elle fut rendue célèbre par cette **querelle qui augmenta considérablement l'intérêt qu'on lui portait**.

LA QUERELLE DU XXIe SIÈCLE OU LA PRINCESSE DANS LA RUE ET SUR LA TOILE

• **En 2008, le président de la République, Nicolas Sarkozy** remet en doute l'intérêt pour un candidat voulant passer un concours administratif de « réciter par cœur *La Princesse de Clèves* ». Ses propos suscitent la polémique et le **scandale**

---

1. Jean Donneau de Visé (1638-1710) : écrivain et publiciste français.

2. Bernard le Bouyer de Fontenelle (1657-1757) : écrivain français.

éclate à l'occasion du projet de réforme appelée « Loi de responsabilisation des universités ».

• *La Princesse de Clèves* **est alors érigée en symbole de la lutte vertueuse des défenseurs de la langue française et de la littérature** contre ce qu'ils désignent comme un esprit démagogique pour qui la pureté des sentiments exprimés et la beauté de la langue doivent être réservées à une élite d'universitaires réactionnaires. *La Princesse de Clèves* envahit la rue, sous forme de lectures publiques comme Internet, sous forme d'articles et de pastiches.

ADAPTATIONS CINÉMATOGRAPHIQUES

• **Jean Delannoy**, sur un scénario qu'il écrit avec **Jean Cocteau**, livre en **1961** une adaptation de *La Princesse de Clèves* qui se concentre sur le trio amoureux (le personnage de M. de Clèves est joué par Jean Marais, celui de Mme de Clèves par Marina Vlady et celui de M. de Nemours par Jean-François Poron), pour inscrire les figures de M. de Nemours et de Mme de Clèves dans le mythe des amours impossibles.

• En **1999**, **Manoel de Oliveira**, dans *La Lettre*, reste fidèle à l'histoire de Madame de Lafayette, mais la transpose dans le monde contemporain ; M. de Nemours (Pedro Abrunhosa) devient un chanteur populaire et la retraite de Mme de Clèves (Chiara Mastroianni) une mission humanitaire en Afrique.

• En **2008**, **Christophe Honoré**, dans *La Belle Personne* transporte cette fois au cœur d'un lycée parisien l'histoire de la passion entre une jeune fille en couple (Léa Seydoux) et son professeur d'Italien (Louis Garrel).

• C'est à *La Princesse de Montpensier* que **Bertrand Tavernier** s'est quant à lui attaqué en **2010**, dans un film qui porte le même nom. Mélanie Thierry joue le rôle de la princesse, Grégoire Leprince-Ringuet incarne le prince, Lambert Wilson le comte de Chabannes et Gaspard Ulliel le duc de Guise.

La rencontre amoureuse

Passage phare de tout roman d'amour, la rencontre entre les deux personnages princi-paux est bien souvent déterminante pour la suite de la relation. Le lieu, l'intensité de l'attirance des protagonistes l'un pour l'autre, le point de vue dans la narration, tous ces éléments sont traités avec la plus grande attention de la part de l'auteur. Ce dossier présente des variations sur ce lieu commun, à travers des siècles et des sensibilités variés.

DOCUMENT 1

ANONYME, *Laure et Pétrarque* (miniature médiévale) → 2e de couverture

> *Laure était la muse du poète italien de la Renaissance, Pétrarque, auteur du* Canzoniere. *La gravure représente le moment de l'innamoramento, du coup de foudre entre les amants.*

DOCUMENT 2

MADAME DE LAFAYETTE, *La Princesse de Clèves* (1678) ◆ tome 1

> « Elle passa tout le jour des fiançailles chez elle [...] quelque chose de galant et d'extraordinaire. » → p. 38-40, l. 748-805.

> *Mme de Clèves vient de se marier et M. de Nemours rentre de Bruxelles pour assister au bal donné à l'occasion des fiançailles de Madame, sœur du roi. Les deux personnages les plus beaux de la cour se rencontrent pour la première fois sur la piste de danse.*

DOCUMENT 3

L'ABBÉ PRÉVOST, *Manon Lescaut* (1731) ◆ partie 1

> *Le chevalier des Grieux conte sa rencontre avec Manon, fille d'une grande beauté, mais volage et intéressée, qui lui inspira une passion dévastatrice.*

J'avais marqué le temps[1] de mon départ d'Amiens. Hélas ! que ne le marquais-je un jour plus tôt ! j'aurais porté chez mon père toute mon innocence. La veille même de celui que je devais quitter cette ville, étant à me promener avec mon ami, qui s'appelait Tiberge, nous vîmes arriver

1. Marqué le temps : décidé du moment.

5   le coche¹ d'Arras, et nous le suivîmes jusqu'à l'hôtellerie où ces voitures descendent. Nous n'avions pas d'autre motif que la curiosité. Il en sortit quelques femmes, qui se retirèrent aussitôt. Mais il en resta une, fort jeune, qui s'arrêta seule dans la cour pendant qu'un homme d'un âge avancé, qui paraissait lui servir de conducteur s'empressait pour faire tirer son

10   équipage des paniers. Elle me parut si charmante que moi, qui n'avais jamais pensé à la différence des sexes², ni regardé une fille avec un peu d'attention, moi, dis-je, dont tout le monde admirait la sagesse et la retenue, je me trouvai enflammé tout d'un coup jusqu'au transport. J'avais le défaut d'être excessivement timide et facile à déconcerter ; mais loin

15   d'être arrêté alors par cette faiblesse, je m'avançai vers la maîtresse de mon cœur. Quoiqu'elle fût encore moins âgée que moi, elle reçut mes politesses sans paraître embarrassée. Je lui demandai ce qui l'amenait à Amiens et si elle y avait quelques personnes de connaissance. Elle me répondit ingénument qu'elle y était envoyée par ses parents pour être religieuse.

20   L'amour me rendait déjà si éclairé, depuis un moment qu'il était dans mon cœur, que je regardai ce dessein comme un coup mortel pour mes désirs. Je lui parlai d'une manière qui lui fit comprendre mes sentiments, car elle était bien plus expérimentée que moi. C'était malgré elle qu'on l'envoyait au couvent, pour arrêter sans doute son penchant au plaisir qui s'était déjà

25   déclaré et qui a causé, dans la suite, tous ses malheurs et les miens. Je combattis la cruelle intention de ses parents par toutes les raisons que mon amour naissant et mon éloquence scolastique³ purent me suggérer. Elle n'affecta ni rigueur ni dédain. Elle me dit, après un moment de silence, qu'elle ne prévoyait que trop qu'elle allait être malheureuse, mais que c'était

30   apparemment la volonté du Ciel, puisqu'il ne lui laissait nul moyen de l'éviter La douceur de ses regards, un air charmant de tristesse en prononçant ces paroles, ou plutôt, l'ascendant de ma destinée qui m'entraînait à ma perte, ne me permirent pas de balancer⁴ un moment sur ma réponse.

     Je l'assurai que, si elle voulait faire quelque fond sur mon honneur et sur la

35   tendresse infinie qu'elle m'inspirait déjà, j'emploierais ma vie pour la délivrer de la tyrannie de ses parents, et pour la rendre heureuse. Je me suis étonné mille fois, en y réfléchissant, d'où me venait alors tant de hardiesse et de facilité à m'exprimer ; mais on ne ferait pas une divinité de l'amour, s'il n'opérait souvent des prodiges.

---

1. Coche : voiture collective.
2. Différence des sexes : différence entre les hommes et les femmes.

3. Éloquence scolastique : éloquence apprise dans les collèges, éloquence académique.
4. Balancer : hésiter.

DOCUMENT 4

GUSTAVE FLAUBERT, _L'Éducation sentimentale_ (1869) ♦ chapitre 1

Sur le navire bondé qui le ramène de Paris à Nogent-sur-Seine, le jeune
Frédéric Moreau fait une rencontre qui le bouleverse, celle de Mme Arnoux.

Ce fut comme une apparition :

Elle était assise, au milieu du banc, toute seule ; ou du moins il ne
distingua personne, dans l'éblouissement que lui envoyèrent ses yeux. En
même temps qu'il passait, elle leva la tête ; il fléchit involontairement les
5   épaules ; et, quand il se fut mis plus loin, du même côté, il la regarda.

Elle avait un large chapeau de paille, avec des rubans roses qui palpitaient
au vent derrière elle. Ses bandeaux noirs, contournant la pointe de ses grands
sourcils, descendaient très bas et semblaient presser amoureusement l'ovale
de sa figure. Sa robe de mousseline claire, tachetée de petits pois, se répandait
10   à plis nombreux. Elle était en train de broder quelque chose ; et son nez droit,
son menton, toute sa personne se découpait sur le fond de l'air bleu.

Comme elle gardait la même attitude, il fit plusieurs tours de droite et
de gauche pour dissimuler sa manœuvre ; puis il se planta tout près de son
ombrelle, posée contre le banc, et il affectait d'observer une chaloupe sur la
15   rivière.

Jamais il n'avait vu cette splendeur de sa peau brune, la séduction de sa
taille, ni cette finesse des doigts que la lumière traversait. Il considérait son
panier à ouvrage avec ébahissement, comme une chose extraordinaire.
Quels étaient son nom, sa demeure, sa vie, son passé ? Il souhaitait connaître
20   les meubles de sa chambre, toutes les robes qu'elle avait portées, les gens
qu'elle fréquentait ; et le désir de la possession physique même disparaissait
sous une envie plus profonde, dans une curiosité douloureuse qui n'avait pas
de limites.

Une négresse, coiffée d'un foulard, se présenta en tenant par la main une
25   petite fille, déjà grande. L'enfant, dont les yeux roulaient des larmes, venait
de s'éveiller ; elle la prit sur ses genoux. « Mademoiselle n'était pas sage,
quoiqu'elle eût sept ans bientôt ; sa mère ne l'aimerait plus ; on lui pardonnait
trop ses caprices. » Et Frédéric se réjouissait d'entendre ces choses, comme
s'il eût fait une découverte, une acquisition.

30   Il la supposait d'origine andalouse, créole peut-être ; elle avait ramené
des îles cette négresse avec elle.

Cependant, un long châle à bandes violettes était placé derrière son dos,
sur le bordage de cuivre. Elle avait dû, bien des fois, au milieu de la mer,

durant les soirs humides, en envelopper sa taille, s'en couvrir les pieds,
35   dormir dedans ! Mais, entraîné par les franges, il glissait peu à peu, il allait
tomber dans l'eau ; Frédéric fit un bond et le rattrapa. Elle lui dit :
— Je vous remercie, monsieur.
Leurs yeux se rencontrèrent.

DOCUMENT 5

STENDHAL, *Le Rouge et le Noir* (1830) ♦ chapitre 6

*Julien Sorel, un jeune fils de paysan, beau, intelligent et cultivé, s'apprête à être
précepteur chez le maire de Verrières, M. de Rênal. Mme de Rênal est surprise
en le voyant...*

Avec la vivacité et la grâce qui lui étaient naturelles quand elle était loin
des regards des hommes, Mme de Rênal sortait par la porte-fenêtre du salon
qui donnait sur le jardin, quand elle aperçut près de la porte d'entrée la
figure d'un jeune paysan presque encore enfant, extrêmement pâle et qui
5   venait de pleurer. Il était en chemise bien blanche, et avait sous le bras une
veste fort propre de ratine[1] violette.

Le teint de ce petit paysan était si blanc, ses yeux si doux, que l'esprit un
peu romanesque de Mme de Rênal eut d'abord l'idée que ce pouvait être
une jeune fille déguisée, qui venait demander quelque grâce à M. le maire.
10   Elle eut pitié de cette pauvre créature, arrêtée à la porte d'entrée, et qui
évidemment n'osait pas lever la main jusqu'à la sonnette. Mme de Rênal
s'approcha, distraite un instant de l'amer chagrin que lui donnait l'arrivée
du précepteur. Julien, tourné vers la porte, ne la voyait pas s'avancer. Il
tressaillit quand une voix douce dit tout près de son oreille :
15   — Que voulez-vous ici, mon enfant ?

Julien se tourna vivement, et frappé du regard si rempli de grâce de Mme
de Rênal, il oublia une partie de sa timidité. Bientôt, étonné de sa beauté, il
oublia tout, même ce qu'il venait faire. Mme de Rênal avait répété sa
question.
20   — Je viens pour être précepteur, madame, lui dit-il enfin, tout honteux
de ses larmes qu'il essuyait de son mieux.

Mme de Rênal resta interdite ; ils étaient fort près l'un de l'autre à se
regarder. Julien n'avait jamais vu un être aussi bien vêtu et surtout une
femme avec un teint si éblouissant, lui parler d'un air doux. Mme de Rênal

---

1. Ratine : toile de laine en poils frisés.

274

25 regardait les grosses larmes, qui s'étaient arrêtées sur les joues si pâles d'abord et maintenant si roses de ce jeune paysan. Bientôt elle se mit à rire, avec toute la gaieté folle d'une jeune fille ; elle se moquait d'elle-même et ne pouvait se figurer tout son bonheur. Quoi, c'était là ce précepteur qu'elle s'était figuré comme un prêtre sale et mal vêtu, qui viendrait gronder et
30 fouetter ses enfants !

    – Quoi, monsieur, lui dit-elle enfin, vous savez le latin ?

DOCUMENT 6

MARGUERITE DURAS, _L'Amant_ (1984), © Éditions Minuit

Dans L'Amant, _Marguerite Duras livre ses souvenirs de jeunesse en Cochinchine. La rencontre avec l'amant est une étape essentielle de ce roman d'apprentissage par laquelle la jeune fille se construit et cherche à se connaître._

    L'homme élégant est descendu de la limousine, il fume une cigarette anglaise. Il regarde la jeune fille au feutre[1] d'homme et aux chaussures d'or. Il vient vers elle lentement. C'est visible, il est intimidé. Il ne sourit pas tout d'abord. Tout d'abord il lui offre une cigarette. Sa main tremble. Il y a cette
5 différence de race, il n'est pas blanc, il doit la surmonter, c'est pourquoi il tremble. Elle lui dit qu'elle ne fume pas, non merci. Elle ne dit rien d'autre, elle ne lui dit pas laissez-moi tranquille. Alors il a moins peur. Alors il lui dit qu'il croit rêver. Elle ne répond pas. Ce n'est pas la peine qu'elle réponde, que répondrait-elle. Elle attend. Alors il le lui demande : mais d'où venez-
10 vous ? Elle dit qu'elle est la fille de l'institutrice de l'école de filles de Sadec[2]. Il réfléchit et puis il dit qu'il a entendu parler de cette dame, sa mère, de son manque de chance avec cette concession qu'elle aurait achetée au Cambodge, c'est bien ça, n'est-ce pas ? Oui c'est ça.

    Il répète que c'est tout à fait extraordinaire de la voir sur ce bac, une
15 jeune fille belle comme elle l'est, vous ne vous rendez pas compte, c'est très inattendu, une jeune fille blanche dans un car d'indigène.

    Il lui dit que le chapeau lui va bien, très bien même, que c'est... original... un chapeau d'homme, pourquoi pas ? elle est si jolie, elle peut tout se permettre.

20   Elle le regarde. Elle lui demande qui il est. Il dit qu'il revient de Paris où il a fait des études, qu'il habite Sadec lui aussi, justement sur le fleuve, la grande maison avec les grandes terrasses aux balustrades de céramique

---

1. Feutre : chapeau de feutre. | **2. Sadec :** petite ville de Cochinchine, située entre Vinh Long et Long Xuyen.

bleue. Elle lui demande ce qu'il est. Il dit qu'il est chinois, que sa famille vient de la Chine du Nord, de Fou-Chouen[1]. Voulez-vous me permettre de
25 vous ramener chez vous à Saigon ? Elle est d'accord. Il dit au chauffeur de prendre les bagages de la jeune fille dans le car et de les mettre dans l'auto noire.

Chinois. Il est de cette minorité financière d'origine chinoise qui tient tout l'immobilier populaire de la colonie. Il est celui qui passait le Mékong[2]
30 ce jour-là en direction de Saigon.

---

1. Fushun est une ville de la province chinoise du Liaoning.

2. Le Mékong est un grand fleuve d'Asie du sud-est.

Les affres de la passion

La passion, par définition, fait souffrir et n'est jamais tranquille. Elle est un thème fondamental de la littérature d'une part parce qu'elle permet d'étudier les tréfonds de l'âme humaine, et d'autre part parce qu'elle est fertile sur le plan narratif. Par conséquent, la plupart des romans d'amour présentent des personnages tourmentés en proie aux affres de la passion.

DOCUMENT 7

MADAME DE LAFAYETTE, *La Princesse de Clèves* (1678) ♦ tome 1

« Mme de Chartres n'avait pas voulu laisser voir à sa fille [...] conter à Mme de Chartres ce qu'elle ne lui avait point encore dit » → p. 55-57, l. 1227-1262

Consciente du fait que la vertu de sa fille est en grand danger, Mme de Chartres cherche à la détourner de son amour pour M. de Nemours en la désillusionnant sur le duc. Mme de Clèves découvre alors la jalousie.

DOCUMENT 8

CHODERLOS DE LACLOS, *Les Liaisons dangereuses* (1782) ♦ Lettre 102

Mme de Tourvel vient d'avouer à son amie Mme de Rosemonde son amour pour le vicomte de Valmont. Elle l'informe alors de son propre départ et de la difficulté de cette décision.

Je m'y soumettrai sans doute, il vaut mieux mourir que de vivre coupable. Déjà, je le sens, je ne le suis que trop ; je n'ai sauvé que ma sagesse, la vertu s'est évanouie. Faut-il vous l'avouer, ce qui me reste encore, je le dois à sa générosité. Enivrée du plaisir de le voir, de l'entendre, de la douceur de le sentir auprès de
5 moi, du bonheur plus grand de pouvoir faire le sien, j'étais sans puissance et sans force ; à peine m'en restait-il pour combattre, je n'en avais plus pour résister ; je frémissais de mon danger, sans pouvoir le fuir. Hé bien ! il a vu ma peine, et il a eu pitié de moi. Comment ne le chérirais-je pas ? Je lui dois bien plus que la vie.
10 Ah ! Si en restant auprès de lui je n'avais à trembler que pour elle, ne croyez pas que jamais je consentisse à m'éloigner. Que m'est-elle sans lui, ne serais-je pas trop heureuse de la perdre ? Condamnée à faire éternellement son malheur et le mien ; à n'oser ni me plaindre, ni le consoler ; à me défendre chaque jour contre lui, contre moi-même ; à mettre mes soins à causer sa peine, quand

je voudrais les consacrer tous à son bonheur. Vivre ainsi n'est-ce pas mourir mille
15 fois ? Voilà pourtant quel va être mon sort. Je le supporterai cependant, j'en aurai
le courage. Ô vous, que je choisis pour ma mère, recevez-en le serment !

Recevez aussi celui que je fais de ne vous dérober aucune de mes actions ;
recevez-le, je vous en conjure; je vous le demande comme un secours dont j'ai
20 besoin : ainsi, engagée à vous dire tout, je m'accoutumerai à me croire toujours
en votre présence. Votre vertu remplacera la mienne. Jamais, sans doute, je ne
consentirai à rougir à vos yeux ; et retenue par ce frein puissant, tandis que je
chérirai en vous l'indulgente amie, confidente de ma faiblesse, j'y honorerai
encore l'Ange tutélaire qui me sauvera de la honte.

25 C'est bien en éprouver assez que d'avoir à faire cette demande. Fatal effet
d'une présomptueuse confiance ! Pourquoi n'ai-je pas redouté plus tôt ce
penchant que j'ai senti naître ? Pourquoi me suis-je flattée de pouvoir à mon
gré le maîtriser ou le vaincre ? Insensée ! Je connaissais bien peu l'amour ! Ah !
Si je l'avais combattu avec plus de soin, peut-être eût-il pris moins d'empire !
30 Peut-être alors ce départ n'eût pas été nécessaire ; ou même, en me soumettant
à ce parti douloureux, j'aurais pu ne pas rompre entièrement une liaison qu'il
eût suffi de rendre moins fréquente ! Mais tout perdre à la fois ! Et pour jamais !
Ô mon amie !... Mais quoi ! Même en vous écrivant, je m'égare encore dans des
vœux criminels. Ah ! Partons, partons, et que du moins ces torts involontaires
35 soient expiés par mes sacrifices.

Adieu, ma respectable amie ; aimez-moi comme votre fille, adoptez-moi
pour telle ; et soyez sûre que, malgré ma faiblesse, j'aimerais mieux mourir que
de me rendre indigne de votre choix.

DOCUMENT 9

FRANÇOIS-RENÉ DE CHATEAUBRIAND, *Supplément aux Mémoires d'outre-tombe* (fragments manuscrits, avant 1845) ♦ «Amour et Vieillesse»

Dans ces pages manuscrites confiées par Édouard l'Agneau, le secrétaire de Chateaubriand, à Édouard Bricon en 1845, et cédées ensuite à la Bibliothèque nationale de France, le mémorialiste livre des « chants de tristesse » et réfléchit sur les douleurs engendrées par l'amour dans un cœur vieillissant. Il s'adresse très probablement ici à Clémence Isaure, cette jeune femme de seize ans dont il est question dans ses Mémoires.

Vois-tu, quand je me laisserais aller à une folie, je ne suis pas sûr de t'aimer
demain. Je ne crois pas à moi. Je m'ignore. La passion me dévore et je suis prêt
à me poignarder ou à rire. Je t'adore, mais dans un moment j'aimerai plus que

toi le bruit du vent dans ces roches, un nuage qui vole, une feuille qui tombe.
Puis je prierai Dieu avec larmes, puis j'invoquerai le Néant. Veux-tu me
combler de délices ? Fais une chose. Sois à moi, puis laisse-moi te percer le cœur
et boire tout [ton] sang. Eh bien ! oseras-tu maintenant te hasarder avec moi
dans cette thébaïde[1] ?

Si tu me dis que tu m'aimeras comme un père tu me feras horreur, si tu
prétends m'aimer comme une amante je ne te croirai pas. Dans chaque jeune
homme je verrai un rival préféré. Tes respects me feront sentir mes années ; tes
caresses me livreront à la jalousie la plus insensée. Sais-tu qu'il y a tel sourire de
toi qui me montrerait la profondeur de mes maux comme le rayon de soleil qui
éclaire un abîme ?

Objet charmant, je t'adore, mais je ne t'accepte pas. Va chercher le jeune
homme dont les bras peuvent s'entrelacer aux tiens avec grâce, mais ne le me
dis pas.

Oh ! non, non, ne viens plus me tenter. Songe que tu dois me survivre, que
tu seras encore longtemps jeune quand je ne serai plus. Hier, lorsque tu étais
assise avec moi sur la pierre, que le vent dans la cime des pins nous faisait
entendre le bruit de la mer, prêt à succomber d'amour et de mélancolie, je me
disais : Ma main est-elle assez légère pour caresser cette blonde chevelure ? Que
peut-elle aimer en moi ? une chimère que la réalité va détruire. Et pourtant,
quand tu penchas ta tête charmante sur mon épaule, quand des paroles
enivrantes sortirent de ta bouche, quand je te vis prête à m'entourer de tes
charmes comme d'une guirlande de fleurs, il me fallut tout l'orgueil de mes
années pour vaincre la tentation de volupté dont tu me vis rougir. Souviens-toi
seulement des accents passionnés que je te fis entendre, et quand tu aimeras un
jour un beau jeune homme, demande-toi s'il te parle comme je te parlais et si
sa plus grand'amour approchait jamais de la mienne. Ah ! qu'importe ! Tu
dormiras dans ses bras, tes lèvres sur les siennes, ton sein contre son sein, et vous
vous réveillerez enivrés de [délices] : que t'importeront les paroles sur la
bruyère !

DOCUMENT 10

J. GERLIER, _La Princesse de Clèves de Mme de La Fayette_ (1880) → 3e de couverture

*L'illustration saisit au vif un moment riche en émotions : la princesse est en
larmes, le prince souffre et Nemours, qui surgit à l'arrière-plan, en intrus,
porte sur son visage la marque de la surprise et de la jalousie qui l'étreignent.*

1. **Thébaïde :** retraite solitaire.

2

DOCUMENT 11

MARCEL PROUST, *Sodome et Gomorrhe* (1922) ♦ tome 9

Le narrateur attend Albertine qui doit le rejoindre chez lui après avoir vu une représentation de Phèdre. *Les heures passent sans qu'il ait aucune nouvelle. C'est alors qu'il découvre à quel point il est indispensable pour lui qu'elle vienne.*

J'étais torturé par l'incessante reprise du désir toujours plus anxieux, et jamais accompli, d'un bruit d'appel ; arrivé au point culminant d'une ascension tourmentée dans les spirales de mon angoisse solitaire, du fond du Paris populeux et nocturne approché soudain de moi, à côté de ma bibliothèque,
5 j'entendis tout à coup, mécanique et sublime, comme dans Tristan[1] l'écharpe agitée ou le chalumeau du pâtre, le bruit de toupie du téléphone. Je m'élançai, c'était Albertine. « Je ne vous dérange pas en vous téléphonant à une pareille heure ? – Mais non... », dis-je en comprimant ma joie, car ce qu'elle disait de l'heure indue[2] était sans doute pour s'excuser de venir dans un moment, si tard,
10 non parce qu'elle n'allait pas venir. « Est-ce que vous venez ? demandai-je d'un ton indifférent. – Mais... non, si vous n'avez pas absolument besoin de moi. » Une partie de moi à laquelle l'autre voulait se rejoindre était en Albertine. Il fallait qu'elle vînt, mais je ne le lui dis pas d'abord ; comme nous étions en communication, je me dis que je pourrais toujours l'obliger, à la dernière
15 seconde, soit à venir chez moi, soit à me laisser courir chez elle. « Oui, je suis près de chez moi, dit-elle, et infiniment loin de chez vous ; je n'avais pas bien lu votre mot. Je viens de le retrouver et j'ai eu peur que vous ne m'attendiez. » Je sentais qu'elle mentait, et c'était maintenant, dans ma fureur, plus encore par besoin de la déranger que de la voir que je voulais l'obliger à venir. Mais je tenais
20 d'abord à refuser ce que je tâcherais d'obtenir dans quelques instants. Mais où était-elle ? À ses paroles se mêlaient d'autres sons : la trompe d'un cycliste, la voix d'une femme qui chantait, une fanfare lointaine retentissaient aussi distinctement que la voix chère, comme pour me montrer que c'était bien Albertine dans son milieu actuel qui était près de moi en ce moment, comme
25 une motte de terre avec laquelle on a emporté toutes les graminées qui l'entourent. Les mêmes bruits que j'entendais frappaient aussi son oreille et mettaient une entrave à son attention : détails de vérité, étrangers au sujet, inutiles en eux-mêmes, d'autant plus nécessaires à nous révéler l'évidence du

---

1. *Tristan und Isolde* est un opéra de Richard Wagner (1813-1883), créé en 1865 à Munich. | **2. Indue :** trop tardive.

miracle ; traits sobres et charmants, descriptifs de quelque rue parisienne, traits
30   perçants aussi et cruels d'une soirée inconnue qui, au sortir de *Phèdre*, avaient
empêché Albertine de venir chez moi. « Je commence par vous prévenir que
ce n'est pas pour que vous veniez, car, à cette heure-ci, vous me gêneriez
beaucoup..., lui dis-je, je tombe de sommeil. Et puis, enfin, mille complications.
Je tiens à vous dire qu'il n'y avait pas de malentendu possible dans ma lettre.
35   Vous m'avez répondu que c'était convenu. Alors, si vous n'aviez pas compris,
qu'est-ce que vous entendiez par là ? – J'ai dit que c'était convenu, seulement
je ne me souvenais plus trop de ce qui était convenu. Mais je vois que vous êtes
fâché, cela m'ennuie. Je regrette d'être allée à *Phèdre*. Si j'avais su que cela ferait
tant d'histoires... ajouta-t-elle, comme tous les gens qui, en faute pour une
40   chose, font semblant de croire que c'est une autre qu'on leur reproche. –
Phèdre n'est pour rien dans mon mécontentement, puisque c'est moi qui vous
ai demandé d'y aller. – Alors, vous m'en voulez, c'est ennuyeux qu'il soit trop
tard ce soir, sans cela je serais allée chez vous, mais je viendrai demain ou après-
demain, pour m'excuser. – Oh ! non, Albertine, je vous en prie, après m'avoir
45   fait perdre une soirée, laissez-moi au moins la paix les jours suivants. Je ne serai
pas libre avant une quinzaine de jours ou trois semaines. Écoutez, si cela vous
ennuie que nous restions sur une impression de colère, et, au fond, vous avez
peut-être raison, alors j'aime encore mieux, fatigue pour fatigue, puisque je
vous ai attendue jusqu'à cette heure-ci et que vous êtes encore dehors, que vous
50   veniez tout de suite, je vais prendre du café pour me réveiller.

DOCUMENT 12

PASCAL QUIGNARD, *Villa Amalia* (2006), © Gallimard

*Villa Amalia commence in medias res et présente dès l'ouverture une femme
– l'héroïne Ann Hidden – qui espionne l'homme avec qui elle vit, Thomas.
Elle le regarde entrer dans la maison d'une autre femme. Elle est alors elle-
même surprise par un ancien ami, Georges Roehl.*

« J'avais envie de pleurer. Je le suivais. J'étais malheureuse à désirer mourir.
Je longeais en voiture la Seine depuis plus d'une demi-heure quand la nuit
tomba d'un coup. Arrivé à Choisy-le-Roi Thomas s'engagea dans l'obscurité,
soudain, dans une petite rue, sur la droite. Il se gara presque aussitôt sous un
5   laurier et éteignit les phares. Je me rangeai très vite, très mal, un peu plus loin,
sur l'avenue. Je revins sur mes pas, faisant semblant de marcher normalement,
feignant de ne pas courir. Il poussait une grille. Je m'approchai. Je m'approchais
vite et lentement. Je ne sais comme vous expliquer. »

Elle s'approcha.

10 Elle toucha avec son front les barreaux de fer rouillé.

Elle avait du mal à voir au travers des feuilles de laurier dans la nuit.

Alors elle aperçut Thomas : une jeune femme lui avait pris les mains sous la lanterne allumée, devant l'entrée de sa maison.

Thomas cherchait à ôter son manteau. La jeune femme se haussa sur la 15 pointe des pieds. Elle tendit ses lèvres vers ses lèvres.

Mais les feuilles les plus basses du laurier la gênaient. Elle aurait voulu découvrir tout son visage. Subitement elle entendit dans son dos :

– Vous regardez avec beaucoup de soin cette maison, madame.

Son cœur battit à se rompre. Elle était comme une enfant surprise à 20 l'instant où elle est en train de voler.

– C'est exact, répondit-elle.

Et elle se retourna.

La rencontre amoureuse | SUJET D'ÉCRIT 1 |

Objet d'étude : Le personnage de roman, du XVIIe siècle à nos jours

DOCUMENTS

- **MADAME DE LAFAYETTE,** *La Princesse de Clèves* (1678) → p. 38-40, l. 748-805
- **L'ABBÉ PRÉVOST,** *Manon Lescaut* (1731) → DOC 3, p. 271
- **GUSTAVE FLAUBERT,** *L'Éducation sentimentale* (1869) → DOC 4, p. 273
- **MARGUERITE DURAS,** *L'Amant* (1984) → DOC 6, p. 275

QUESTIONS SUR LE CORPUS

1 Quels sentiments et quelle attitude la vision de l'être aimé provoque-t-elle ?

2 Par quelles marques stylistiques l'émotion est-elle exprimée ?

TRAVAUX D'ÉCRITURE

Commentaire

Vous ferez le commentaire du document 3 en vous demandant en quoi Manon exerce un véritable charme sur des Grieux, puis en montrant en quoi cette rencontre est tragique.

Dissertation

À quoi sert l'écriture de la scène de première rencontre dans la narration des romans d'amour ? Pour répondre à cette question, vous vous demanderez comment l'écriture de cette scène peut déterminer la vision que les personnages ont l'un de l'autre, celle que le lecteur a des personnages, et comment elle peut donner le cadre de toute l'histoire d'amour, qui découle de ce moment.

Écriture d'invention

Vous imaginerez une scène de première rencontre dans laquelle les personnages sont déçus de ce qu'ils vivent. Vous aurez le souci de choisir un point de vue qui permette de rendre compte des points de vue des deux personnages, d'établir un lien de cause à effet entre la rencontre telle qu'elle était attendue et la déception vécue, et vous vous attacherez à décrire les sentiments des personnages.

Les affres de la passion | SUJET D'ÉCRIT 2 |

Objet d'étude : Le personnage du XVIIe siècle à nos jours

DOCUMENTS

- **MADAME DE LAFAYETTE,** *La Princesse de Clèves* (1678) → p. 55-57, l. 1227-1262
- **CHODERLOS DE LACLOS,** *Les Liaisons dangereuses* (1782) → DOC 8, p. 277
- **MARCEL PROUST,** *Sodome et Gomorrhe* (1922) → DOC 11, p. 280
- **PASCAL QUIGNARD,** *Villa Amalia* (2006) → DOC 12, p. 281

QUESTIONS SUR LE CORPUS

1 Quels sentiments la passion amoureuse provoque-t-elle chez les personnages ?

2 Comment leur réaction s'explique-t-elle ?

TRAVAUX D'ÉCRITURE

Commentaire

Vous ferez le commentaire du document 11 en vous demandant quelle est l'ambiguïté des sentiments du narrateur, comment elle se manifeste et ce que vous pouvez en déduire sur sa vision de la passion.

Dissertation

Pensez-vous que la jalousie soit un bon moteur de roman ?

Pour répondre à cette question, vous réfléchirez à la façon dont la jalousie fait rebondir l'action et vous vous demanderez en quoi elle permet de construire un personnage complexe.

Sujet d'invention

Imaginez une réponse à la lettre de Mme de Tourvel (document 8), dans laquelle Mme de Rosemonde tâche de calmer sa passion.

Vous serez attentif au niveau de langue employé et vous offrirez une autre peinture du personnage masculin, par un regard non passionné.

La scène de l'aveu | SUJET D'ORAL 1 |

• **MADAME DE LAFAYETTE**, *La Princesse de Clèves*, tome 3

« La confiance et la sincérité que vous avez pour moi [...] ce nom qu'elle lui cachait. » → p. 136-137, l. 585-620

QUESTION

En quoi cette scène de l'aveu est-elle extraordinaire ?

Pour vous aider à répondre

a Analysez le courage du procédé de la princesse et de la réponse du prince.
b Analysez le caractère exceptionnel des sentiments exprimés, tant d'amour que de respect.
c Analysez l'étrange situation des personnages.

COMME À L'ENTRETIEN

1 Pour quelles raisons, exprimées ou non, la princesse avoue-t-elle ?

2 En quoi cet aveu est-il inacceptable ?

3 Quelles en sont les conséquences dans le livre ?

4 Quelles en sont les conséquences dans l'histoire littéraire ?

5 En quoi cet aveu est-il tragique ?

La canne des Indes | SUJET D'ORAL 2 |

• **MADAME DE LAFAYETTE**, *La Princesse de Clèves*, tome 4

« Les palissades étaient fort hautes [...] plein de sévérité et de colère ! » → p. 177-179, l. 303-348

QUESTION

Comment le caractère irréel de la scène amplifie-t-il les émotions ?

Pour vous aider à répondre

a Étudiez le décor de la scène.
b Analysez les points de vue, les jeux de regard et les mises en abyme.
c Réfléchissez à la symbolique des objets.
d Demandez-vous en quoi les émotions ressenties par les personnages sont à la fois troubles et puissantes.

COMME À L'ENTRETIEN

1 À quelle scène cette situation extraordinaire des personnages fait-elle écho ?

2 Comment et pourquoi Madame de Lafayette joue-t-elle de la déception du lecteur ?

3 Quel est le rôle des objets dans l'ensemble du roman ?